Geheimen van Het Verloren Symbool

De mysteriën achter
Het Verloren Symbool
ontsluierd

GEHEIMEN

VAN

HET

VERLOREN

SYMBOOL

SAMENGESTELD DOOR

DAN BURSTEIN

&

ARNE DE KEIJZER

UITGEVERIJ LUITINGH

Mixed Sources
Productgroep uit goed beheerde bossen
en andere gecontroleerde bronnen
www.fsc.org   Cert no. SGS-COC-006507
© 1996 Forest Stewardship Council

Uitgeverij Luitingh en drukkerij Bariet vinden het belangrijk om op milieu-vriendelijke en verantwoorde wijze met natuurlijke bronnen om te gaan

© 2010 Squibnocket Partners LLC
All rights reserved
© 2010 Nederlandse vertaling
Uitgeverij Luitingh ~Sijthoff B.V., Amsterdam
Alle rechten voorbehouden
Oorspronkelijke titel: *Secrets of The Lost Symbol*
Vertaling: Marion Drolsbach, Erica Feberwee, Yolande Ligterink, Gerda Wolfswinkel
Omslagontwerp: Wouter van der Struys
Omslagbeeld: Steve Allen/Brand X/Corbis

ISBN 978 90 245 3215 5
NUR 320

www.boekenwereld.com
www.uitgeverijluitingh.nl
www.watleesjij.nu

Voor Julie,
die al 39 jaar mijn Aphrodite en mijn Athene is
en dat altijd zal blijven...

En voor David,
zo talentvol en al zo ver
op zijn unieke heldentocht...

Dan Burstein

Voor 'D',
een groots en zachtmoedig man
die zeer wordt gemist...

En als altijd voor Helen en Hannah,
warvb loza ddd sysssrt fua xhe wagvet xr ql lika

Arne de Keijzer

Inhoud

Enkele woorden van de eindredactie

Geheimen van Het Verloren Symbool heeft hetzelfde format als de eerdere boeken in onze *Geheimen*-serie, *Geheimen van De Da Vinci Code*, *Geheimen van Maria Magdalena* en *Geheimen van Het Bernini Mysterie*. We hebben weer geprobeerd een uitgebreide lezersgids samen te stellen bij een fascinerende en complexe roman, door zorgvuldig oorspronkelijke geschriften, diepgaande interviews met deskundigen en uittreksels uit boeken, publicaties en websites te verzamelen. Ook ditmaal vonden we Dan Browns benadering, waarbij hij veelzijdige en historisch belangrijke denkbeelden verwerkt in zijn avontuurlijke actieverhaal, zeer intrigerend. Tegelijkertijd roept de manier waarop Brown werkelijk bestaande bronnen verweeft met de eisen van zijn fictieve plot de vraag op wat feit en wat fictie is in *Het Verloren Symbool*. Wij hebben de taak op ons genomen die vraag te beantwoorden door dieper in te gaan op de geschiedenis en de denkbeelden in het boek en de middelen en trucjes die de schrijver voor zijn plot heeft gebruikt te analyseren.

We hebben de stem van de redacteurs onderscheiden van de bijdragen van de schrijvers door onze inleidende tekst in een kleiner lettertype te zetten. De tekst die daarop volgt, bestaat uit de woorden van de schrijver of de geïnterviewde persoon. De toevoeging 'door de redacteurs' betekent dat de tekst een oorspronkelijke bijdrage is van een van onze redacteurs, maar deel uitmaakt van de collectieve 'stem' van dit boek. Het copyright van al het materiaal behoort toe aan Squibnocket Partners LLC.

We hebben gewerkt met een grote variëteit aan bronmateriaal en hebben daarom de spelling en de benamingen in ons eigen werk gelijkgetrokken, maar die in de werken waarvan hier uittreksels zijn opgenomen onveranderd gelaten. Sommige deskundigen noemen de ets van Albrecht Dürer die Robert Langdon van een belangrijke aanwijzing moet voorzien, *Melencolia I*, de opzettelijk fout gespelde naam die Dürer er zelf aan heeft gegeven, terwijl anderen de gebruikelijker spelling *Melancholia* bezigen. Wij hebben besloten voor het eerste te kiezen, de spelling die ook door Dan Brown wordt gebruikt.

De titel *Het Verloren Symbool* is dikwijls verkort tot HVS. De titels van Dan Browns andere boeken zijn soms afgekort tot DVC (*De Da Vinci Code*) en HBM (*Het Bernini Mysterie*). Hoofdstuk- en paginanummers die genoemd worden, verwijzen naar de Nederlandse editie van oktober 2009. Opmerkingen over het boekomslag verwijzen naar de Amerikaanse editie van *The Lost Symbol* van september 2009.

Omdat we onze lezers een snelle blik willen verschaffen op de denkbeelden en geschriften van een groot aantal experts, hebben we onvermijdelijk dingen moeten weglaten die we eigenlijk graag hadden willen opnemen. We willen alle schrijvers, geïnterviewden, uitgevers en deskundigen bedanken die hun gedachten en materiaal zo welwillend aan ons ter beschikking hebben gesteld. In ruil daarvoor raden we onze lezers aan de boeken van onze deskundigen (vaak genoemd in onze inleidende tekst en altijd in de verantwoording) te kopen om de veelheid aan denkbeelden die op deze bladzijden wordt behandeld nader te verkennen in de oorspronkelijke bronnen.

Inleiding

door Dan Burstein

Midden in de nacht van 15 september 2009, om precies één minuut over drie *eastern daylight time*, kwam mijn Kindle geluidloos en onopvallend tot leven. Twee minuten later had hij het nieuwe boek van Dan Brown gedownload, *Het Verloren Symbool*. Nog een paar minuten later was ik druk in de weer met de zoekfunctie van de Kindle om te kijken of dit echt het boek was dat ik al lang dacht dat het zou worden. Ik had een lijst en begon de punten erop af te strepen... Vrijmetselaars? Klopt. Maçonnieke rituelen? Klopt. Washington D.C.? Klopt.

Washington Monument ✓
George Washington ✓
Benjamin Franklin ✓
Alchemie✓
Isaac Newton ✓
Albrecht Dürer ✓
Rozenkruisers ✓
Francis Bacon ✓
Invisible College ✓
Rotunda van het Capitool ✓
Schilderij *De apotheose van Washington* ✓
Hermes Trismegistus ✓
House of the Temple, hoofdkwartier van de vrijmetselaars van de
    Schotse Ritus ✓
Albert Pike ✓
James Smithson en het Smithsonian ✓
Koning Salomo en zijn tempel ✓
De 'zoon van de weduwe' ✓
Thomas Jefferson ✓

Deïsme ✓

Egypte, Griekenland, Soemerië ✓

Kabbala, Zohar, het Oude Testament, gnostici, boeddhisten, hindoes ✓

Passers, winkelhaken, magische vierkanten, schedels, hoekstenen, piramides, pantheons, hiërogliefen, Zoroaster, codes, *Kryptos*, Pythagoras, Heraclitus, Openbaring, Apocalyps ✓

Dit was dus inderdaad het boek waar ik al meer dan vijf jaar op zat te wachten. En nu, in de nazomer van 2009, was het er dan eindelijk.

Mijn naspeuringen naar de achtergronden van *Het Verloren Symbool* (*HVS*) – en het uitzoekwerk voor het boek dat u nu in handen hebt – zijn eigenlijk bijna zeven jaar geleden begonnen. Net zoals vele anderen kwam ik in de zomer van 2003 in aanraking met *De Da Vinci Code*, dat toen de bestsellerlijsten aanvoerde. Het was van een schijnbaar onbekende schrijver die Dan Brown heette. Het lag naast mijn bed, samen met tientallen andere ongelezen boeken en alle andere dingen die in deze complexe en chaotische wereld, waarin we voortdurend met informatie worden bestookt, om onze aandacht strijden.

Maar op een dag pakte ik *De Da Vinci Code* op en begon ik te lezen. Ik bleef de hele nacht geboeid de ene pagina na de andere omslaan. Ik kon het letterlijk niet wegleggen. Dat ik zo in beslag werd genomen door een boek, was iets wat me in mijn jongere jaren dikwijls was overkomen, maar dat in deze periode van mijn leven (ik liep tegen de vijftig) niet meer vaak voorkwam. Toen ik op een gegeven moment de provocerende bewering las dat er een vrouw op *Het Laatste Avondmaal* van Leonardo da Vinci stond, en dat die vrouw Maria Magdalena was, ging ik mijn bed uit en haalde ik mijn kunstboeken van de planken. Ik keek naar het schilderij, dat ik uiteraard al honderden keren had gezien. Ja, het leek er echt op dat er een vrouw naast Jezus zat!

Tegen de morgen had ik het boek uit, en ik had in geen tijden een boek gelezen dat zoveel vragen bij me opwierp. Ik wilde weten wat er waar was en wat niet, wat feit was en wat fictie. Zodra mijn plaatselijke filiaal van Barnes & Noble openging, zat ik daar met een cafe latte in de hand tientallen boeken door te kijken die in *De Da Vinci Code* waren genoemd of waar in bedekte termen naar was verwezen. Ik verliet de winkel met voor honderden dollars aan boeken en ging naar huis om al dat materiaal te bestuderen.

We spoelen even snel door naar 2004. Mijn schrijfpartner Arne de Keijzer en ik hadden een enorm project opgezet waaraan meer dan vijftig auteurs, redacteuren en deskundigen deelnamen. De laatsten waren wereldberoemde experts op gebieden die varieerden van theologie tot kunstgeschiedenis, van gnostische evangeliën en alternatieve Bijbelboeken tot codes en cryptografie. We hebben met dit team een spraakmakend boek geschreven, *Geheimen van De Da Vinci Code*, dat werd gepubliceerd in april 2004. *Geheimen van De Da Vinci Code* werd onmiddellijk zelf ook een bestseller. Terwijl het steeg tot in de top tien van de bestsellerlijst van *The New York Times* (het eindigde op nummer zeven – niet slecht voor een boek over een ander boek), werd ik opeens tot mijn verrassing overal in Amerika en de rest van de wereld uitgenodigd als deskundige op het gebied van alles wat met *De Da Vinci Code* en Dan Brown te maken had.

We hadden fascinerende dingen ontdekt over *De Da Vinci Code* en waren zelf experts geworden op het gebied van alle denkbeelden en onderwerpen die aan bod kwamen in de maalstroom van debatten en discussies over het boek van Dan Brown. De volgende twee jaar, waarin het publiek eindeloos geboeid bleef door *De Da Vinci Code*, verscheen ik in honderden tv-shows, werd ik geïnterviewd voor kranten, tijdschriften en websites en werd ik uitgenodigd om te spreken voor verscheidene religieuze groeperingen – variërend van de 92nd Street Y in New York (joods) tot het Pope John Paul II museum in Washington (katholiek) – in bejaardenhuizen en middelbare scholen, aan grote en kleine universiteiten, in newagekuuroorden, Rotaryclubs en Kiwanisclubs, op medische congressen en in bioscopen, in openbare bibliotheken en bij bedrijfsbijeenkomsten.

Wat het publiek ook vond van *De Da Vinci Code* – sommige mensen vonden het geweldig, anderen vonden het helemaal niets, sommigen beschouwden Dan Brown als een goede broodschrijver en anderen namen het boek veel te serieus, alsof het de Bijbel zelf of duivelse ketterij was – overal stuitte ik op een vloedgolf aan ideeën en belangstelling. Het programma liep altijd uit, de mensen wilden nog niet weg als het officiële gedeelte was afgelopen en heel veel mensen die nog nooit naar een gesprek met een schrijver waren geweest, wilden tot diep in de nacht blijven praten, ontdekken en discussiëren.

Geheimen van De Da Vinci Code werd de best verkochte gids ter wereld over *De Da Vinci Code* (DVC). Het werd vertaald in meer dan dertig talen en kwam op ruim tien bestsellerlijsten terecht. Uiteindelijk zouden we nog meer titels in de *Geheimen*-serie schrijven, waaronder een gids over *Het Bernini Mysterie*, het boek uit 2000 dat te lezen valt als een soort ruwe schets voor *De Da Vinci Code*, waarvoor Dan Brown voor het eerst het personage van Robert Langdon had geschapen, en een anthologie van fascinerende nieuwe denkbeelden over de vrouw die het middelpunt vormde van het fenomeen DVC, *Geheimen van Maria Magdalena*.

Ons team deed vele ontdekkingen tijdens de research voor *Geheimen van De Da Vinci Code*. We hoorden over een achttienhonderd jaar oud stukje tapijt waarop wellicht de oudste nog bestaande afbeelding van Maria Magdalena staat. We ontvingen al vroeg informatie over de wereldschokkende (en zeer geloofwaardige) ontdekkingen met betrekking tot het lang verloren Evangelie van Judas, een van de in theologisch en filosofisch opzicht belangrijkste gnostische evangeliën. Het was weer opgedoken en werd bestudeerd om de echtheid ervan vast te stellen, maar zou pas twee jaar later gepubliceerd worden. We hoorden een fantastisch verhaal (hoewel het later om negentiende-eeuws bedrog bleek te gaan) over de 'joodse Da Vinci Code', dat inhield dat de verloren gouden menora uit de tempel van Salomo verborgen zou zijn in de Tiber in Rome. We behoorden tot de eersten die een muziekstuk mochten beluisteren dat was gebaseerd op muzieknoten die waren gedecodeerd uit symbolische opschriften in de Schotse Rosslyn Chapel, een vijftiende-eeuwse kapel waar duizenden bezoekers naartoe zijn gekomen sinds erover geschreven is in DVC.

Maar de opwindendste ontdekking werd gedaan door onze onderzoeksjournalist, David A. Shugarts. (Dave heeft verscheidene prachtige commentaren verzorgd voor *Geheimen van De Da Vinci Code* en ook voor *Geheimen van het Verloren Symbool*.) Met hulp van Dave slaagden we erin de code te kraken die was ontdekt in de vorm van iets vetter gedrukte losse letters op het omslag van de Engelstalige editie van *De Da Vinci Code*. Samen vormden die letters de raadselachtige vraag: 'Is er geen hulp voor de zoon van de weduwe?' We kwamen er al snel achter dat dit een heel belangrijke gecodeerde boodschap is in de geschiedenis van de vrijmetselarij. Ze verwijst naar de moord op Hiram Abiff, de legendarische bouwmeester van de tempel van koning Salomo, door sommigen gezien als de eerste vrijmetselaar of in ieder geval het archetype van de toekomstige vrijmetselaar. 'Is er geen hulp voor de zoon van de weduwe?' is in ieder geval de laatste paar eeuwen een noodoproep geweest van een vrijmetselaar die problemen had aan zijn broeders. Na het onderzoek dat we naar aanleiding van deze ontdekking hebben gedaan, waren we zo zeker van onze zaak dat we in 2004 in een persbericht hebben gemeld dat het volgende boek van Dan Brown over vrijmetselaars zou gaan en zich zou afspelen in de stad Washington.

Niet lang daarna bevestigden Dan Brown en zijn uitgever dat zijn volgende boek, waarvan men op dat moment dacht dat de titel *The Solomon Key* zou worden, zich inderdaad in Washington zou afspelen, dat Robert Langdon er weer een hoofdrol in zou spelen en dat de plot zich zou afspelen tegen de achtergrond van de geschiedenis van de vrijmetselarij in Amerika, precies zoals we hadden voorspeld.

Al snel zaten Arne de Keijzer en ik met een kop koffie en een paar bagels tegen zes dikke dossiers aan te kijken die Dave Shugarts had samengesteld bij zijn pogingen om de gedachtegang van Dan Brown te herleiden. Als wij geloofden dat Dan Browns volgende boek over vrijmetselaars zou gaan en zich zou afspelen in de hoofdstad van ons land, welke aspecten van de geschiedenis, de religie en de filosofie zouden dan interessant voor hem kunnen zijn? Welke kunstwerken? Welke elementen van de wetenschap? Symbolen? Codes? Konden we nog voordat Dan Brown een woord van het vervolg van DVC had geschreven, al raden wat er in deze onvermijdelijke kaskraker zou staan? We gingen de uitdaging aan en zetten Shugarts aan het werk voor wat ons boek van 2005 zou worden, *Secrets of the Widow's Son* – een boek van David Shugarts met een inleiding van mij, dat in wezen ging over een bestseller die nog niet was geschreven (en die pas een jaar of vijf later zou worden gepubliceerd als *Het Verloren Symbool*).

Hoe konden we er zo zeker van zijn welke kant Dan Brown op zou gaan met een boek dat hij nog moest schrijven? We hadden bij ons onderzoek een tweeledig voordeel. Ten eerste hadden we er al twee jaar onderzoek op zitten naar de bestanddelen van het intellectuele brouwsel van *De Da Vinci Code* en *Het Bernini Mysterie*. Waar Dan Brown bijvoorbeeld een paar boeken had gevonden over de gnostische evangeliën en er wat interessante denkbeelden uit had opgediept, waren wij naar de meest vooraanstaande deskundigen ter wereld gegaan – mensen als Elaine Pagels, James Robinson en Bart Ehrman – voor een uitgebreid gesprek. We waren gestuit op een vreemd mengsel van legenden en volksverhalen dat *Het Heilige Bloed en de Heilige Graal* heette en hadden met toestemming van de auteurs een stuk eruit opgenomen in *Geheimen van De Da Vinci Code*. In mijn inleiding van dat stuk had ik in 2004 geschreven: 'Het Heilige Bloed en de Heilige Graal is het boek "waarmee het allemaal begon". ... Wie het boek leest, stuit vanzelf op plekken waarbij men denkt: dit heeft Dan Brown onderstreept of van een geeltje voorzien en gezegd: "Aha! Dit moet ik gebruiken!"'

Ik heb *Het Heilige Bloed en de Heilige Graal* de 'oertekst voor *De Da Vinci Code*' genoemd, maar daarbij opgemerkt dat het waarheidsgehalte van het werk absoluut twijfelachtig is, en Brown geprezen omdat hij elementen uit dit als non-fictie gepresenteerde boek had verweven in zijn fictieverhaal. Met deze woorden bleek ik a) de rechtszaak te hebben voorspeld die de schrijvers van *Het Heilige Bloed en de Heilige Graal* twee jaar later tegen Brown aanspanden wegens plagiaat (ongegrond en onredelijk, naar mijn mening – waarbij de Londense rechtbank Brown uiteindelijk onschuldig verklaarde en de rechter verrassend genoeg een deel van zijn uitspraak in code had opgesteld); b) te hebben voorzien welke bewijzen de andere partij zou aanvoeren om hun beschuldiging van plagiaat te ondersteunen (in de rechtbank werd aangetoond dat Dan Brown en zijn vrouw Blythe bij hun research voor *De Da Vinci Code* inderdaad passages van *Het Heilige Bloed en de Heilige Graal* hadden onderstreept en gemarkeerd, precies zoals ik had bedacht); en c) de invalshoek van de verdediging al te hebben geschetst: Brown schreef fictie en had iets gebruikt wat volgens de andere schrijvers non-fictie was om een interessante plot te creëren.

Kortom, we hadden inmiddels behoorlijk wat ervaring in het doorgronden van de denkwijze van Dan Brown, wat bevestigd werd door latere gebeurtenissen.

We bleken er ook goed aan te hebben gedaan Shugarts aan te moedigen *Secrets of the Widow's Son* te schrijven. Zijn inspanningen om Browns codes te kraken waren zo verrassend succesvol en zijn voorspellingen zo accuraat dat we vijf jaar voor de publicatie van *Het Verloren Symbool* al hadden geraden dat Dan Brown alle elementen van de opsomming aan het begin van deze introductie zou gebruiken. Sterker nog: Dave was zo ver gegaan om te raden dat Brown gebruik zou maken van kunstwerken van Albrecht Dürer. Het is al opmerkelijk genoeg dat hij daar gelijk in heeft gekregen. Maar Dave had bovendien specifiek aangegeven dat Brown belangstelling zou hebben voor Dürers *Melencolia i*, waarin een magisch vierkant was verwerkt. En ja hoor, vijf jaar later dook Dürers *Melencolia i* op als een belangrijk ingrediënt voor Robert Langdons oplossing van het raadsel van de Maçonnieke Piramide in *Het Verloren Symbool*. Dave zei niet alleen: 'Ik denk dat Brown de National Cathedral zal gebruiken in zijn verhaal,' (wat Brown in HVS inderdaad deed), hij noemde ook specifiek de afbeelding van Darth Vader op de toren van de National Cathedral als iets wat zeker Browns aandacht zou trekken. Toen mijn vrouw en ik vijf jaar later, nadat HVS was uitgekomen, zelf een reisje naar Washington maakten, keek ik op naar Darth Vader op de National Cathedral en was ik oprecht onder de indruk dat Dave juist had voorspeld dat dit kleine detail zou opduiken in *Het Verloren Symbool*.

Diezelfde ervaring had ik toen ik in de herfst van 2009, meteen na het lezen van *Het Verloren Symbool*, in de Rotunda van het Capitool stond. Er zijn een heleboel prachtige verhalen over het Capitool, dus als je wist of in ieder geval vermoedde dat Brown een thriller ging schrijven die zich zou afspelen in de stad Washington, kon je er bijna wel van uitgaan dat het Capitool erbij betrokken zou worden. Het gebouw bleek zelfs zo'n grote rol te spelen in HVS dat het midden op het omslag van de Engelstalige editie staat. En de handeling in het boek begint en eindigt in de Rotunda. Maar Daves voorspelling van het gebruik dat Brown zou maken van Brumidi's *Apotheose van Washington*, het fresco dat zich helemaal boven in de koepel van de Rotunda bevindt – en waar de wetgevende macht en de toeristen meestal aan voorbij lopen zonder het op te merken, omdat je moet blijven staan en je hoofd in je nek moet leggen om het te zien – was weer behoorlijk verbazingwekkend.

De vrijmetselarij is een stelsel van denkbeelden en een levenshouding die zwaar leunen op een grote verscheidenheid aan historische ervaringen en zinspelingen, beelden en symbolen, mythen en rituelen. Als de sluier eenmaal is opgelicht en men dieper doordringt tot dit stelsel van denkbeelden, blijken de verbanden verbijsterend en opwindend te zijn. Omdat de vrijmetselaars er zelf voor kiezen om hun ervaringen te verbinden aan zo veel historische leringen, kennis, spiritualiteit en mystiek en omdat ze hun visie op de kosmos zo graag uitdrukken in krachtige symbolische vormen, is het beklimmen van de wenteltrap naar deze wereld net zoiets als het spelen van de uitgebreide versie van het Kevin Bacon-spel. Alles is met wel duizend draden met al het andere verbonden. De Egyptische piramidebouwers met Pythagoras met koning Salomo met Jezus met gnostici met tempeliers met Francis Bacon met Isaac Newton met George Washington. Alles kan worden opgenomen in een doorgaand verhaal. Dat is dan ook precies waar het hun om gaat: dat alles met elkaar in verband staat.

Voor een schrijver als Dan Brown en een hoofdpersoon als Robert Langdon (en zijn medestanders in HVS, de Solomons, die zich bezighouden met vrijmetselarij en noëtica) is dit een heerlijke wereld voor een thriller. Dit is een ideeënroman. En dat is het leuke (en soms het frustrerende) als je een boek als dit schrijft over een boek van Dan Brown. De verschijning van de Hand der Mysteriën aan het begin van *Het Verloren Symbool* wijst erop dat Robert Langdon is uitgenodigd voor een reis die zijn leven zal veranderen. Ook wij als lezers worden uitgenodigd om na te denken over enkele van de meest diepzinnige denkbeelden in de geschiedenis van de beschaving, en om ons te mengen in diepgaande discussies over zowel ons recente als ons oeroude erfgoed.

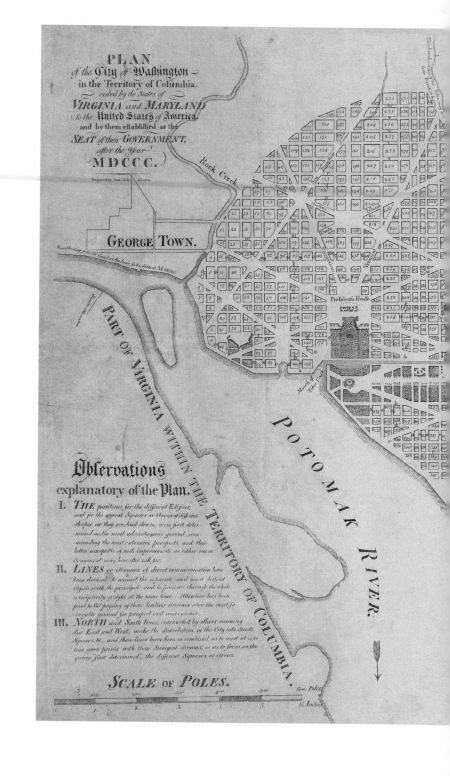

1

Intellectuele alchemie

Een ontdekkingsreis door de complexe kosmos van *Het Verloren Symbool*

door Dan Burstein

De tijd is als een rivier... boeken zijn als schepen. Vele die de reis aanvaarden, lijden schipbreuk, gaan verloren en raken in vergetelheid op de rivierbodem. Slechts enkele doorstaan de beproeving van de tijd en beklijven om hun zegen te schenken aan de tijden die volgen.

Het Verloren Symbool, gebaseerd op maçonnieke geschriften

Is *Het Verloren Symbool* een van die boeken die de beproeving van de tijd zullen doorstaan? Waarschijnlijk niet. In de bijna driehonderd jaar oude geschiedenis van het geschreven boek hebben slechts weinig populaire werken eeuwenlang standgehouden, op een handvol uitzonderingen zoals de werken van Shakespeare na. Maar misschien zal *Het Verloren Symbool* van Dan Brown een andere blijvende prestatie blijken te leveren. Het biedt toekomstige historici en antropologen in één boekwerk een van de beste overzichten van de gedachten en vragen van de vroeg-twintigste-eeuwse mens, inclusief onduidelijke verwijzingen naar op dit moment nog niet in woorden te vatten ideeën over enkele van de grootste vraagstukken, mysteries en uitdagingen die de mens ooit heeft gekend.

Hoewel het zich afspeelt in de stad Washington, wordt in *Het Verloren Symbool* ironisch genoeg en vreemd genoeg voorbijgegaan aan alle urgente kwesties in het hedendaagse Amerika. *Het Verloren Symbool* houdt zich totaal niet bezig met oorlogen, gezondheidszorg, het stimuleren van de economie en andere vraagstukken die in Washington spelen. De zaken waarop in het boek wordt ingegaan zijn eerder:

Is er een God?
Is God een externe kracht of bevindt God zich in ons allen?
Bestaat er zoiets als een ziel? Zo ja, wat gebeurt ermee als we sterven?
Waarom zijn wij op aarde?

En als er geen God of andere bepalende invloed bestaat? Hoe weten we dat dan? Hoe moeten we in een dergelijke wereld leven? Wat is ons doel in het universum? Wat gebeurt er als we dood zijn?

Kunnen alle religies en spirituele systemen ter wereld worden opgevat als één grote queeste van de mens naar verbindingen met het grotere universum?

Hebben de 'geest', de 'ziel' en menselijke gedachten een fysieke uitingsvorm die kan worden geconcentreerd, gericht en omgezet in energie die verandering kan bewerkstelligen in de externe materiële wereld?

Zijn recente ontwikkelingen in de natuurkunde, de kosmologie, de biologie en de neurologie een afspiegeling van onze oude filosofische, mythische en religieuze denkbeelden over wie we zijn en wat het universum is?

Beschikten de oude filosofen, de alchemisten en mystici uit de renaissance, en zelfs de Amerikaanse Founding Fathers, over inzichten in de inherente krachten van iedere mens en het groeiende vermogen om die te gebruiken?

Als de afgehakte hand van Peter Solomon in de Rotunda van het Capitool opduikt, is dat een van de honderden symbolische/metaforische trucjes die Dan Brown zijn hele boek door gebruikt, die hij heeft verzameld bij zijn onderzoek in geheimzinnige geschriften van alle tijden. De slechterik Mal'akh gebruikt het symbool van de Hand der Mysteriën om Robert Langdon uit te nodigen een pion te worden in zijn dodelijke spelletje, zijn persoonlijke queeste naar de betekenis van de 'Oude Mysteriën' en het 'Verloren Woord'.

Langdon onderneemt een klassieke heldentocht in de koude, twaalf uur durende januarinacht waarin het boek zich afspeelt. Dit is zijn eigen uitgebreide rituele queeste en initiatie- en overgangsrite. Wij als lezers worden uitgenodigd tegelijkertijd een parallelle tocht te ondernemen. Onze reis zal ons, zij het slechts oppervlakkig, in aanraking brengen met diepzinnige denkbeelden en theorieën over de boeiendste vragen die de mens zich kan stellen. Of je nu iets ziet in de ideeën die bij deze tocht gepresenteerd worden of niet, zelfs de meest rudimentaire exegese van *Het Verloren Symbool* levert een reeks buitengewone en tot nadenken stemmende onderwerpen van discussie op.

In de voorlaatste momenten van HVS liggen Robert Langdon en Katherine Solomon als twee kinderen schouder aan schouder op hun rug naar het magnifieke, mythische fresco *De apotheose van Washington* boven in

de koepel van het Capitool te kijken. Na hun heldhaftige nacht vol onthullende avonturen mijmeren ze over de betekenis van het leven. Langdon denkt terug aan zijn tienerjaren, toen hij 's nachts op het meer ging
kanoën onder de sterrenhemel en nadacht over 'dit soort vragen'. We hebben dit allemaal op een zeker punt in ons leven gedaan, net als Langdon
als tiener. En dat geldt voor mensen in alle samenlevingen, van de prehistorie tot de oude Egyptenaren, de Babyloniërs, de Grieken, de Romeinen,
de joden en christenen uit de Bijbelse tijd, gnostici in de woestijn, middeleeuwse alchemisten, humanisten uit de renaissance, Galilei, Newton en
zelfs Benjamin Franklin. (Franklin stond bekend om zijn wandelingen met
de Lunar Society op maanverlichte nachten, in het gezelschap van andere
grote denkers met wie hij discussieerde over grote vraagstukken.)

Bijna alle kinderen doen aan kunst en muziek, maar houden op een zekere leeftijd op met die activiteiten. En de meesten van ons hebben wel
eens nagedacht over de 'grote levensvragen', meestal als tiener of jonge vol-
wassene. Maar naarmate we ouder worden, denken we minder aan zulke
gewichtige zaken. Het dagelijkse leven drukt op onze schouders, onze le-
venservaring heeft ons tot bepaalde overtuigingen gebracht, en onze gewoonlijk niet al te succesvolle pogingen om lang en diep over zulke zaken
na te denken hebben ons doen concluderen dat er geen bevredigende antwoorden zijn op de grote existentiële vragen. Dus gaan we eenvoudig verder op ons levenspad. Net zoals we niet langer regelmatig zingen of schilderen, zoals we als kind deden, stellen we onszelf geen vragen meer als:
wat was er voor de Big Bang? Behalve een handvol kosmologen, natuurkundigen, filosofen en theologen en een paar mensen die hebben besloten dat de zoektocht naar deze antwoorden een integraal deel moet uitmaken van hun persoonlijke leven, hebben de meesten van ons een
religieuze overtuiging of onderbuikgevoelens over deze vragen, maar denken we er niet vaak actief over na.

En dat is zo interessant aan *Het Verloren Symbool*. We krijgen de gelegenheid deze vragen nog eens te bezien in de vorm van buitengewoon lees-
bare fictie, een spannend boek voor op het strand of in het vliegtuig. Het
maakt bijna niet uit of Browns presentatie van die vragen goed of verkeerd is. Het worstelen met deze vraagstukken kan ons aan het denken
zetten en ieder van ons op onze eigen manier laten meedoen, op welk niveau ook.

Het Verloren Symbool kan natuurlijk gemakkelijk worden afgedaan als
niet erg betekenisvol. Net als de eerdere werken van Dan Brown is het een
boek waarin zware clichés, onmogelijke wendingen, overdadig woordge-
bruik, onhandige zinnen, al te veelvuldig gebruik van cursieve letters en
de enorme oversimplificatie van complexe denkbeelden eerder regel zijn

dan uitzondering. Ik schaam me er niet voor dat ik een fan van Dan Brown ben, maar ik ben ook de eerste die zich ergert aan de vaak verschrikkelijke dialogen, de in het oog springende feitelijke vergissingen en het gebrek aan dimensie in zijn personages. We moeten voortdurend in gedachten houden dat HVS *fictie* is – en anders dan bij *De Da Vinci Code* heeft Dan Brown ditmaal de woorden 'a novel' op het omslag van de Amerikaanse uitgave laten zetten om ons aan dit duidelijke feit te herinneren. Je kunt het prachtige fictie vinden of niet. Maar ik houd vol dat het interessante, intrigerende en uiteindelijk ook belangrijke fictie is.

We leven in een maatschappij die steeds minder geneigd is tot het voeren van diepgaande debatten of het lezen van substantiële non-fictie. De echte literaire fictie verdwijnt ook steeds meer, en eerlijk gezegd lijdt wat tegenwoordig doorgaat voor literaire fictie aan een schaarste aan ideeën. *Het Verloren Symbool* mag dan een leuk strandboek zijn, maar onder het zand is het een ideeënroman. Daarom hebben we *De Geheimen van Het Verloren Symbool* geschreven, een boek dat dieper op deze ideeën ingaat. De ontdekkingsreis die hier begint, is niet alleen gebaseerd op mijn eigen denkbeelden en die van mijn collega Arne de Keijzer en ons team, maar vooral ook op de wijsheid van vele grote denkers en deskundigen, van wie de meningen in dit boek worden weergegeven. En als we slagen in onze opzet, zullen we materiaal hebben aangeleverd dat als voer kan dienen voor ieders eigen ideeën en belangstelling voor een veelheid aan onderwerpen.

Over vrijmetselaars en deïsten: Amerika is gesticht als een land voor iedereen

De inhoud van *Het Verloren Symbool* is bijna net zo veelomvattend als een poging om het universum en de hele menselijke ideeëngeschiedenis te doorgronden. Laten we dus maar beginnen met een handjevol belangrijke ideeën en thema's uit het boek.

'Amerika is niet als christelijke natie gesticht, maar is een christelijke natie geworden.' Deze bondige verklaring van Dan Brown in een interview met Matt Lauer van de NBC geeft het doel weer van de tientallen verwijzingen, historische anekdotes en uitspraken die het grote leidmotief vormen van HVS. De laatste dertig jaar van de Amerikaanse geschiedenis krijgt de krachtige moderne mythe dat Amerika's Founding Fathers gedreven werden door een christelijk-fundamentalistisch wereldbeeld zoals dat tegenwoordig wordt aangehangen door religieus rechts, steeds meer voet aan de grond. Maar volgens de geschiedenis is juist het tegendeel waar, aldus HVS.

De reden dat Brown uitweidt over de grote rol die de vrijmetselarij heeft gespeeld in het vroege Amerika, is dat de vrijmetselarij een samenhangend stelsel biedt van filosofische denkbeelden en een algemeen concept van God erkent, maar een specifieke definitie van God en het geloof verwerpt. Volgens Browns (ongetwijfeld geïdealiseerde) weergave legt de vrijmetselarij de nadruk op tolerantie, respect voor vele religieuze tradities en diversiteit van geloof. De broederschap richt zich op moraliteit, vooruitgang, persoonlijke ontwikkeling, intellectuele verlichting en maatschappelijke waarden, maar niet op een specifieke religieuze overtuiging. De vrijmetselaars putten inspiratie uit oude wijsheden en uit denkers en geschriften uit vele culturen, zowel religieus als seculier. HVS herinnert ons eraan dat in het hoofdkwartier van de vrijmetselaars van de Schotse Ritus in de stad Washington – het zogenaamde House of the Temple, waar zowel de openingsscène als het hoogtepunt van HVS plaatsvindt – het Oude Testament, het Nieuwe Testament en de Koran naast elkaar op het altaar liggen.

George Washington, Benjamin Franklin, John Hancock, Paul Revere en talloze andere vooraanstaande grondleggers van de Amerikaanse democratie waren vrijmetselaars. De geheime wachtwoorden die vrijmetselaars uitwisselen om de band met elkaar te bevestigen speelden een grote rol op minstens één beslissend moment in de geschiedenis van Amerika. Op de dag van Paul Reveres beroemde rit werd hij door een Britse politiecommandant gearresteerd. Toen duidelijk werd dat beide mannen vrijmetselaars waren, heeft de politieman Revere laten gaan, die vervolgens zijn beroemde rit maakte voor de vrijheid en tegen de Britse tirannie.

Minstens negen ondertekenaars van de Onafhankelijkheidsverklaring waren vrijmetselaars. Onder de vroege presidenten waren veel vrijmetselaars (onder wie Washington, Monroe en Jackson). Talloze toonaangevende figuren in de Europese Verlichting waren vrijmetselaars, van Voltaire tot Diderot. Denkbeelden, uitdrukkingen en symbolen vloeiden vrijelijk van de filosofische wereld van het maçonnieke gedachtegoed in de late achttiende en vroege negentiende eeuw naar de documenten, besluiten, debatten, wetten, kunst en architectuur van de nieuwe Amerikaanse natie. George Washington werd voor zijn eerste termijn ingezworen op de bijbel uit de naburige vrijmetselaarsloge, en hij leidde zoals bekend is een processie in schootsvel en vrijmetselaarsregalia bij een maçonniek ritueel waarin de hoeksteen van het Capitool werd gelegd.

Benjamin Franklin en de Franse filosoof Voltaire, twee van de grootste denkers van de transatlantische Verlichting, ontmoetten elkaar in de Parijse *Loge des Neuf Soeurs* (Loge van de Negen Zusters). Franklin hielp zelfs bij de initiatie van Voltaire in de befaamde Franse vrijmetselaarsloge. De Amerikanen leren al op de basisschool over de steun die de Amerikaanse revolutionaire beweging ontving van de Franse generaal Lafayette. Maar wat er op school niet bij wordt verteld, is hoe het Washington en Lafayette ondanks de taalbarrière en een groot leeftijdsverschil lukte zo snel een band met elkaar te krijgen en zo nauw samen te werken voor het succes van de Amerikaanse zaak. Ze werden uiteraard gemotiveerd door het gemeenschappelijke doel om de Britten tegen te werken. Maar ze waren ook allebei vrijmetselaars, en ze konden elkaar begrijpen en vertrouwen omdat ze de wereld vanuit eenzelfde standpunt bezagen. Het heldhaftige standbeeld van Lafayette staat nog steeds vlak voor het Witte Huis, als getuige van het geloof in vrijheid, gelijkheid en misschien vooral broederschap dat Washington en Lafayette deelden. Veel buitenlanders die zich sterk maakten voor de Amerikaanse zaak waren ook vrijmetselaar, zoals baron Von Steuben, de Pruisische militaire expert die Washington zou hebben geholpen zijn bijeengeraapte leger in vorm te brengen en die het eerste trainingshandboek voor de Amerikaanse troepen zou hebben geschreven.

Thomas Jefferson, die geen vrijmetselaar was, was in filosofisch opzicht een deïst. De vrijmetselarij en het deïsme zijn een soort neefjes. Deïsten geloven in een opperwezen dat de wereld heeft geschapen, maar dat zich daarna niet is blijven bemoeien met de zaken van de mens. Voor deïsten bestaat er geen noodzaak tot georganiseerde religie. God is niet iemand die wonderen verricht op aarde. HVS herinnert ons aan de Jefferson-bijbel, die helaas maar al te weinig aandacht krijgt in wat we weten over Thomas Jefferson en wat er op school over hem onderwezen wordt. De grote denker en stichter van de Amerikaanse democratie, de man die het grootste deel van de inspirerende woorden van de Onafhankelijkheidsverklaring heeft geschreven, heeft ook zijn eigen versie van de Bijbel gemaakt. Hij schrapte elke verwijzing naar de maagdelijke geboorte, de wederopstanding en andere wonderen en bovennatuurlijke verschijnselen. Die vond hij irrelevant voor de morele wijsheid van de Bijbelse leringen, die hij wilde benadrukken.

De overtuigingen van vrijmetselaars en van deïsten zijn niet noodzakelijkerwijs in strijd met het christelijk geloof. Het merendeel van de Founding Fathers, inclusief alle personen die hierboven zijn genoemd, beschouwde zichzelf ongetwijfeld als christen. Toch waren deze pioniers van de Amerikaanse staat diep overtuigd van het belang van de scheiding van kerk en staat. Dat waren niet slechts woorden voor hen. Het was een fundamenteel principe. Ze geloofden ook dat ze van alle bronnen van waardevolle kennis iets konden leren, en waren over het algemeen niet alleen goed ingevoerd in het Oude en het Nieuwe Testament, maar ook in Griekse en Romeinse klassiekers en de zestiende- en zeventiende-eeuwse filosofische werken die tegenwoordig vrijwel niemand meer leest en die als bijna 'heidens' worden beschouwd, zoals die van Francis Bacon, een van de meest intrigerende historische personen die door Dan Brown in HVS worden genoemd.

Getrouw aan de 'veelomvattendheid' van de vrijmetselarij die Brown in HVS zo lovend beschrijft, is de intellectuele geschiedenis van de vrijmetselaars tot aan de dag van vandaag geïnspireerd op diepe bronnen die te vinden zijn in oude overtuigingen, mythen, rituelen, denkwijzen, tekenen en symbolen van zowel de joods-christelijke traditie als een brede verscheidenheid aan oosterse religies en beschavingen. De vrijmetselarij is eigenlijk een kosmische intellectuele grabbelton van ideeën, van geometrie en quantumfysica tot alchemie en gnostiek. Ze omvat het gedachtegoed van filosofische scholen van de presocratici, de tempeliers, de humanisten uit de renaissance en de wetenschappelijke, politieke, literaire en muzikale genieën van de Verlichting.

Het christendom is niet in tegenspraak met de vrijmetselarij. En het omgekeerde geldt ook. Maar er is een duidelijk verschil in opvatting tussen het open, tolerante en verkennende wereldbeeld van de vrijmetselaren en deïsten aan het einde van de achttiende eeuw en de meer statische, specifiekere en strengere religieuze zienswijze van het christendom die sommigen (ten onrechte) willen toeschrijven aan het Amerika van de Founding Fathers. Een van de bijdragen die Dan Brown levert aan de hedendaagse politieke discussie is dat hij aantoont waarom de stichters van de Verenigde Staten niet kunnen worden afgeschilderd als evangelische christenen, als rechtvaardiging voor pogingen om een dergelijk wereldbeeld op te dringen aan de hedendaagse en toekomstige Amerikaanse samenleving. Het kan niet omdat het niet waar is. 'In God we trust' werd in 1864 voor het eerst op munten gezet; 'under God' werd pas in 1954 toegevoegd aan de Amerikaanse eed van trouw. Jefferson, Washington en Franklin maakten gebruik van eufemismen als 'de voorzienigheid', 'goddelijke voorzienigheid' en de 'schepper', en dan nog zo min mogelijk. Ze namen bijna nooit de woorden 'God' of 'Jezus' in de mond.

Dan Brown vertelt ons dat hij zelf geen vrijmetselaar is. Maar hij maakt er geen geheim van dat de vrijmetselarij staat voor de waarden waarmee hij zich persoonlijk identificeert. Dat schreef hij ook in een brief aan een vrijmetselaarsloge, na de publicatie van HVS:

In een wereld waarin mensen strijd voeren over de vraag wiens definitie van God de meest juiste is, kan ik niet genoeg benadrukken

welk een diep respect en grote bewondering ik voel jegens een organisatie waarin mannen van verschillend geloof in staat zijn 'samen
het brood te breken' in een verbond van broederschap, vriendschap
en kameraadschap. Wees zo goed mijn nederige dank te aanvaarden
voor het nobele voorbeeld dat u de mens stelt. Ik hoop oprecht dat
de maçonnieke gemeenschap *Het Verloren Symbool* ziet als wat het
werkelijk is ... een oprechte poging om de geschiedenis en schoonheid van de maçonnieke filosofie vol eerbied te onderzoeken.

Met *Het Verloren Symbool* wil Brown van de daken roepen dat het 'echte
Amerika' het Amerika is van Washington, Franklin en Jefferson, van vrijmetselaars en deïsten. Het is het Amerika van de open blik en het onstil-
bare verlangen naar kennis van elke soort. Het Amerika dat openstaat voor
iedereen die wil komen en voor alle ideeën en elke traditie. Het Amerika
waarin kerk en staat gescheiden zijn, waarin geloof en ongeloof en alles
wat daartussen zit persoonlijke keuzes zijn, en geen enkel religieus dogma
vernieuwende geesten ervan weerhoudt zich vrijelijk uit te drukken en iets
te bereiken in het leven.

Vrijmetselaars: de regisseurs van de democratie

Of ze nu echt verbonden zijn met de oude piramide- en tempelbouwers
of niet, de vrijmetselaars hebben die erfenis bestudeerd en aangenomen.
Dus is het geen verrassing dat enkele van de meest herkenbare, aanspre-
kende en invloedrijke openbare gebouwen zijn neergezet door vrijmetselaars of door mensen die zijn beïnvloed door de maçonnieke stijl. Robert
Mills, de architect van de beroemdste obelisk ter wereld – het Washington Monument – was zich scherp bewust van het belang van de Egyptische beschaving en de bijbehorende symbolen voor George Washington,
en van de maçonnieke erfenis waaraan het Monument eer bewees. (De
grootste geldelijke bijdragen voor het Washington Monument kwamen
onder andere van vrijmetselaars!) Gustave Eiffel, de ontwerper van de Eiffeltoren in Parijs – een ander soort obelisk – was vrijmetselaar. Zowel het
Washington Monument als de Eiffeltoren is een symbolische uiting van
het streven van de mens om de hemel aan te raken. In beide is de zich verheffende aard van hun samenleving te zien. Beide hebben een fabuleuze
interactie met het licht, de zonsondergang, de opkomende maan en de
sterren. Tegen beide werd vreemd aangekeken toen ze werden gebouwd,
maar ze zijn allebei blijvende klassiekers geworden, emblemen voor hun

steden, waarin ze een centrale plaats innemen. Beide monumenten zijn gebouwd met een niet aflatende ambitie. De bouwers moesten vechten tegen financiële problemen, politieke twisten en esthetische kritiek. Toen het Washington Monument in 1885 werd voltooid, was het met zijn 170 meter het hoogste gebouw ter wereld. De voltooiing maakte voorgoed een einde aan de eeuwenlange traditie dat stadsgezichten werden gedomineerd door kathedralen en andere religieuze gebouwen. Slechts vier jaar later, bij de voltooiing in 1889, werd de Eiffeltoren met 317 meter bijna twee keer zo hoog als het Washington Monument.

Als Pierre L'Enfant, de man die het stratenplan van Washington heeft ontworpen (die met Lafayette naar Amerika was gekomen), geen vrijmetselaar was, had hij in ieder geval heel goede banden met de vrijmetselarij, en hij had grote waardering voor de maçonnieke geometrie van ovalen, ellipsen, vierkanten en cirkels. Hij werkte nauw samen met George Washington, zelf ook landmeter en stadsplanner van opleiding, aan de opzet van deze nieuwe stad, dit 'Athene aan de Potomac'. Renwick, de architect van het 'kasteel' van het Smithsonian, heeft wellicht inspiratie opgedaan in de kastelen van de tempeliers en vrijmetselaars in Europa en in Rosslyn Chapel, die zo bekend is geworden door *De Da Vinci Code*.

Veel componisten van de meest verheffende muziek waren vrijmetselaars: mensen als Mozart, Haydn en Elgar, de componist van *Pomp and Circumstance*, dat tegenwoordig bijna bij elke Amerikaanse diploma-uitreiking en andere overgangsrite wordt uitgevoerd. De vrijmetselaars houden zich hun leven lang bezig met rituelen, riten en symbolische presentatie, waardoor ze zo ongeveer de toneelregisseurs van onze wereld zijn. Het zou dan ook geen verrassing mogen zijn dat ze een onevenredig grote rol hebben gespeeld op bepaalde sleutelmomenten in de Amerikaanse geschiedenis.

De mystieke traditie is onze 'derde cultuur'.

Het Verloren Symbool is van de eerste tot de laatste pagina een betoog voor de niet-lineaire, niet per se rationalistische, magische/mystieke/spirituele tendens in het menselijk denken om te worden erkend als belangrijke factor in de ontwikkeling van de beschaving. We leren op school dat de renaissance is ontstaan nadat de Europeanen tijdens de kruistochten de klassieke kennis over wiskunde, filosofie en de kunsten hadden herontdekt, waarover enorm veel te vinden was in de schatten aan kennis die bewaard werden in Byzantium en het Midden-Oosten. Maar geen enkele leraar op de middelbare school voegt eraan toe dat de kruisvaarders, de tempeliers en de reizigers ook de mystieke leringen en de 'geheime kennis' van de neoplatonici meebrachten, wier geschriften in groten getale te vinden waren in de bibliotheek van Alexandrië. Wie iets wil weten over de invloed van Hermes Trismegistus op de renaissance kan maar beter een occult of esoterisch boek pakken, want in onze standaardteksten zul je deze exotische mystieke denkbeelden niet tegenkomen.

We leren over grote rationalistische geesten als Isaac Newton, Thomas Jefferson en Benjamin Franklin zonder ooit iets te horen over Jeffersons belangstelling voor Bacon en de Rozenkruisers, of Franklins interesse in astrologie en vrijmetselarij. En over Newton kennen we allemaal het verhaal over de vallende appel. Maar de meesten van ons komen nooit te weten dat hij het merendeel van zijn vele wakende uren niet besteedde aan de bewegingswetten, maar aan alchemistische experimenten, waarmee hij zocht naar de verloren wijsheid van oude beschavingen, de tempel van Salomo probeerde te reconstrueren en de betekenis van de Schrift trachtte te ontcijferen.

Sommigen van ons wensen Amerika te beschouwen als een land dat geboren is in de geest van het christelijk fundamentalisme, terwijl anderen het eerder zien als een land dat is geboren in een zuivere rationalistische ode aan de democratische theorie. Maar de werkelijkheid is minder zuiver en ingewikkelder dan deze twee groepen voorgeven. Lev Grossman, auteur en recensent van *Time Magazine*, zei over HVS: 'Wat hij in *Het Bernini Mysterie* en *De Da Vinci Code* heeft gedaan voor het christendom, probeert Brown nu te doen voor Amerika: het rijke, duistere en vreemde ervan terugvinden. Het is waarschijnlijk een hopeloze taak, maar toch roerend in zijn dapperheid... Onze geschiedenis is net zo ziek en vreemd als die van ieder ander! Er schuilt een signaal in de ruis, orde in de chaos! Je hebt alleen een titel van een niet-bestaande faculteit van Harvard nodig om het te zien.'

Een van de grote experts op het gebied van de evolutie van 'mysterietradities' in de afgelopen tweeduizend jaar is Joscelyn Godwin. Godwin, die muziek doceert aan Colgate, komt waarschijnlijk nog het dichtst bij een echte Robert Langdon. Kijk maar naar de snelle rondleiding langs de oude mysteriën in zijn boek uit 2007, *The Golden Thread: The Ageless Wisdom of the Western Mystery Traditions*:

Na de val van het Romeinse Rijk ... breidde het hermetisme zich uit tot het ook alchemie en de occulte wetenschappen (waarzeggerij, astrologie, magie et cetera) omvatte. Alle drie de abrahamitische religies (het jodendom, het christendom en de islam) hebben er een plek voor gevonden, zij het niet altijd van harte. ... In de renaissance diende de hermetische filosofie als neutraal terrein voor zowel protestanten als katholieken. Alchemie en de andere occulte wetenschappen waarvoor het hermetisme de intellectuele basis vormde, bloeiden als nooit tevoren.

Omdat het in wezen een kosmologische en praktische leer is in plaats van een theologie, kan het hermetisme naast elke religie bestaan. ... In de historie ervan komen geen intolerantie en bloedvergieten voor, en de levenswijze van het hermetisme is er een van wetenschap, bezinning en zelfverfijning. ...

De vrijmetselarij, die in haar huidige vorm is ontstaan in de zeventiende en achttiende eeuw, was de meest blijvende creatie van de hermetische traditie in het westen.

Nadat hij heeft laten zien welke intellectuele banden er bestaan tussen Plato en Pythagoras en de alchemisten, de Rozenkruisers, de vrijmetselaars en de Amerikaanse Founding Fathers, gaat Godwin verder met 'het dilemma van de filosoof': moet een verlicht iemand die toegang heeft tot kosmologische geheimen zich inzetten voor een betere wereld? Of is de wereld zo'n hopeloze zaak dat zo iemand zich moet concentreren op zijn eigen vermogen om onsterfelijkheid te bemachtigen? Zoals theologe Deirdre Good in hoofdstuk 5 oppert, klinkt de religie van Dan Brown misschien universeel, voor iedereen toegankelijk en oecumenisch. Maar als mensen zich erdoor in hun eigen zelfontwikkelingshokjes gaan afzonderen, waar ze zich alleen nog maar richten op zelfverbetering, ontstaat nooit de collectieve energie die noodzakelijk is om de wereld de goede kant op te sturen.

Godwin citeert madame Blavatsky, de stichter van de negentiende-eeuwse Theosophical Society, met de woorden: 'De voortdurende instandhouding van een persoonlijke identiteit aan gene zijde des doods is een zeer zeldzame prestatie, die slechts door hen verricht kan worden die aan de Natuur haar geheimen ontwringen en hun eigen bovenstoffelijke ontwikkeling beheersen. ... [Het wordt] alleen volbracht door adepten en tovenaars – waarbij de ene klasse de opperste geheime kennis door heilige methoden en met welwillende beweegredenen heeft verkregen, terwijl de andere ze verkregen heeft door onheilige methoden en uit minderwaardige motieven.' Dit is de oorsprong van Dan Browns Mal'akh. Om echt onsterfelijk te worden, moet de ingewijde tijdens zijn leven een 'stralend lichaam' hebben geschapen. (Dit is uiteraard wat Mal'akh heeft geprobeerd met fitness, tatoeages, zelfcastratie enz.) Maar hij moet ook toegang hebben tot de 'opperste geheime kennis' en om die te krijgen moet hij een 'goddeloze methode' gebruiken: Peter gijzelen en Robert Langdon in de val lokken om zijn hulp bij deze zoektocht te verkrijgen.

Harry Potter, Robert Langdon en de steen der wijzen

In de eerste tien jaar van de eenentwintigste eeuw zijn de bestsellerlijsten aangevoerd door twee boekenreeksen – die van J.K. Rowling en die van Dan Brown – die allebei een heel sympathiek en doodnormaal personage opvoeren (Harry Potter en Robert Langdon) dat zich moet begeven in een wereld vol mysterie, magie, mythen, alchemie en oude ambachten, en dat zijn intelligentie (meestal) en lichamelijke vaardigheden (slechts af en toe) moet inzetten om te strijden tegen een zeer duistere kwade macht. Hoewel Harry Potter algemeen wordt gezien als een jeugdserie en Robert Langdon bedoeld is voor volwassenen, bestaat er een interessante uitwisseling wat betreft het lezerspubliek. *De Da Vinci Code* bleek een paar jaar geleden een van de eerste boeken voor volwassenen die door veel leerlingen van de middelbare school werden gelezen, en er zijn veel volwassen fans van Harry Potter. Beide series hebben de aandacht getrokken van een wereldwijd publiek, en van beide zijn zeer succesvolle films gemaakt.

In de boeken komen zelfs een aantal dezelfde personages voor. Dokter Abaddon in HVS en Apollyon in de Engelstalige *Harry Potter* zijn Hebreeuwse en Griekse versies van hetzelfde woord voor verwoesting, die als naam dienen voor kwaadaardige personages. (In de Nederlandse vertaling van *Harry Potter* heet dit personage Appolonius.) Nicolas Flamel, een Franse alchemist, zou in *Harry Potter* een vriend zijn geweest van Perkamentus. Intussen wordt in DVC gemeld dat Flamel een veertiende-eeuwse grootmeester was van de Priorij van Sion. Hoewel Flamel een echt historisch personage is, zijn de beweringen over hem in beide boeken verzonnen.

In Amerika moest de titel van het eerste Harry Potter-boek worden gewijzigd van *Harry Potter and the Philosophers's Stone* in *Harry Potter and the Sorcerer's Stone*, omdat de uitgever dacht dat Amerikaanse tieners niet zouden weten wat de *philosopher's stone* zou zijn. Nu weten Harry Potter en Robert Langdon, net als hun lezers en fans, inmiddels een heleboel over de zoektocht naar de macht van de alchemistische transformatie, die ten grondslag ligt aan het concept van de 'steen der wijzen'. Interessant genoeg wordt de steen der wijzen meestal geassocieerd met fanatieke pogingen van alchemisten om onedele metalen te veranderen in goud. Maar veel alchemisten, en Flamel in het bijzonder, geloofden dat de steen der wijzen ook kon worden gebruikt om iemand onsterfelijk te maken. In plaats van goud en materiële rijkdom zijn spirituele rijkdom en vooral de zoektocht naar de onsterfelijke ziel het hoofdthema van *Het Verloren Symbool.*

Onze complexe tocht zit boordevol symbolen en metaforen

Net als bij de kabbalisten, de neoplatonici en allerlei mysterieschrijvers, kent alles in *Het Verloren Symbool* meerdere lagen. Bijna elke wending van de plot, elke naam van een personage, elk symbool, elke historische referentie, elk getal en elk kunstwerk heeft meerdere betekenissen en interpretaties. Kijk maar eens naar deze elementen en aspecten van HVS:

Het hele boek is zo gestructureerd dat Robert Langdon en de lezer een initiatierite ondergaan, een 'heldentocht'

De belangrijkste gebeurtenissen en scènes zijn gebaseerd op de graden en de rituelen van de vrijmetselarij. In die zin lijkt HVS op Mozarts *Zauberflöte* en op andere maçonnieke werken waarin de structuur van een initiatierite is ingebouwd. HVS is ook opgebouwd als de klassieke 'heldentocht' zoals die wordt beschreven door denkers als Carl Gustav Jung en Joseph Campbell. (Het is tekenend voor de tijdgeest dat Jungs lang ongepubliceerd gebleven persoonlijke dagboek met zijn eigen dromen, nachtmerries en primaire gedachten, dat bekendstaat als *Das Rote Buch* en waarin hij veel van de onderwerpen in HVS aansnijdt, voor het eerst werd gepubliceerd in hetzelfde seizoen als het nieuwe boek van Dan Brown.)

De grootste van alle heldentochten in de westerse beschaving is de *Odyssee* van Homerus. (James Joyce nam de structuur over in zijn meesterwerk van het modernisme, *Ulysses*.) Brown heeft op veel plekken in HVS symbolische referenties verweven naar specifieke initiatieriten van de vrijmetselaars en naar algemenere heldentochten. Het is niet altijd duidelijk wat wat is. HVS begint met een bepaalde maçonnieke initiatierite, waarin Mal'akh, geheel te kwader trouw, door zijn eigen vader (hoewel Peter Solomon zich daar niet van bewust is) wordt ingewijd in de drieëndertigste graad van de vrijmetselarij volgens de Schotse Ritus. Het verhaal doorloopt vervolgens hoofdstuk voor hoofdstuk de verschillende klassieke elementen van de mythische initiatierite: de zoektocht naar verloren voorwerpen (het Verloren Woord, het Verloren Symbool), de hoofdbrekens over de betekenis van symbolen, de pijnlijke morele keuze tussen trouw aan je belofte en trouw aan vrienden (de vraag of Robert Peters geheim moet verraden om hem te redden), de heldhaftige strijd met tegenstanders (Mal'akh), de noodzaak om ongelovigen (Sato) te omzeilen, de bijna-doodervaring (de vloeistofbeademingstank), de wedergeboorte of het weer tot leven komen (bijzonder belangrijk omdat een zogenaamde dood en wederopstanding deel uitmaken van het vrijmetselaarsritueel), de terugkeer van verloren objecten (de piramide, Peters ring), de plotselinge onthullingen (Robert en Peter boven in het Washington Monument), de reis naar huis (terug naar de koepel van het Capitool, waar Robert en Katherine worden herenigd zoals Odysseus en Penelope aan het einde van de *Odyssee*) en de komst van het licht (zonsopgang boven het Washington Monument), een passend einde, aangezien 'verlichting' het uiteindelijke doel is van de maçonnieke rituelen.

Een aantal stappen in deze initiatierite lijken vreemd tot je ze in de context plaatst van de structuur van zo'n initiatie: als Robert Langdon (en via hem Dan Brown) in het eerste hoofdstuk van HVS wordt begroet door Pam, de passagiersbegeleider van de privéterminal van Dulles Airport, praat ze over zijn laatste boek (*De Da Vinci Code*) alsof de professor uit Harvard niet meer heeft geschreven dan een buitengewoon smakelijke bestseller. Als ze het heeft over Langdons boek over 'het heilig vrouwelijke en de Kerk' zegt Pam: 'Wat een prachtig schandaal heeft dat veroorzaakt! U houdt er wel van om de knuppel in het hoenderhok te gooien!' En daarna spot ze een beetje met hem vanwege zijn 'uniform', bestaande uit een Harris-tweedjasje en een kakibroek, en doet ze zijn gebruikelijke coltrui af als hopeloos 'ouderwets'.

Hier neemt Brown zichzelf, zijn kleding en zijn boeken een beetje op de hak. Maar het gaat niet alleen om zelfspot teneinde een wit voetje te halen bij zijn lezers. Gezien in de context van een initiatieproces is de luchtige uitwisseling met Pam een opzettelijk voorbeeld van de vernedering die aan de beproeving voorafgaat. Langdon zet die nacht de eerste stappen op zijn reis, waarbij de buitenwereld de spot drijft met zijn verschijning en hem eraan herinnert dat ook een professor van Harvard niet meer is dan een gewone sterveling. Hoewel Pams commentaar vrij onbeduidend is, speelt ze de rol van de criticus die de strijder van zijn kleding ontdoet. Pas later op de avond zal duidelijk worden of hij genoeg van de wijze strijder in zich heeft die hij moet zijn om Peter en Katherine te redden en de geheimen van de Oude Mysteriën te achterhalen.

Als Pam Langdon vertelt hoe haar leesgroep heeft genoten van het schandaal dat hij heeft veroorzaakt, antwoordt Langdon: 'Dat was niet echt de bedoeling.' Dan Brown vertelt ons hiermee dat hij veel verwacht van HVS. Het is niet zomaar een thriller. Het is echt belangrijk voor hem en hij hoopt dat de mensen zijn ware bedoelingen zullen begrijpen. Intenties worden verderop in HVS een belangrijk thema, wanneer we lezen over Katherine Solomons experimenten op het gebied van de 'noëtische wetenschap'.

Een ander structureel aspect van HVS zijn de gecodeerde en verborgen boodschappen

Op het omslag van de Amerikaanse gebonden uitgave van *The Lost Symbol* staat op de achtergrond een verscheidenheid aan symbolen, waarvan er al een aantal zijn ontcijferd. Ik zal hier commentaar geven op drie ontcijferde codes en één enigszins verborgen boodschap.

POPES PANTHEON

Deze ontcijferde frase is voornamelijk een referentie naar John Russell Pope, de vrijmetselaar en architect die veel belangrijke gebouwen heeft ontworpen, waaronder het hoofdkwartier van de Schotse Ritus in Washington uit 1915, beter bekend als het House of the Temple. Dat is een soort pantheon in die zin dat het symbolen en verwijzingen bevat naar verschillende religieuze tradities. Door het gebruik van 'Popes pantheon' refereert Brown waarschijnlijk ook aan andere gebouwen en ideeën. Het Jefferson Memorial is bijvoorbeeld ook ontworpen door John Russell Pope, en was in architecturaal opzicht duidelijk geënt op de vorm van het Pantheon in Rome en het Panthéon in Parijs.

Het Romeinse Pantheon is om twee redenen interessant voor Dan Brown (die het ook gebruikt heeft in *Het Bernini Mysterie*): ten eerste is het net als alle pantheons in de oude wereld een tempel voor meerdere goden, wat Browns punt benadrukt dat alle religies uiteindelijk één zijn. Ten tweede is het Romeinse pantheon van oorsprong een heidens polytheïstisch heiligdom, dat later is omgevormd tot een christelijke kerk.

In al zijn boeken herinnert de auteur ons eraan dat moderne religies zijn gebaseerd op een mengelmoes van oude tradities. In *De Da Vinci Code* gaat het bijvoorbeeld om de heidense legende van de Perzische zonnegod Mithras, die is herschreven tot het christelijke verhaal van Jezus. (Mithras is op of rond 25 december geboren uit een maagdelijke moeder en hij zou drie dagen na zijn dood zijn herrezen.) In HVS is het 'eten van God tijdens het ritueel van de communie' bij de christelijke eredienst volgens Brown geworteld in primitieve religieuze sekten. De schrijver lijkt te willen zeggen: we kunnen maçonnieke rituelen en symbolen vreemd vinden, maar doen we bij de christelijke mis niet aan eenzelfde oude rite waarbij we symbolisch het bloed drinken en het vlees eten van Jezus als we ter communie gaan? Deze redenering zet aan tot voorzichtige nederigheid. Mensen die geloven dat ze leven volgens het woord van de ene ware God, volgen eigenlijk niet meer dan een geredigeerde verzameling eerdere geloofsovertuigingen, mythen en praktijken. De logische consequentie is om te zoeken naar wat er is weggelaten uit de huidige leerstellingen, dat er in het begin wel was: het heilig vrouwelijke, bijvoorbeeld, of het vermogen van de mens om zijn eigen goddelijkheid te realiseren.

Het Panthéon in Parijs moet hier ook genoemd worden, omdat Jefferson de geschiedenis daarvan kende en bewonderde sinds zijn dagen als Amerikaanse ambassadeur in Frankrijk. Dit beroemde gebouw in het vijfde arrondissement van Parijs had oorspronkelijk een katholieke kerk moeten worden, maar was nog niet voltooid toen de Franse Revolutie begon. De revolutionairen besloten het een ander doel te geven en er de eerste tempel voor de mens van te maken. De 'heiligen' die in het Parijse Panthéon worden geëerd, zijn denkers, schrijvers, wetenschappers en kunstenaars, expliciet géén religieuze personen.

Het is geen toeval dat Jefferson voor zijn Monticello het voorbeeld van een pantheon aanhield en dat die stijl ook inspiratie heeft verschaft voor zijn Monument. Brown ziet een dergelijke benadering in het ontwerp en het stratenplan van Washington als geheel. De religieuze monumenten in grote steden hebben door de eeuwen heen altijd als doel gehad de mensen te verbinden met hun verleden en bepaalde deugden en waarden uit te dragen, en de ontwerpers van Washington en de monumenten daar wilden dezelfde visuele en filosofische uitwerking bereiken, door de Amerikanen te verbinden met de heldhaftige prestaties van de sterfelijke mannen (en de laatste jaren ook vrouwen) die Amerika hebben opgebouwd.

ELKE GROTE WAARHEID BEGINT ALS BLASFEMIE

Dan Brown is een voorvechter van ketters. Zoals Jezus aanvankelijk werd verketterd door het Romeinse Rijk, zo werd de christelijke staat later, toen het christendom was aangenomen als het Romeinse staatsgeloof, volgens hem net zo geestdriftig bij het onderdrukken van ketterse stemmen als de heidense keizers waren geweest.

Brown herinnert ons eraan dat veel fundamentele wetenschappelijke denkbeelden aanvankelijk door de religieuze autoriteiten werden beschouwd als ketterij, zoals het principe van het heliocentrische zonnestelsel, dat we tegenwoordig erkennen als een wetenschappelijk feit. Hij vertelt verder dat de duistere middeleeuwen begonnen toen het christendom besloot zich af te schermen voor de wijsheid van de op eeuwenoude kennis gebaseerde culturen van de heidense Egyptenaren, Grieken en Romeinen, en veel van die wijsheid te veroordelen als ketterij. Europa vond de weg naar het licht pas weer toen die oude wijsheid opnieuw werd ontdekt. Toen men opnieuw bewapend was met de eeuwenoude wijsheden, kon de renaissance aanbreken en floreren en binnen het korte tijdbestek van drie eeuwen leiden tot de Verlichting, democratie en de Industriële Revolutie.

De vrijmetselaars kwamen niet in het geheim bijeen om rare riten uit te voeren of in moreel negatieve zin samen te zweren. Ze deden dat juist in moreel positieve zin. Ze schiepen het stelsel van ideeën en opvattingen dat zou leiden tot revolutionaire denkbeelden over vrijheid, en uiteindelijk tot de omverwerping van een wereld die werd gedomineerd door koningshuizen en geestelijken, om die te vervangen door de *novus ordo seclorum* waarnaar wordt verwezen op het grootzegel van de Verenigde Staten, een nieuwe *seculaire* en democratische orde.

In de wereld van Brown betekenen de afscheiding van Amerika van Engeland en het aanhangen van waarden die de Amerikanen tegenwoordig vanzelfsprekend vinden (dat alle mensen gelijk zijn; dat ze, niet van een specifieke God maar van hun veel abstractere 'schepper', onvervreemdbare rechten hebben gekregen op leven, vrijheid en het nastreven van geluk) ook dat de godslasteraar en de ontkenner van de traditionele orde moeten worden getolereerd, gehoord, aangemoedigd en uiteindelijk verwelkomd.

Uiteraard blijkt niet elk onpopulair, onconventioneel of ketters idee juist te zijn. Het feit dat de meerderheid in de wetenschappelijke gemeenschap tegenwoordig kritiek heeft op de onderzoeksmethode van noëtische wetenschappers, betekent niet dat die wetenschappelijke gemeenschap het mis heeft. Brown doet enorm veel moeite om de noëtica als wetenschap op te voeren, en kent veel te veel betekenis toe aan de beperkte data die tot nu toe zijn verzameld door de mensen die dit soort onderzoek doen. De noëtische wetenschap is ongetwijfeld een boeiende metafoor en brengt ons op gedurfde, innovatieve ideeën. Maar de tijd zal moeten uitwijzen of ze echt veelbelovend is als wetenschappelijke onderzoeksrichting voor het doorgronden van het universum en de plaats van de menselijke geest en de menselijke gedachten daarin.

DE GEEST IS DE SLEUTEL

Het Verloren Symbool bepleit een wereldbeeld waarin de menselijke geest de machtigste kracht op aarde is en de meest geconcentreerde uitdrukking van goddelijkheid die wij kennen. We krijgen in het boek telkens weer te horen dat alle grote filosofen, leraren en 'ingewijden' hebben benadrukt dat alles mogelijk is via de menselijke geest. De grootse gedachten die gedacht kunnen worden, de grootse kunstwerken die gecreëerd kunnen worden, de grootse woorden die geschreven kunnen worden, de grootse uitvindingen die gedaan kunnen worden en de grootse dromen die gedroomd kunnen worden, alles komt van de menselijke geest.

Via de gedachten van Peter Solomon wordt in HVS beweerd: 'Evenals de noëtische wetenschap en de Oude Mysteriën eerbiedigde de vrijmetselarij de onaangeboorde mogelijkheden van de menselijke geest, en veel maçonnieke symbolen hadden te maken met de menselijke fysiologie. *De geest rust als een gouden deksteen boven op het fysieke lichaam.*' De geest is de echte 'steen der wijzen' die eeuwenlang door de alchemisten is gezocht. '*Door de trap van de ruggengraat*' – die bij de geboorte drieëndertig wervels heeft; daar is weer dat unieke getal dat zo belangrijk is voor de vrijmetselaar – '*stijgt en daalt energie, die rondstroomt en de hemelse geest met het fysieke lichaam verbindt. ... Het lichaam is werkelijk een tempel.* De menselijke wetenschap die de vrijmetselaars vereerden, was de oude kennis over hoe die tempel kon worden ingezet voor zijn krachtigste en nobelste doel.' Langdon noemt de Oude Mysteriën 'een soort handboek voor het aanwenden van de onaangeboorde vermogens van de menselijke geest... een handleiding voor ieders persoonlijke apotheose'. Hij zegt ook: 'De menselijke geest was de enige technologie die de ouden tot hun beschikking hadden. Dus de eerste filosofen deden niets anders dan die geest bestuderen.' Waarop Katherine antwoordt: 'Precies! De oude teksten gaan telkens weer over de macht van de menselijke geest. De [Indiase] Veda's beschrijven de stromende geestesenergie. De [gnostische] *Pistis Sophia* spreekt van een universeel bewustzijn. De *Zohar* [joods/Hebreeuwse mystieke teksten] verkent de aard van de geest. De sjamanistische teksten voorspellen Einsteins "invloed op afstand" in de zin van genezing op afstand...'

Een van de boodschappen van HVS is dat de menselijke geest de ultieme creatieve en goddelijke macht is en dat we hem moeten ontdoen van de laatste ketenen om het volgende tijdperk van verlichting te betreden. Maar die boodschap wordt getemperd door een andere. De menselijke geest is ook in staat slechte en vernietigende gedachten te denken. Mal'akh is degene die in het verhaal de meeste energie besteedt aan het achterhalen van de oude geheimen en het beoefenen van de oude kunsten. Maar hij heeft een grens overschreden en is bereid te doden of te vernietigen als dat nodig is voor zijn persoonlijke apotheose. Het voorbeeld van Mal'akh geldt ook voor de wetenschap en de technologie. De alchemisten die materie probeerden te transformeren in de hoop onedele metalen in goud te veranderen, zijn opgevolgd door wetenschappers die erin zijn geslaagd materie te transformeren door atoomsplitsing. Hun succes heeft de wereld de gevaarlijke kracht van atoomwapens gegeven. Dan Brown is terecht bezorgd en laat zich zelfs een beetje waarschuwend uit over zijn nieuwe helden onder de noëtische wetenschappers. Als ze kunnen bewijzen dat materie buiten het lichaam kan worden getransformeerd door middel van de menselijke gedachte, of dat het mogelijk is om op afstand invloed uit te oefenen op andere geesten en lichamen, zal dat succes duidelijke gevaren met zich meebrengen. Maar Brown is een optimist. Hij gelooft dat we op weg zijn naar een nieuwe verlichting, geen nieuw duister tijdperk. En de gouden schat die die verlichting moet bekostigen, de bron van energie en de kracht van de wijsheid, ligt niet echt 'daar ergens begraven'. Hij blijkt hierbinnen begraven te liggen, verborgen in het volle zicht. Het is de ongeziene menselijke geest in het menselijk lichaam.

ZO BOVEN, ZO BENEDEN

Dit bekende mystieke aforisme is geen gecodeerde boodschap, zoals de eerdere drie. Het is alleen een beetje moeilijk te zien. Op de achterkant van de Amerikaanse gebonden editie van *The Lost Symbol* staat 'as above' in de gebogen rand aan de bovenkant en 'so below' op de kop in de gebogen rand aan de onderkant. Deze opmerkelijk krachtige en oude frase van vier woorden wordt meestal toegeschreven aan Hermes Trismegistus, die haar op zijn beurt van de mythische 'smaragden tablet' had. De uitdrukking wordt in de annalen van mystici uit de middeleeuwen en de renaissance beschouwd als bepalend voor de relatie tussen de mens en god, tussen de aarde en het universum, tussen de materiële en de spirituele wereld. Ze komt ook vaak voor in astrologische onderzoeksverslagen uit dezelfde periode. HVS citeert de frase 'zo boven, zo beneden' zeven keer. Als je naar de scènes in het boek van Dan Brown kijkt, vind je nog veel situaties die het concept weergeven van de relatie tussen 'boven' en 'beneden'. Aan het begin van het boek wijst Peters afgehakte hand in de Rotunda van het Capitool omhoog naar de beeltenis van Washingtons apotheose, wat Mal'akhs dubieuze verlangen naar een persoonlijke apotheose weerspiegelt. Aan het einde van het boek delen Robert en Katherine hun diepe gedachten over de geest en het universum met elkaar terwijl ze opkijken naar het fresco *De apotheose van Washington*. De episode waarin Peter Solomon Robert Langdon meeneemt naar de top van het Washington Monument en weer naar beneden, is op zichzelf een spirituele minireis om aan te tonen dat het 'Verloren Woord' begraven ligt aan de voet van een lange trap. Maar onderweg leren we dat de vorm van de obelisk de zon verbindt met de aarde, en dat de trap een metafoor is voor de jakobsladder naar de hemel en voor de ruggengraat die de hersenen met het lichaam verbindt.

'Zo boven, zo beneden' kan samen met de andere gedecodeerde spreuken op het Amerikaanse omslag worden gelezen als een extra manier om het humanistische principe te verwoorden dat als een rode draad door HVS loopt: wat echt belangrijk is, is de wereld waarin wij leven. En de wereld waarin wij leven is net als onze geest en wijzelf niet anders – goed of kwaad – dan de goddelijke wereld die volgens de religies in de hemel bestaat. We zijn niet zondig van aard, maar goddelijk. Alle krachten die we toeschrijven aan goden, bestaan onder de mensheid op aarde. Alles waarvan ons altijd verteld wordt dat het heilig en ideaal is, kan ook worden geïnterpreteerd als profaan, werelds en reëel.

Een korte geschiedenis van Philo van Alexandrië

Iemand die in mijn ogen van aanzienlijk belang is voor het begrijpen van *Het Verloren Symbool* bevindt zich niet onder de tientallen filosofen, mystici en adepten die Brown noemt in zijn volumineuze werk. Het is Philo van Alexandrië, en hij zou geleefd hebben tussen 20 v.Chr. en 50 n.Chr. Hij wordt in verband gebracht met de eerste pogingen om de traditionele Schrift niet letterlijk te lezen maar te zoeken naar verborgen betekenissen, numerologische systemen en codes in de heilige teksten. Philo geloofde dat er een Bijbel binnen de Bijbel bestond, een hoeveelheid kennis en wijsheid die bestemd was voor mensen die zochten naar meer dan de normale betekenis. In HVS wordt talloze malen naar dit standpunt verwezen. Peter herinnert Robert eraan dat we in Korintiërs kunnen lezen dat de Bijbelse parabelen twee betekenislagen hebben, 'melk voor zuigelingen en vast voedsel voor mannen – waarbij melk staat voor de vereenvoudigde lezing voor kinderlijke geesten, en met vast voedsel de ware boodschap wordt bedoeld, slechts toegankelijk voor gerijpte geesten'. Peter citeert ook het Evangelie van Johannes: 'Ik zal tot u spreken in gelijkenissen... en verborgenheden.' En Langdon denkt aan Psalm 78: 'Ik wil mijn mond tot een spreuk opendoen, ik wil aloude verborgenheden verkondigen.' Naar aanleiding van al dat gepraat over verborgenheden overdenkt Langdon dat dit wil zeggen dat het geschrevene in schaduwen gehuld was, dus duister, maar niet dat het slecht was. De dichter William Blake schreef: 'Als u en ik de Bijbel lezen, ziet gij aan voor zwart wat in mijn oog wit kan wezen.'

Philo spande zich al vroeg in om de verborgen, verhulde, duistere betekenissen in de Bijbel te vinden. Hier is een kort lijstje van zijn uitgangspunten om aanwijzingen in Bijbelse teksten te vinden die de zorgvuldige lezer laten weten dat er een niet-letterlijke betekenis gaat volgen:

- Let op herhalingen van frasen.
- Zoek naar een schijnbaar overbodige uitdrukking.
- Zoek naar een heel andere betekenis door een andere combinatie van de woorden, ongeacht de algemeen aanvaarde verdeling van de zin in hoofdzin en bijzinnen.
- Een woordspeling kan een teken zijn van een diepere betekenis.
- Als iets is weggelaten dat er redelijkerwijs zou moeten staan, betekent dat iets.
- Verwijzingen naar getallen en hoeveelheden zijn belangrijk. Getallen zijn niet gewoon getallen, ze betekenen iets bijzonders.
- Interpreteer de woorden volgens hun numerieke waarde. (Hebreeuwse letters hebben allemaal een numerieke waarde, dus woorden zijn de som van de letters waaruit ze bestaan.) Een woord kan zijn gebruikt om naar een ander woord met dezelfde numerieke waarde te verwijzen.

Dan Brown is bekend met de forensische instrumenten van Philo, en van de vele andere mystici die gelijksoortige methoden hebben gebruikt om verschillende codes in de Bijbel op te sporen. Met zijn liefde voor puzzels, anagrammen en cryptische omschrijvingen laat Brown ons voortdurend weten dat we voor ogen moeten houden dat deze codes het werk zijn van sterfelijke mannen – zoals Benjamin Franklin en Albrecht Dürer – en niet van een God die ons een gecodeerde boodschap wilde nalaten over hoe we hem zouden moeten aanbidden.

Het Verloren Symbool kan worden gelezen als een gecodeerde boodschap

Om te beginnen staan er specifieke gecodeerde boodschappen in de tekst. De 'discussie' op pagina 473, op een personeelsforum waarop CIA-medewerkers praten over de betekenis van de *Kryptos*-sculptuur, heeft het getal 2456282.5 gekregen. Elonka Dunin, die een bijdrage aan dit boek heeft geleverd (zie hoofdstuk 8) als een van de meest vooraanstaande experts op het gebied van Kryptos en wier naam in de echte wereld bijna een anagram is van het HVS-personage Nola Kaye, heeft me verteld dat het nummer van de discussie 'duidelijk wijst op de datum 21 december 2012 volgens de Juliaanse kalender, die verband houdt met de verwijzing naar 2012 verderop in het hoofdstuk'. Hier verwijst HVS naar de groeiende mediahype die in het boek door Peter Solomon wordt genoemd over de interpretatie van de voorspelling van de Mayakalender, dat op die datum in 2012 een einde aan de wereld zal komen. Solomon ziet geen reden om te geloven dat de wereld echt zal vergaan en hij weet dat degenen die zich daar zorgen over maken, de betekenis van de symbolen en de teksten verkeerd interpreteren. Hoewel het hier slechts terloops wordt genoemd, zou de voorspelling van de Mayakalender heel goed een rol kunnen spelen in Browns volgende boek.

In ieder geval lijkt het feit dat Elonka Dunin erin is geslaagd een schijnbaar willekeurig getal in de tekst, 2456282.5, te decoderen, Philo's aanpak voor het ontleden van heilige teksten te ondersteunen.

Er is door critici veel over geklaagd dat Dan Brown zo slecht schrijft in *Het Verloren Symbool*. En in veel gevallen is het misschien ook echt slechts een kwestie van afschuwelijk slecht taalgebruik. Er bestaan een heleboel vreselijk grappige en bijtende kritische commentaren van Brown, maar mijn persoonlijke favoriet staat in de online gids over *Het Verloren Symbool* van blogger Maureen Johnson op http://maureenjohnson.blogspot.com/. Johnson verwoordt alle ergernis over de plot en de tekst die ik zelf voelde toen ik HVS las – en nog veel meer. Ze noemt Mal'akh de 'hardst werkende slechterik in de literatuur', en geeft een parodie op de verbazingwekkende lijst met slechte daden die hij uitvoert, in één nacht, helemaal alleen, zonder handlangers, medesamenzweerders of troepen om zelfs maar de geringste hulp te bieden. En ze geeft een briljante satire door een aantal van Browns korte, staccato stukken te lezen alsof het modernistische gedichten zijn en ze te vergelijken met gelijkvormige passages van T.S. Eliot, William Carlos Williams en Walt Whitman.

In hoofdstuk 10 doet onze eigen onderzoeksverslaggever Dave Shugarts verslag van de vele geografische, technologische, anatomische en andere fouten die Dan Brown heeft gemaakt. Maar ik denk dat het verhaal achter de slechte schrijfstijl, die onvolkomenheden in de plot en de feitelijke fouten ingewikkelder is.

Waarom zo veel cursivering? Op de meeste bladzijden van HVS staan cursieve woorden en er is vaak geen speciale reden voor het cursiveren van zinnen.* De critici hebben zich geweldig vermaakt met parodieën op Browns overdadige gebruik van cursief door willekeurig *woorden en zinnen in hun eigen stukken te cursiveren om te laten zien hoe absurd dit is.* Maar als ik op Philo afga, denk ik dat de cursiveringen ons op een gecodeerde manier iets vertellen.

En hoe zit het met al die herhalingen? Waarom wordt het woord *hell*

---

* Noot van de vertalers: in de Nederlandse vertaling van *The Lost Symbol* staan heel wat minder woorden en zinnen cursief dan in het Engelse origineel.

– in Robert Langdons veelvuldige uitroep '*What the hell?*' – in de Engelse tekst bijna vijftig keer gebruikt? De filosoof Glenn Erickson, die al tijden de neoplatonici en Philo bestudeert, vertelt ons in hoofdstuk 3 dat de letterreeks 'Franklin Square' 55 maal in het Engelse boek voorkomt en dat '55 de som is van de getallen langs elke zijde van een piramide die Dürers magische vierkant als basis heeft'. Bovendien zegt Erickson dat 'de "magische constante" (de som die herhaald wordt in de rijen, kolommen en diagonalen) van een normaal magisch vierkant van zes bij zes 111 is, hetzelfde getal als het aantal keren dat "Washington" in het Engelse boek voorkomt'.

Erickson belicht in hoofdstuk 3 ook nog de mogelijkheid dat elk hoofdstuk in HVS zou kunnen corresponderen met een personage van de tarotkaarten, en laat zien hoe enkele specifieke situaties in het boek zijn opgezet om te lijken op scènes uit die kaarten. Van tarot is tenslotte lange tijd door allerlei mystici gedacht dat het gecodeerde boodschappen van oude wijsheid zou bevatten. Het was een stokpaardje van Manly P. Hall, de bekendste twintigste-eeuwse verzamelaar van oude wijsheid, uit wiens *Secret Teachings of All Ages* Brown een citaat gebruikt om *Het Verloren Symbool* te lanceren, waarna hij hem vijfhonderd pagina's later nog eens citeert om het boek te beëindigen. Bijna alle mystieke namen, theorieën en ideeën die in HVS worden genoemd, staan ook in Halls *Secret Teachings of All Ages*. (Meer informatie over Hall is te vinden in het interview met Mitch Horowitz in hoofdstuk 4, waarin hij Halls rol binnen de lange traditie van het occulte in Amerika beschrijft.)

Misschien ben ik al te lichtgelovig. Maar ik ben ervan overtuigd dat de meeste, en misschien wel alle, vreemde scènes die critici beschouwen als slecht geschreven (of slecht geredigeerd door Jason Kaufman, Browns redacteur bij Doubleday, die zijn inmiddels verwachte entree maakt in HVS als Jonas Faukman), opgebouwd zijn rond een specifieke symbolische inhoud. Katherine Solomon en Robert Langdon komen terecht in de keuken van het Cathedral College, een deel van het complex van de National Cathedral, omdat Katherine de briljante ingeving krijgt om de piramide te koken om te zien of hij dan zijn geheimen prijsgeeft. Zoals Sato later droog opmerkt: 'U hebt de piramide gekóókt?'

Het koken van de piramide geeft Robert en Katherine een paar minuten om een lief stukje huiselijke humor op te voeren, hoewel het moeilijk te geloven is dat ze op zo'n moment echt grapjes maken over het verschil tussen een kreeftenpan en een pastapan, laat staan dat ze nadenken over ervaringen met topkok Daniel Boulud. Ze krijgen ook de kans om te praten over de weinig bekende temperatuurschaal die Isaac Newton had opgesteld lang voordat Fahrenheit en Celsius hun versies presenteerden. En wat was het kookpunt van water op de schaal van Newton? Drieëndertig graden, uiteraard, wat Katherine en Robert de kans geeft om een wedstrijdje te doen wie van hen meer weet over Newton en het belang van het getal drieëndertig voor Pythagoreeërs, Rozenkruisers, vrijmetselaars en andere mystici. We leren dat Jezus drieëndertig zou zijn geweest toen hij gekruisigd werd, dat hij drieëndertig wonderen zou hebben verricht en dat de naam van God drieëndertig keer wordt genoemd in Genesis. Het is blijkbaar bij Katherine opgekomen dat de eerdere aanwijzing, *alles wordt geopenbaard bij de drieëndertigste graad*, waarvan Langdon aanvankelijk dacht dat het iets te maken had met de hoogste rang in de vrijmetselarij, eigenlijk moest worden gelezen als een instructie om de piramide te verhitten tot drieëndertig graden volgens de schaal van Newton om de volgende aanwijzing te krijgen. ('Alles' blijkt echter nooit onthuld te worden in dit soort spelletjes, anders zou het te snel voorbij zijn.)

Hoe dan ook, ze kookt de piramide! En het levert nog iets op ook. Doordat ze kokend water gebruiken als middel voor *transformatie* (weer zo'n belangrijk thema in HVS), beginnen er magische letters op te lichten op de piramide, die de woorden '8 Franklin Square' vormen.

Ik geloof dat Brown volgens een structureel taalscript – de tarot, een mythe, een religieuze pelgrimstocht, welk script Brown hier ook gebruikt – per se het rituele koken van water in deze scène moest opnemen. Uiteindelijk leidde dit tot deze idiote scène en toen hij toch bezig was, nam hij meteen de gelegenheid te baat om een snel spelletje Triviant te spelen met betrekking tot het getal drieëndertig.

Denk aan Philo, die ons oproept uit te kijken naar weggelaten dingen, en denk dan aan de passage waarin Langdon zich in de krochten van de Senaat begeeft om Peter Solomons maçonnieke Kamer van Voorbereiding te vinden, met al die symbolen van sterfelijkheid en dood. Op weg naar beneden denkt Langdon bij zichzelf dat hij een '*reis naar het middelpunt van de aarde*' maakt. Een beetje melodramatisch voor een paar verdiepingen afdalen, of het nu per trap is of in een lift, hoewel we weten dat Langdon niet van liften houdt omdat hij daarin last krijgt van claustrofobie, en dat hij blijkbaar in zijn jeugd een traumatische ervaring heeft gehad in de lift van de Eiffeltoren. De gecursiveerde zin is uiteraard een verwijzing naar Jules Vernes boek met dezelfde naam, ook al wordt Verne zelf niet genoemd. Verne wordt door velen beschouwd als een aanhanger van het gedachtegoed van de Rozenkruisers, en dus is de 'weglating' weer een manier om naar de Rozenkruisers te verwijzen. (Het uitstekende restaurant in de Eiffeltoren, hoog boven de grond, is ook naar Jules Verne genoemd.)

Over de Eiffeltoren gesproken, United Technologies vraagt zich af of hun bedrijf op de een of andere manier in een code van Dan Brown past. In de *Hartford Courant* stond: 'Niemand hier weet precies waarom, maar Dan Brown, de auteur van *De Da Vinci Code*, is blijkbaar gefascineerd door United Technologies. Je hebt amper een pagina omgeslagen in zijn nieuwe thriller *Het Verloren Symbool* of twee UTC-bedrijven, Otis Elevator en Pratt & Whitney, worden genoemd. "We hebben uit nieuwsgierigheid Doubleday gebeld," zei UTC-voorlichter Peter Murphy. Browns boek begint met een Otis-lift die tegen de Eiffeltoren op klimt, en een paar paragrafen later wordt de hoofdpersoon, Robert Langdon, wakker in een privéjet waarin "het gelijkmatige gezoem van de twee Pratt & Whitney-motoren" klinkt.' Murphy denkt dat dit waarschijnlijk gewoon aantoont dat de producten van zijn bedrijf overal te vinden zijn, maar met Dan Brown weet je het nooit. Het zou een vergissing zijn om aan te nemen dat er zonder bewust doel bekende bedrijfsnamen zijn gekozen.

Toen ik laatst rondkeek in het George Washington Masonic National Memorial in Alexandria in de staat Virginia, nam ik de lift die bezoekers naar de ruimtes brengt waarin de tempel van Salomo en een kerk van de tempeliers zijn nagebootst en andere schatten worden getoond. Het gebouw, dat is bedoeld om het leven van George Washington als vrijmetselaar te eren, is gebouwd naar een kunstenaarsimpressie van de vuurtoren van Alexandrië (in Egypte, niet Virginia). Het eerste wat de gids zei toen we de lift in gingen, was dat het er ccn was van Otis. Toen hij vervolgens uitlegde welk een wonder van techniek er achter deze twee liften schuilging, die schuin naar elkaar toe lopen in plaats van recht omhoog en omlaag te gaan, had ik het gevoel dat ik terug was op de eerste bladzijden van *Het Verloren Symbool*, waar om onduidelijke reden een Otis-lift van de Eiffeltoren wordt genoemd.

De gids was een interessante kerel. Ik hoorde van hem dat Dan Brown een paar jaar eerder hier een hele dag had doorgebracht om onderzoek te doen naar Washingtons maçonnieke overtuigingen en bezigheden. De personeelsleden hadden HVS gelezen zodra het uit was en vonden het leuk dat hun instelling in het boek werd genoemd, maar waren ook opgelucht dat hun precies 333 voet hoge toren niet door Brown was gebruikt als locatie voor een moord. Ze vonden ook dat Brown de vrijmetselarij over het algemeen eerbiedig, respectvol en waarheidsgetrouw had behandeld. Maar ze waren wel teleurgesteld dat hun gebouw slechts zijdelings van belang was en in het boek zelfs niet door Robert Langdon werd bezocht.

Het was een vreemd moment toen ik besefte dat ik deze intrigerende plek precies op Jom Kipoer bezocht, de Grote Verzoendag voor de joden. In het Engels is dat de *Day of Atonement*, en Brown maakt in *The Lost Symbol* woordgrapjes over *atonement* en *at-one-ment* (eenwording) die in het oorspronkelijke Hebreeuws niet opgaan. Toch is het een aardige poging om vanuit humanistisch standpunt aan te geven dat zonden tegen onze medemens de belangrijkste zijn. We zouden er wellicht allemaal baat bij hebben om het meditatieve proces waartoe Jom Kipoer oproept, te gebruiken om manieren te bedenken om iedereen – alle volkeren, alle religies – samen te brengen.

In het George Washington National Masonic Memorial zijn delen van de tempel van Salomo nagebouwd, en we keken naar een opstelling die de Ark des Verbonds liet zien in het Heilige der Heiligen. In de Schrift is te lezen dat het Heilige der Heiligen slechts éénmaal per jaar door de priester geopend werd, op Verzoendag. Zelfs een volslagen onkerkelijk persoon als ik voelde daar voor een ietwat stoffige, ouderwetse replica in een museum het psychologische belang van de inwijding in geheimen en het verkrijgen van toegang tot de heiligste kennis en ervaring.

Op de muren van deze kamer waren wat Hebreeuwse woorden geschreven en de gids legde uit dat die te maken hadden met de naam van God, die zoals de meeste lezers van het Oude Testament weten nooit hardop wordt uitgesproken. Er stroomt een diepe intellectuele rivier door de geschiedenis van de vrijmetselarij (en ook door de joodse leer zelf, de kabbala en verschillende mystieke trends), die is gericht op de naam van God als een van die stukjes krachtige, maar geheime kennis die al eeuwenlang leiden tot queestes naar verloren woorden en verloren symbolen. Er wordt gezegd dat God Mozes bij het brandende braambos zijn naam vertelde, en sommige mystici geloven dat Salomo deze naam van God ook kende en dat hij die kennis gebruikte om engelen en geesten op te roepen. Mensen die het Hebreeuws van moderne tempelgebeden lezen, weten allemaal dat ze de naam voor God die wordt gespeld door de Hebreeuwse letters niet hardop mogen zeggen, maar dat ze in plaats daarvan een van de verschillende eufemismen moeten gebruiken. Hoe dan ook, de gids legde uit dat de woorden op de muren met opzet onaf waren om niet over de schreef te gaan met betrekking tot dingen die niet geschreven of gezegd mogen worden.

Hij bracht verder zijn mening naar voren dat de fouten van Dan Brown daar ook iets van weg hadden; het waren opzettelijke fouten. Ik moest weer aan Philo denken: kunnen de fouten in *Het Verloren Symbool* – en er zijn er een heleboel – niet een toegangspoort vormen naar een andere laag van de code?

Wat zegt een naam? Identiteit, geschiedenis, mythe, context, connotatie

De namen van de personages in *HVS* en de personages zelf vormen hun eigen gecodeerde, metaforische, dubbelzinnige ballet. Er zijn beslist een of twee extra betekenislagen in *HVS* te ontdekken door de keuze ervan te deconstrueren.

Robert Langdon uit de twee eerdere boeken is natuurlijk terug. Hij dook voor het eerst op in *Het Bernini Mysterie*, waarin Brown ook een reeks ambigrammen (artistiek gekalligrafeerde woorden die zowel rechtop als ondersteboven gelezen kunnen worden) introduceerde. De ambigrammen waren stuk voor stuk belangrijk voor de plot van *HBM*. Hoewel in het boek veel ophef werd gemaakt over de geheimen van ambigrammen als een soort gecodeerde taal die werd gebruikt door de Illuminati, is het een feit dat ze als kunstvorm in de twintigste eeuw thuishoren. De voornaamste ontwerper ervan is John Langdon, die een vriend was van Dan Browns vader en die de ambigrammen voor *HBM* heeft ontworpen. Een andere John Langdon was een Amerikaanse revolutionair, lid van het Continental Congress, ondertekenaar van de Amerikaanse grondwet, een van de eerste senatoren uit Dan Browns eigen staat New Hampshire en later gouverneur van New Hampshire. En zowaar, hij was ook vrijmetselaar. Nog een andere Langdon, Samuel Langdon, was rector magnificus van Harvard gedurende het grootste deel van de Amerikaanse revolutie. Hij hielp Washington zijn hoofdkwartier op te zetten op de campus van Harvard na de slagen van Lexington en Concord. Robert Langdon kent de geschiedenis van zijn Harvard-voorzaat ongetwijfeld.

Mal'akh is de transliteratie in Latijnse letters van het Hebreeuwse woord voor engel. Dus beginnen we onze kennismaking met deze pathologische schurk met de wetenschap dat hij zichzelf een naam heeft gegeven die 'engel' betekent. Uit zijn onsamenhangende monologen kunnen we opmaken dat hij geen verschil ziet tussen engelen en gevallen engelen. Dit is een verwijzing naar Lucifer/Satan, die in sommige verslagen beschouwd wordt als een 'gevallen engel'. Het kan ook een verwijzing zijn naar recent onderzoek naar het lang vermiste gnostische Evangelie van Judas, dat in de jaren tussen *DVC* en *HVS* openbaar is gemaakt en is vertaald.

Op het Griekse eiland, na zijn ontsnapping uit de Turkse gevangenis, noemt Mal'akh zichzelf eerst Andros, een verwijzing naar zijn androgyne seksuele status (hij zal zichzelf later castreren in zijn zoektocht naar reinheid). Mal'akh is in ongebruikelijke omstandigheden uit de gevangenis ontsnapt. Dit is een weerspiegeling van de ervaringen van Silas in DVC en van Silas, de medereiziger van Paulus in Handelingen:16. Net als Silas in DVC wordt Mal'akh uiteindelijk een fanaticus en een moordenaar. Beide mannen houden zich bezig met rituele zelfkastijding (oorspronkelijk aanbevolen door de heilige Paulus). Silas doet dat door zichzelf te geselen en door het dragen van de *cilice*, een boetegordel met stekels, en Mal'akh door zichzelf te tatoeëren en uiteindelijk door zichzelf te castreren. In Griekenland leest hij *Paradise Lost* van John Milton, en hij raakt geboeid door wat Mal'akh zelf 'de grote gevallen engel, de duivelse krijger die vocht tegen het licht, de dappere... de engel die Moloch werd genoemd' noemt. In angstaanjagende dichtregels vertelt Milton het verhaal van de demon Moloch, een 'brute vorst, met oudertranen besmeurd en met het bloed van mensenoffers', die koning Salomo via een list overhaalt om een tempel voor hem te bouwen naast Salomo's grote tempel voor God. Moloch was een Kanaänitische god uit de begintijd van de joodse godsdienst, die niet alleen mensenoffers eiste, maar vooral kinderoffers. Milton merkt in het gedicht op dat de kreten van de kinderen werden overstemd door trommels en tamboerijnen.

We lezen in HVS dat Peter Solomon niet begreep hoe zwaar zijn zoon Zachary (later Mal'akh) het had in de Turkse gevangenis. Koning Salomo zou door een van zijn vrouwen zijn overgehaald om een altaar voor Moloch op te richten, zonder te beseffen dat er een kind geofferd zou moeten worden om deze god tevreden te stellen. Zo leidt het verhaal van Moloch ons rechtstreeks naar Salomo/Solomon, Peter Solomon.

Peter Solomon: de naam brengt duidelijk twee van de belangrijkste figuren in de christelijke en joodse godsdienst bij elkaar. De eerste daarvan is Peter ofwel Petrus, de leider van de apostelen, de 'rots' waarop Jezus volgens het Evangelie van Matteüs zijn kerk heeft gebouwd (*petros* betekent 'rots' in het Grieks), de eerste paus, degene die bepaalt wie er in de hemel komt.

En Solomon is uiteraard de grote koning der joden en de bouwer van de eerste grote tempel, die in zijn tijd in het hele Midden-Oosten bekendstond om zijn wijsheid en zijn rijkdom (die in het Nederlands koning Salomo heet). In een flashback in HVS dwingt Peter Solomon zijn zoon Zachary te kiezen tussen wijsheid en rijkdom, al zou de Bijbelse koning Salomo beide hebben bezeten. (Een interessant commentaar op dit dilemma vind je in het interview met rabbijn Kula in hoofdstuk 5.) Zowel in Koningen als in Kronieken wordt gezegd dat Salomo Hiram Abiff, de 'zoon van een weduwe' en meesterbouwer, liet komen toen hij aan zijn tempelproject begon. Sommige vrijmetselaars zien Hiram als de eerste vrijmetselaar, en de moord op hem door een aantal van zijn arbeiders in de loop van de bouw van de tempel als het oermoment dat in maçonnieke rituelen van dood en wedergeboorte wordt nagespeeld. In de niet-Bijbelse, mystieke traditie staat Salomo niet alleen bekend als een rijk en wijs koning, maar ook als een magiër en alchemist met ongelooflijke vermogens op het gebied van tovenarij en goochelarij. Er is verscheidene jaren gedacht dat het boek dat uiteindelijk *The Lost Symbol* is geworden, *The Solomon Key* zou gaan heten. (Sommige critici, met name Janet Maslin in *The New York Times*, vinden *The Solomon Key* zelfs een veel boeiender titel voor het boek, en daar ben ik het mee eens.) Salomo's macht als magiër wordt herdacht in een mystiek boek, *De Sleutel van Salomo* (in het Latijn *Clavis Salomonis*), een grimoire of toverboek dat wordt toegeschreven aan koning Salomo, maar waarschijnlijk geschreven is in het eerste deel van de Italiaanse renaissance. Daarnaast bestaat er nog een toverboek uit de zeventiende eeuw dat bekendstaat als *The Lesser Key of Solomon*. Uit deze versie van de 'sleutel van Salomo' wordt geciteerd in Manly P. Halls *Secret Teachings of All Ages*, waarin ook vele andere ideeën over Salomo staan die duidelijk hun weg hebben gevonden naar HVS.

Salomo neemt een centrale plaats in in de alchemie omdat men dacht dat hij toegang had tot de 'steen der wijzen' en dat hij de technieken en aanroepingen kende om onedele metalen in goud te veranderen en naar believen demonen en geesten op te roepen. Newton heeft jarenlang geprobeerd aan de hand van aanwijzingen in de Bijbel een gedetailleerde plattegrond te maken van hoe de oorspronkelijke tempel van Salomo er moet hebben uitgezien. Zijn tekeningen zijn te zien in zijn *Chronology of Ancient Kingdoms*.

In HVS wordt Peter Solomon voorgesteld als een briljante, wijze, enorm rijke en gerespecteerde vrijmetselaar van de drieëndertigste graad, die een baan heeft als 'secretaris' van het Smithsonian. Twee mensen kunnen van invloed zijn geweest op Brown bij het omschrijven van dit personage. Een daarvan zou James Smithson zelf kunnen zijn, de man die het benodigde geld heeft geschonken voor het Smithsonian. Smithson was een briljant scheikundige, misschien een alchemist, misschien een vrijmetselaar en in ieder geval een heel rijk man. Hij legde in zijn testament vast dat zijn fortuin na de dood van zijn laatste verwant moest worden geschonken 'aan de Verenigde Staten van Amerika om in Washington een instelling te verwezenlijken voor de uitbreiding en de verspreiding van kennis onder de mensen'. Hij gaf deze expliciete instructies ondanks het feit dat hij bij zijn dood nog nooit voet in Amerika had gezet, en het was in die dagen helemaal niet zo gebruikelijk dat rijke mensen geld gaven voor instellingen voor de wetenschap en de verspreiding van kennis.

Peter Solomon kan ook deels gebaseerd zijn op Andrew Mellon, industrieel, financieel genie, minister van Financiën, vrijmetselaar en filantroop. Mellon was een soort moderne alchemist, eerst met zijn investeringen in het maken van cokes, waardoor iets wat eigenlijk industrieel afval was werd omgezet in een waardevol product, en daarna met het scheppen van financiële rijkdom in het algemeen. De filantroop droeg bij aan de oprichting van de National Gallery in Washington met meesterwerken uit zijn eigen kunstcollectie en tien miljoen dollar in contanten. John Russell Pope, de medevrijmetselaar en architect van het House of the Temple en het Jefferson Memorial (zie 'Popes pantheon' in het stuk over de codes van Brown), ontwierp ook de National Gallery. De familie Mellon bleef bovendien de daaropvolgende zestig jaar nauw betrokken bij de National Gallery; Andrew Mellons zoon Paul (die blijkbaar nooit voor de keus werd gesteld tussen rijkdom en wijsheid, maar die allebei verwierf) was in 1938 de eerste voorzitter van de National Gallery en bleef tot zijn dood in 1999 op verschillende andere manieren bij het museum betrokken.

Er is nog een ander aspect met betrekking tot de naam Solomon dat hier genoemd dient te worden. Francis Bacon wordt zeven keer bij name genoemd in HVS en er wordt nog vaker naar hem verwezen. Hij was het onderwerp van enkele intrigerende officiële hints die Dan Brown en zijn uitgever hebben doen uitgaan vóór het verschijnen van HVS. Bacon was een briljant filosoof en geschiedkundige. Mensen die onderzoek naar hem hebben gedaan, zien hem als de ware Shakespeare, de man achter de King James Bible, de stichter van de Rozenkruisers en nog veel meer. Thomas Jefferson was een aanhanger van Bacon en in de Library of Congress staat het beeld van Bacon voor de wijze filosoof en briljante schrijver. Nog maar een generatie geleden was Bacon in Amerika veel bekender dan tegenwoordig. De biografie die Daphne du Maurier schreef over Bacon, *The Winding Stair*, was in 1976 een bestseller.

In het begin van *Het Verloren Symbool* verwijst Dan Brown naar de Royal Society in Londen en de voorloper daarvan, het Invisible College, en de grote geesten die daar 'geheime wijsheid' beschermden. Volgens Brown was Bacon een van die geesten. Als het boek verderop tempo krijgt, loopt Robert Langdon bij zijn ontsnapping uit de Library of Congress door de Folger Shakespeare Library, waarbij hij opmerkt dat daar 'het manuscript werd bewaard van Francis Bacons *Nova Atlantis*, het utopische visioen waarvan werd gezegd dat de Amerikaanse voorvaderen het als model hadden genomen voor hun nieuwe wereld, gebaseerd op eeuwenoude kennis'.

Bacons *Nova Atlantis* werd gepubliceerd in 1627, vlak na zijn dood. In het boek wordt het verhaal verteld van het denkbeeldige eiland Bensalem in de Stille Oceaan, met een door de overheid geleid wetenschappelijk instituut waar experimenten op hoog niveau werden uitgevoerd die betrekking hadden op allerlei aspecten van de natuur en de menselijke interactie ermee. *Nova Atlantis* pleit sterk voor het idee dat mensen de controle hebben over de toekomst van de mensheid, niet God. Het schildert een utopisch wereldbeeld waarin wetenschappelijk onderzoek leidt tot verbetering van de toestand van de mens. Sommige experimenten die erin beschreven worden, klinken een beetje als Katherine Solomons noëtische onderzoek, en het werk dat wordt uitgevoerd in het onderzoeksinstituut dat het hart vormt van Bacons *Nova Atlantis* beslaat een terrein dat wel wat lijkt op dat van het Smithsonian Museum Support Center. En hoe heet die tempel van wetenschappelijk onderzoek, dat vooraanstaande kenniscentrum midden in die utopische samenleving in het verhaal van Bacon? Het Huis van Salomon.

Katherine Solomon: Dan Brown zet in HVS de traditie voort waarmee hij in zijn eerdere boeken is begonnen (niet alleen in DVC en HBM, maar ook in *Het Juvenalis Dilemma* en *De Delta Deceptie*) van een vrouwelijk hoofdpersonage dat zowel mooi is als briljant in iets heel technisch. Meestal bestaat er een verwantschap tussen de mooie, briljante vrouw en de oude wijze man die is vermoord (of van wie in dit geval de hand is afgehakt en die gegijzeld wordt). In HBM is Vittoria een natuurkundige die ecosystemen bestudeert en die samen met Robert Langdon in actie komt nadat haar adoptievader is vermoord. In DVC is Sophie een eersteklas cryptoloog die met Langdon gaat samenwerken na de moord op de grootvader die haar heeft opgevoed. En in HVS is Katherine de meest vooraanstaande noëtische wetenschapper ter wereld, die baanbrekend onderzoek doet dat het denken over het menselijke brein en de menselijke geest zal veranderen. Ze is tevens de zus van Peter Solomon, die eerst lijkt te zijn vermoord, maar die later nog blijkt te leven en 'alleen' een hand blijkt te missen.

Deze keer is Katherine wat ouder – vijftig – dan de briljante schoonheden van achter in de twintig en voor in de dertig die deze rol in Browns eerdere boeken hebben vervuld. Voor het eerst werkt Langdon samen met een vrouw die ouder is dan hij. Dit doet denken aan het leeftijdsverschil tussen Dan Brown en zijn vrouw Blythe, van wie bekend is dat ze net als Katherine Solomon heel geïnteresseerd is in noëtica. Hierbij moet worden opgemerkt dat Blythe ook heel geïnteresseerd was in het 'heilig vrouwelijke', gnostiek, Maria Magdalena, de legende van de afstammingslijn en de andere onderwerpen waarop DVC is geïnspireerd. Ze is duidelijk Dan Browns mede-onderzoeker. Ze is zo belangrijk voor zijn werk dat sommige commentatoren haar zien als de voornaamste intellectuele en creatie-

ve bron van van het stel, terwijl Dan de meesterlijke verteller van bloedstollende verhalen is.

De naam Katherine is waarschijnlijk ook een verwijzing naar de heilige Catharina van Alexandrië, ook bekend als de heilige Catharina van het
rad, die bekendstond om haar schoonheid en haar briljante geest. Ze werd
ter dood veroordeeld omdat ze Alexandriërs tot het christendom had be-
keerd, maar haar persoonlijke kracht was zo groot dat ze het rad brak
waarop zij gebroken had moeten worden. Uiteindelijk moest ze onthoofd
worden.

Als de personages uit HVS overeenkomen met tarotkaarten, houdt Katherine waarschijnlijk verband met de tweede of de tiende kaart van de Grote Arcana.* Een overeenkomst met de tiende kaart, 'Het Rad van Fortuin',
zou het verband tussen Katherine Solomon en de heilige Catharina van
het rad benadrukken. Op de kaart staat vaak een vrouwelijke godin van
het fortuin, wat zowel het lot als geld kan betekenen.

De tweede kaart van de Arcana, de 'Hogepriesteres', herinnert aan de
middeleeuwse legende over de vrouwelijke paus Johanna. Dan Brown
noemde deze tarotkaart in DVC, in een passage waarin hij erachter kwam
dat de heldin Sophie Neveu tarotspelletjes speelde met haar grootvader,
de zeer geachte meneer Saunière. Even zoeken in Wikipedia leert ons: 'In
het Rider-Waite-Smith tarotdeck, waarop de meeste moderne tarots zijn
gebaseerd ... zit de Hogepriesteres tussen een witte en een zwarte zuil met
de letters 'J' en 'B', voor Jachin en Boaz – een referentie aan de mystieke
tempel van Salomo. De sluier van de tempel is achter haar te zien.' Naast
de verwijzing naar Salomo in deze kaart en de nadruk die de vrijmetselarij legt op die twee zuilen in de tempel van Salomo, Jachin en Boaz, wordt
hier nog een ander verband gelegd door de afbeelding van de 'sluier' uit
de tempel op de tarotkaart.

Het woord *sluier* en het concept erachter weerklinken luid op de laatste bladzijden van HVS. Katherine Solomon en Robert Langdon discussiëren hier over de vraag of de traditionele boodschap van de Bijbel inhoudt
dat de tempel noodzakelijk een materiële plek moet zijn om een externe
God te aanbidden, of dat die ook zó geïnterpreteerd kan worden dat de
tempel zich in ieder mens bevindt. Robert Langdon zegt dat hij de Bijbel
hier heel duidelijk over vindt: de tempel is een gebouw met twee delen –
een buitentempel, het heilige, en een heiligdom daarbinnen, het 'heilige
der heiligen'. Die twee moeten van elkaar worden gescheiden door een
'sluier'. Maar Katherine draait deze letterlijke lezing van de Bijbel om en
verdedigt de theorie van persoonlijke apotheose en goddelijkheid, die ze

* Noot 1: De tarot in HVS verwijst naar de vijftiende-eeuwse.

deelt met haar broer Peter (en haar neef Mal'akh). Ze vertelt Robert dat het menselijk brein uit twee delen bestaat, de buitenste 'dura mater' en de binnenste 'pia mater', en dat die twee delen 'van elkaar worden gescheiden door het spinnenwebvlies – een soort ragfijne sluier'.

Katherine is ook het eerste belangrijke personage in een boek over Langdon dat duidelijk is geënt op een echte persoon, in ieder geval voor een belangrijk deel. Alleen zijn het in haar geval niet één, maar twee personen, wier werk een opvallende gelijkenis vertoont met het onderzoek van Katherine: Lynne McTaggart en Marilyn Mandala Schlitz, die allebei een bijdrage hebben geleverd aan dit boek. Uiteraard heeft Dan Brown het noëtische onderzoek in HVS op een punt gebracht waarop Katherine Solomon kan beweren dat ze onweerlegbaar en afdoende bewijs heeft voor haar ideeën. Maar in de echte wereld zouden McTaggart en Schlitz, hoeveel vertrouwen ze ook hebben in de verschillende onderzoeksrichtingen die ze hebben gekozen, vermoedelijk wel erkennen dat ze nog een lange weg te gaan hebben voor ze hun theorieën helemaal hebben bewezen en de experimentele resultaten die ze hebben verkregen volledig begrijpen.

Warren Bellamy: vrijmetselaar, goede vriend van Peter Solomon, houder van de verheven titel van Bouwmeester van het Capitool en bewaarder van de sleutels tot alle geheimen van het Capitool. Zoals meer dan één recensent heeft opgemerkt, is de rol van Warren Bellamy in HVS op het lijf geschreven van een vooraanstaand Afro-Amerikaanse acteur als Morgan Freeman.

De naam Bellamy is allereerst een knipoog van Dan Brown naar zijn oorsprong als thrillerschrijver. Nadat hij was afgestudeerd aan Amherst heeft Dan Brown eerst geprobeerd naam te maken als musicus en componist. Volgens eigen zeggen was hij in die periode op vakantie in Tahiti toen hij een thriller van Sidney Sheldon las, *The Doomsday Conspiracy*. Nadat hij het boek in razende vaart had uitgelezen, kwam hij tot de conclusie dat hij zijn talenten ook zou kunnen gebruiken om dergelijke thrillers te schrijven. Niet lang daarna was hij bezig aan wat *Het Juvenalis Dilemma* zou worden, een boek waarin al vele patronen te zien zijn die we later zouden aantreffen in HBM, DVC en HVS. De hoofdpersoon in *The Doomsday Conspiracy* heet Bellamy.

Dat is een vermakelijke knipoog naar zijn verleden, maar er valt nog meer te vertellen over de naam Bellamy. Eerwaarde Francis Bellamy, een vrijmetselaar, christelijke socialist en predikant van de doopsgezinde gemeente, is slechts een van de beroemde Bellamy's in de Amerikaanse geschiedenis. Hij schreef in 1892 de eerste Amerikaanse eed van trouw. Die werd geschreven ter meerdere eer en glorie van de vlag en het Amerikaanse ideaal, ten tijde van de festiviteiten omdat de reis van Columbus vierhonderd jaar eerder had plaatsgevonden, waaronder de beroemde Columbian Exhibition in Chicago.

Francis Bellamy had een nog veel beroemdere neef, de utopische socialist Edward Bellamy. Edward, ook vrijmetselaar, is de auteur van het in 1888 gepubliceerde *Looking Backward*. Het was een van de meest invloedrijke boeken van die tijd, en de utopie die door Bellamy werd beschreven in *Looking Backward* was doordesemd van de idealen van democratie en broederschap die hij in zijn vrijmetselaarsloge had geleerd. Er is nog een ander detail dat Brown zeker niet zal zijn ontgaan: hoewel Edward Bellamy vooral beroemd is vanwege zijn op maçonnieke leest geschoeide *Looking Backward*, heeft hij ook een onbekender verhaal geschreven in de vorm van een Bijbelse parabel in bijpassend taalgebruik, als kritiek op de misstanden van het graaierige kapitalisme die hij om zich heen zag. De titel daarvan was *The Parable of the Water Tank*. Langdon krijgt een bijnadoodervaring in de watertank van Mal'akh.

Warren Bellamy en Katherine Solomon samen: Dan Brown gebruikt Katherine Solomon en Warren Bellamy voor een onuitgesproken subplot. Brown weet dat de aanspraken van de vrijmetselaars op openheid, tolerantie en toegang voor iedereen een duidelijke, zwakke plek vertonen, en dat is het feit dat de meeste vrijmetselaarsloges geen vrouwen toelaten en specifiek bedoeld zijn als mannelijke broederschappen. Hij is zich bovendien bewust van het historische feit dat Albert Pike, de negentiende-eeuwse vrijmetselaarsleider van de Schotse Ritus die het evangelie van de moderne vrijmetselarij zou hebben vastgelegd en verbreid, een generaal van de Confederatie was (de enige leider van de Confederatie die tot op heden een standbeeld heeft in de stad Washington). Bij elke discussie over Pike komen onvermijdelijk de historische geruchten aan bod dat hij op de een of andere manier betrokken zou zijn geweest bij de oprichting van de Ku Klux Klan. Het feit dat er veel Afro-Amerikaanse vrijmetselaars zijn geweest en dat er een van oorsprong Afro-Amerikaanse groep van vrijmetselaarsloges bestaat (de Prince Hall-beweging) kan de suggestie van racisme niet geheel wegnemen.

Brown bedient zich niet van het logische argument dat ook andere Amerikaanse instellingen die tegenwoordig worden gerespecteerd en aanbeden (evenals helden zoals Thomas Jefferson zelf) niet bepaald modern van opvatting waren als het om sekse en ras ging, en dat het dus geen wonder is dat de vrijmetselarij gebukt ging onder dezelfde historische vooroordelen. Hij gaat meteen over naar de volgende stap en roept de personages Katherine Solomon en Warren Bellamy in het leven om zijn punt duidelijk te maken. Bellamy is een bijzonder eerbiedwaardige persoon. Hij is de Bouwmeester van het Capitool en een goede vriend van Peter Solomon. Als belangrijke zwarte vrijmetselaar lijkt zijn personage gemaakt om elke twijfel over racisme onder de vrijmetselaars weg te nemen. Wat Katherine betreft, zij zegt aan het einde van het boek dat Peter haar al lang geleden heeft ingewijd (het woord is heel opzettelijk gekozen) in zijn geheime filosofische en mystieke kennis van de vrijmetselarij. Peter en Katherine koesteren als broer en zus een platonische liefde voor elkaar en voor elkaars geest. Zo zou Albert Pike ook een heel bijzondere relatie hebben gehad met zijn vriendin Vinnie Ream. Gedurende bijna twintig jaar ontmoette hij Vinnie regelmatig en wisselde hij brieven met haar terwijl hij haar, een vrouw, probeerde in te voeren in de intellectuele wereld van de vrijmetselarij. Door middel van de personages en karakters van Katherine Solomon en Warren Bellamy ondersteunt Brown kort en krachtig de bewering dat de vrijmetselarij echt voor iedereen toegankelijk is.

Christopher Abaddon: dit is de identiteit die Mal'akh aanneemt voor zijn leven in de gewone wereld. Hij gebruikt de naam bij zijn eerste ontmoetingen met Katherine, waarbij hij zich voorstelt als Peter Solomons psychiater. 'Christopher' verwijst naar Mal'akhs aspiraties om als Jezus te zijn – zijn verlangen naar een persoonlijke apotheose, het martelaarschap en de wederopstanding in een hemelse wereld. Zijn achternaam, 'Abaddon', betekent 'plaats van verwoesting' of 'de verwoester' in het Hebreeuws. In het Boek der Openbaringen is Abaddon de engel des afgronds, wat mogelijk een andere manier is om te verwijzen naar de antichrist. Mal'akh belichaamt al dit kwaad en zijn laboratorium in de kelder is inderdaad een plek van dood en vernietiging. Het woord 'afgrond' wordt meerdere keren gebruikt in HVS en als Robert Langdon wegzinkt in de schijnbaar dodelijke afgrond van Mal'akhs vloeistofbeademingstank, wordt er gerept van een oneindige leegte. De film *The Abyss* (*De Afgrond*) uit 1989 staat bekend als een van de eerste waarin totale vloeistofbeademing in beeld werd gebracht.

Inoue Sato, de vrouwelijke CIA-beambte van Japanse afkomst, is door de recensenten ronduit bekritiseerd als een van de meest onverklaarbare en irritante personages in de recente fictie. Wat Dan Brown ertoe heeft bewogen dit personage met deze eigenschappen te bedenken, is verre van duidelijk.

Sato is een heel algemeen voorkomende Japanse naam. Maar er is één opmerkelijke Sato die door Browns radar kan zijn opgepikt: Mikio Sato.

Hoewel hij een man is, heeft deze Sato baanbrekend werk verricht in de mathematische fysica. Hij is vooral bekend om zijn werk aan iets wat bekendstaat als de FBI Transform, wat niets te maken heeft met het Federal Bureau of Investigation, maar genoemd is naar de mathematische fysici die het hebben ontwikkeld. Toch is het voorstelbaar dat Brown belangstelling zou hebben voor een wetenschappelijke onderneming die FBI heet, vanwege de connotatie met het feit dat J. Edgar Hoover, die in de twintigste eeuw lange tijd aan het hoofd van de FBI heeft gestaan, een vrijmetselaar was. Ook al werkt Sato voor de CIA, ze doet dingen die op Amerikaanse bodem beslist het werk horen te zijn van de FBI. Brown vond het tweede deel van de naam FBI Transform misschien ook wel heel toepasselijk, omdat transformatie zo'n voortdurend thema is in HVS.

Intussen lijkt het erop dat Sato's werk precies past bij Browns kijk op noëtische wetenschap en zijn idee dat oude wijsheid weer nieuw wordt; deskundigen die iets weten over het werk van Mikio Sato zeggen dat 'het zich baseert op een oud idee in het Oosten dat fenomenen in de echte wereld een weerklank hebben in de vorm van fenomenen in een denkbeeldige wereld die buiten de echte wereld ligt, maar zich er oneindig dicht bij bevindt'. Sato wordt door sommigen gezien als de moderne nazaat van Newton en Leibniz, die allebei een rol spelen in HVS.

Grote thema's: verlies, offers, sterfelijkheid, melancholie, dood, transformatie, wedergeboorte

Het Verloren Symbool is een buitengewoon ambitieus boek. Behalve de grote filosofische kwesties uit de vijfduizend jaar lange geschiedenis van de beschaving, tracht de auteur ook verschillende van de grote literaire thema's te behandelen die schrijvers en verhalenvertellers gedurende de eeuwen hebben beziggehouden. Dan Brown heeft het zichzelf niet gemakkelijk gemaakt door een poging te doen commentaar te geven op kwesties die in de geschiedenis zijn behandeld door vele grote romanschrijvers – en vooral door grote romanschrijvers die vrijmetselaar waren. *Faust*, het belangrijkste werk van Goethe, hield de grote Duitse schrijver zestig jaar lang bezig. Het boek, dat pas na Goethes dood in 1832 werd uitgegeven, behandelt grote zielsvragen, de zoektocht van de mens naar geluk en bevrediging en de betekenis van het leven. *Faust* is een psychologische roman uit een tijd dat de psychologie nog niet bestond; het is een politieke roman waarin de geest van de vrijmetselarij weerklinkt; het is een religieuze roman die gaat over goed, kwaad, God en de duivel. Het verhaal is misschien gebaseerd op een Duitse legende over een middeleeuwse alchemist. In veel opzichten is *Het Verloren Symbool* een nieuwe weergave van het verhaal van *Faust*, natuurlijk niet zo briljant als het werk van Goethe, maar met dezelfde thema's van leven en dood, wetenschap, magie en religie, en pogingen om via heilige en onheilige middelen de onsterfelijkheid van de ziel te bewerkstelligen.

De *Da Vinci Code* was Dan Browns boek over geboorte en leven. Het gaat over de heilige aard van seks (*hieros gamos* in het Grieks) en over het vrouwelijke in vroege religies. Het heilig vrouwelijke loopt als een rode draad door het boek. Maria Magdalena is de ster van het verhaal. De plot legt de nadruk op het geheime huwelijk van Jezus en Maria en op de afstammingslijn waarvan wordt verondersteld dat die via hun kinderen is ontstaan.

Het Verloren Symbool is Dan Browns boek over verlies en dood. Het begint met de zin: 'Hoe te sterven, dat is het geheim.' Het staat vol met beelden van de dood. Denk bijvoorbeeld aan de maçonnieke 'Kamer van Voorbereiding' in het geheime souterrain van de Senaat, waar we een schouwspel aantreffen met schedels, de zeis van de Dood en andere symboliek, allemaal bedoeld om de gedachten van de vrijmetselaar te richten op zijn sterfelijkheid en de noodzaak om het beste te maken van zijn korte leven op aarde. Het hoogtepunt van het boek speelt zich af in het House of the Temple, dat eigenlijk niet is gebouwd met de tempel van Salomo als voorbeeld, maar het mausoleum in Halicarnassus, een oud wereldwonder dat een onderkomen moest bieden aan de doden. De oude filosofen die Brown aanhaalt hadden belangstelling voor de onsterfelijkheid van de ziel, Katherine doet onderzoek naar wat er na de dood met de ziel gebeurt en Mal'akh probeert zijn ziel onsterfelijk te maken via mystieke middelen en een rituele dood.

Het probleem van het verlies is voortdurend aanwezig in HVS. De moderne mens is de oude kennis kwijtgeraakt en moet die terug zien te krijgen. De verloren piramide, het Verloren Woord en de referentie naar Miltons *Paradise Lost* benadrukken allemaal de diepere kennis die we in de loop van de moderne vooruitgang uit het oog zijn verloren. De afstammelingen van koning Salomo zijn hun tempel kwijtgeraakt. Er zijn boeken verloren gegaan in oorlogen en branden. De hoeksteen van het Washington Monument is zoekgeraakt. In dit boek, waarvan de titel zelf het thema van verlies benadrukt, is Peter zijn zoon kwijtgeraakt en Zachary zijn vader.

Hoewel Katherine een belangrijk personage is, is dit een sterk op mannen gericht boek, gebaseerd op een verhaal over de vrijmetselaars, een praktisch uitsluitend voor mannen bedoelde broederschap. Het gaat ook over vaders en zonen. Het verhaal voert het Bijbelse verhaal van de Akedah ten tonele: het vastbinden van Isaak, die vervolgens bijna werd geofferd door Abraham (Genesis 22:1-19). De Akedah is een van de onrustbarendste van alle Bijbelverhalen en heeft geleid tot langdurige debatten over de vraag wat voor God een vader zou vragen zijn zoon te offeren, en wat de bedoeling van de schrijvers en redacteuren van de Bijbel kan zijn geweest met deze passage. Mal'akh probeert elk detail van dit angstaanjagende en diep verontrustende verhaal uit Genesis op perverse manier na te bootsen met het doel zijn eigen vader, Peter, ertoe te bewegen hem net als Isaak te offeren en daarmee zijn ziel te bevrijden van haar aardse ketenen. Net als de maniakaal zorgvuldige Matthew Weiner op de set van de tv-serie *Mad Men* heeft Dan Brown verbazend veel moeite gedaan om dit tafereel uit Genesis tot in de details na te bootsen. Denk maar eens aan dit kleine voorbeeld. In joodse studiekringen, waar elk detail van de Thora tot in het oneindige wordt nageplozen, beschouwt men het soms als onduidelijk wat er met Isaak gebeurt nadat de engel Abraham tegenhoudt en voorkomt dat Isaak geofferd wordt. We lezen dat Abraham in zijn plaats een ram offerde. We lezen ook dat Abraham weer van de berg afdaalde, maar er wordt in Genesis niet specifiek vermeld dat Isaak met hem mee kwam. (De berg in kwestie zou in de Bijbelse traditie dezelfde berg Moria zijn waar koning Salomo later zijn tempel zou bouwen en waar tegenwoordig de heilige islamitische Rotskoepelmoskee staat.)

Als Peter Solomon in *Het Verloren Symbool* eenmaal begrijpt dat Mal'akh in werkelijkheid zijn verloren zoon is en dat die zoon hem probeert te dwingen hem net als Isaak te offeren, biedt hij weerstand en ramt hij het mes op het granieten altaar in plaats van in zijn zoon, waarop de offerscène wordt onderbroken door Robert Langdon, die komt binnenstormen om Peter te tackelen voordat hij het mes laat neerkomen, en door de zwarte helikopter van de CIA, die het dakraam van het House of the Temple vernielt. (Een zwarte helikopter die Langdon schaduwt op zijn zoektocht is op zichzelf al een zinspeling op een samenzweringstheorie over een wereldregering die het land overneemt – zie het interview met Michael Barkun in hoofdstuk 10.) Net zoals de engel Abraham tegenhield, wordt ook Mal'akh niet door zijn vader gedood. De verteller schildert echter wel een beeld van Mal'akh die kronkelt van pijn, van verwondingen die kennelijk zijn veroorzaakt door de scherpe glasscherven van het gebroken dakraam boven hem. Maar is hij echt dood? Als Katherine de kamer in komt, wordt ons verteld dat ze een 'lichaam' op het altaar ziet. Maar slechts een paar hoofdstukken eerder hebben we ook kunnen lezen dat Robert Langdons lijk door Mal'akh voor dood werd achtergelaten in de watertank. Dus we weten niet zeker wat er met Mal'akh is gebeurd en hij wordt in het boek verder niet genoemd, net zoals er aan het einde van het Akedah-verhaal in Genesis niet wordt vermeld wat er met Isaak gebeurt.

Dan Brown wil ons doen geloven dat Mal'akh het oorspronkelijke mes dat in de Akedah is gebruikt op de zwarte markt heeft kunnen bemachtigen om het in zijn eigen rituele offer te gebruiken. Het mes zou 'meer dan drieduizend jaar geleden zijn gesmeed uit een ijzeren meteoriet' en een hele reeks eigenaars hebben gehad, waaronder 'pausen, nazi-mystici, Europese alchemisten en privéverzamelaars'. Dit is pure fictie van Brown.

Als Mal'akh niet is gestorven, heeft hij in ieder geval een bijna-doodervaring gehad. In alweer een slimme wending horen we Mal'akh in een inwendige monoloog zijn bijna-doodervaring beschrijven als opkomende duisternis en 'grenzeloze angst', waarin hij een duister 'prehistorisch monster' ziet dat voor hem oprijst en 'duistere zielen' die hem zijn voorgegaan. Dat is het tegenovergestelde van de meeste verslagen van bijna-doodervaringen zoals die zijn bestudeerd door de noëtische wetenschappers die Brown citeert. Vele daarvan maken melding van een fel wit licht, het idee op te stijgen en gevoelens van sereniteit en geluk. Mal'akh gaat blijkbaar de andere kant uit, wat niet verrassend is na de vernietigende chaos die hij heeft veroorzaakt.

Niet alleen Mal'akh heeft een bijna-doodervaring. Er komen nog verscheidene andere zulke ervaringen voor in HVS. Robert Langdon heeft er een in de watertank, als hij slechts een paar seconden van de dood af is. Katherine, die in het kader van haar beroep bijna-doodervaringen bestudeert, heeft er een als ze bijna doodbloedt na Mal'akhs duivelse poging om van haar een menselijke zandloper te maken, waarbij het bloed langzaam uit haar lichaam loopt.

Bij deze bijna-doodervaringen leren we iets interessants over Dan Brown en over hoe hij denkt. Terwijl de verteller de gedachten van de persoon die de ervaring heeft met ons deelt, blijkt dat ieder van hen meer bezig is met het werk en de ideeën die verloren zullen gaan door zijn dood dan met zijn familie, zijn naasten of zijn belangrijke persoonlijke herinneringen. In het echte leven gaan de laatste gedachten van veel mensen uit naar hun naasten. Maar deze personages hebben geen naasten. Langdon is niet getrouwd en heeft geen kinderen, en voor zover wij weten heeft hij niets meer met een vrouw gehad sinds hij merkte dat Vittoria Vetra aan hatha yoga deed. (Volgens het recept van DVC zit er in HVS geen seks en bestaat er slechts een zeer milde romantische energie tussen Langdon en Katherine.) Katherine is niet getrouwd en er wordt geen enkele melding gemaakt van een partner. Ze heeft blijkbaar ook geen kinderen. Peters vrouw heeft hem niet kunnen vergeven dat hij Zachary in de Turkse gevangenis heeft laten sterven, en er wordt vermeld dat hun huwelijk een halfjaar na de vermeende dood van Zachary op de klippen is gelopen. (Net als in een Disney-film waarin de hoofdpersoon geen moeder heeft – denk aan Aladdin, Peter Pan, de Kleine Zeemeermin enzovoort – is Zachary/Mal'ahk in wezen een moederloos kind.) Hierbij moet worden opgemerkt dat Dan Brown ook geen kinderen heeft, dus misschien is dit gewoon hoe hij over de wereld denkt. Maar ik geloof dat hij in werkelijkheid gestalte geeft aan sommige ideeën in Goethes *Faust*. Faust vindt na al zijn werk en alles wat hij heeft meegemaakt het moment van geluk dat hij zoekt in de vrije omgang van mensen en het collectieve werk van de gemeenschap, mensen die hij niet eens kent. Brown suggereert ook zoiets met de metafoor van de vrijmetselaars en de nooit eindigende zoektocht naar kennis.

Voorafgaand na het moment dat Faust het geluk vindt, is hij het prototype voor het terneergeslagen genie in Dürers *Melencolia I*. Kijk maar eens naar die afbeelding. (Volgens de kunstgeschiedenis, en ook volgens Diane Apostolos-Cappadona, wier essay in hoofdstuk 8 staat, is de persoon in *Melencolia* trouwens een vrouw. Brown is waarschijnlijk zo voorzichtig geworden na de kritiek die hij heeft gekregen omdat hij had beweerd dat Maria Magdalena op *Het Laatste Avondmaal* stond, dat hij niet eens de moeite neemt om op te merken dat het centrale kunstwerk in HVS is opgebouwd rond een vrouw.)

De aanhangers van de oude mysteriën nemen aan dat Dürer in *Melencolia I* de psychologische pijn uitbeeldt van de verlichte die had gehoopt een geheim te leren kennen, heilige kennis over de betekenis van het leven op te doen en misschien een manier te vinden om onsterfelijk te worden, maar heeft gefaald. De wetenschappelijke en wiskundige werktuigen zijn er allemaal. Verscheidene ervan, zoals de passer en het gladde natuursteen van het mystieke veelvlak, zullen in de twee eeuwen na de dood van Dürer standaardsymbolen van de vrijmetselarij worden. Maar ondanks toegang tot de juiste werktuigen en de juiste kennis is het verlangde resultaat niet bereikt. Het genie is dus gefrustreerd, verdrietig en melancholiek, en misschien net als Faust suïcidaal. Er staat zelfs een hond in de ets, die doet denken aan de zwerfhond die Faust mee naar huis neemt en die verandert in de duivel die zielen verzamelt.

Het genie is er lange tijd mee bezig geweest, maar heeft niet kunnen achterhalen hoe hij (of zij) lichamelijke onsterfelijkheid kan verkrijgen. We mogen opmerken dat hetzelfde geldt voor alle helden in HVS die in de oude mysteriën geloven. Wij, de lezers, delen in ons eigen leven de frustratie van het genie. We komen misschien dicht bij de heilige kennis

Dürers Melencolia 1 *(1514)*.

over de betekenis van het leven, we kunnen metaforen en symbolen vinden die onze ideeën benaderen, maar we krijgen per definitie nooit echt te pakken wat we zoeken, net zomin als we sneller dan het licht kunnen reizen. Zoals zo vaak blijkt het te gaan om de reis zelf. Het feit dat het verlangde resultaat van de zoektocht naar hogere kennis onbereikbaar is, mag ons er niet van weerhouden het te willen bereiken. Maar ons geluk en onze vervulling komen van het proces, niet van het onbereikbare eindproduct.

HVS slaagt er uitstekend in interessante vragen op te werpen en ons genoeg ingrediënten te bieden voor onze eigen onderzoekingen als we daar de neiging toe voelen. Maar het biedt niet veel antwoorden. Als we onder aan bladzijde 510 komen en de epiloog hebben uitgelezen (die volgt op het laatste hoofdstuk, dat het prachtige getal 133 draagt), weten we niet eens zeker waar we nu al die tijd naar hebben gezocht. De verloren piramide? Het verloren symbool? Het verloren woord? En we weten ook niet goed wat we nu gevonden hebben. Het Washington Monument (verloren piramide)? De cirkel met punt (verloren symbool)? De Bijbel (verloren woord)? Gaat Dan Browns belangrijkste boek over de voorbereiding op onze uiteindelijke dood... of over de vraag hoe we moeten leven?

Het Verloren Symbool wordt door die gerichtheid op de dood nog geen pessimistisch boek. Vrijmetselaars besteden aandacht aan de dood en spelen doodsscènes na om zich beter te kunnen richten op het hier en nu. Hoewel HVS over offers en de dood gaat, is het ook een boek over verandering en transformatie. Het verwijst naar de zoektocht van de alchemisten naar transformatie, de zoektocht van de mystici naar transformatie, de zoektocht van de wetenschap naar transformatie. En het eert de Amerikaanse revolutionairen die met het voorbeeld van het oude Griekenland en Rome voor ogen een van de belangrijkste historische transformaties ter wereld bewerkstelligd hebben, door de eeuwenlange heerschappij van koningen en geestelijken omgedaan te maken en de eerste moderne regering in het leven te roepen die is gekozen en wordt geleid door gewone, sterfelijke mannen.

Dan Browns verhaal in *Het Verloren Symbool* heeft een apocalyptische bijklank. Dat geldt voor al zijn boeken. Het is de tijd waarin we leven. Maar zowel Robert Langdon als Peter Solomon verzekert ons in de loop van de nacht in Washington vele malen dat de wereld niet echt in 2012 of op een andere nabije datum zal vergaan. Christelijk/Griekse verwijzingen naar een 'apocalyps' gaan over het einde van de wereld *zoals wij die kennen*, en dragen daarom de mogelijkheid tot Openbaring met zich mee en daarmee ook het begin van een nieuwe en mooiere wereld, verrijkt door wat we ons weer zullen her-inneren van de oude wijsheid en wat we her-kennen van het Verloren Woord. Wedergeboorte en verlichting liggen in het verschiet. Misschien zelfs een nieuwe tijd van verwondering.

Dat is tenminste wat Dan Brown voor de mensheid wenst aan het einde van Robert Langdons lange nachtelijke reis langs de mysteriën van Washington.

2

Geschiedenis, mysteriën en vrijmetselaars

De vrijmetselarij van Dan Brown

door Arturo de Hoyos, 33°, Grootkruis

In *Het Verloren Symbool* wordt de vrijmetselarij neergezet als een welwillende, goedaardige orde die zich wijdt aan het vergemakkelijken van de reis naar 'het licht'. De orde beschermt hoofdrolspeler Robert Langdon en verschaft hem de aanwijzingen die hem fysiek naar de schurk zullen voeren en metaforisch naar de ontdekking van 'het Woord' en de waarheid die de mens kan herenigen met zijn verloren spiritualiteit. Dat zijn geen geringe prestaties binnen de twaalf uur die het verhaal in beslag neemt.

Voor het boek uitkwam werd algemeen aangenomen dat de vrijmetselaars, met hun voorliefde voor geheimzinnigheid en mysterieuze rituelen, in *Het Verloren Symbool* ongeveer dezelfde behandeling zouden krijgen als de Illuminati in *Het Bernini Mysterie* en de Priorij van Sion in *De Da Vinci Code*. Dan Brown zou hen neerzetten als leden van een geheimzinnige organisatie die schokkende geheimen moest bewaren en uitvoerige samenzweringen smeedde. In plaats daarvan lijken Brown en zijn alter ego Robert Langdon niet alleen geïntrigeerd te zijn door de vrijmetselaars, maar zelfs zo vol bewondering dat ze klaar lijken om zich bij hen aan te sluiten.

Wie zijn deze vrijmetselaars? Wat is hun geschiedenis en hoe zijn ze georganiseerd? En geeft de schrijver wel een accuraat beeld van de broederschap en haar rituelen, hoezeer hij die ook bewondert? Om de antwoorden op deze en andere vragen te vinden, hebben we een man ingeschakeld die door velen wordt beschouwd als de meest gezaghebbende Amerikaanse kenner van de vrijmetselarij: Grootarchivaris en groothistoricus Arturo de Hoyos, een vrijmetselaar van de drieëndertigste graad en drager van het Grootkruis in het Erehof van de Opperraad van de Schotse Ritus in Amerika.

De Hoyos begint met het beschrijven van de wortels en het verklaren van de aard van de vrijmetselarij. Daarna gooit hij het over een andere boeg en behandelt hij *Het Verloren Symbool* rechtstreeks. Hoewel hij het boek over het algemeen 'respectvol en niet aanstootgevend' vindt, zegt de Hoyos dat het op sommige plekken onjuist en misleidend is wat betreft de weergave van de fijnere aspecten van de vrijmetselarij.

De vrijmetselarij is de oudste en grootste broederschap ter wereld, ontstaan uit de steenhouwersgilden uit de middeleeuwen in Schotland en Engeland. Het Engelse woord voor vrijmetselaar, *freemason*, is een samentrekking van *freestone mason*, wat houwers van *freestone* betekent, een steen met een fijne structuur die in elke richting even goed bewerkt kan worden. In 1717 werd de eerste maçonnieke 'grootloge' (of bestuurlijke lichaam) opgericht in Londen, die het voorbeeld gaf in broederlijke ontwikkeling en zelfbesturende organisatorische principes. Er werden graden ingesteld als een soort initiatieceremonieel, waarin esoterische symboliek werd gebruikt om levenslessen te geven op het gebied van filosofie en moraliteit.

Halverwege de achttiende eeuw werd de hoeveelheid graden sterk uitgebreid en werd de zogenaamde *haute-grade* (hogeregraads) 'speculatieve' vrijmetselarij populair. De meest succesvolle van deze speculatieve ordes, in ieder geval in termen van ledenaantal, is de Aloude en Aangenomen Schotse Ritus, die op 31 mei 1801 is opgericht in Charleston in South Carolina. Het bestuur ervan wordt tegenwoordig de Opperraad genoemd. De Schotse Ritus telt drieëndertig graden, waarvan de hoogste, de drieëndertigste, is voorbehouden aan bestuursvoorzitters en een paar leden die ermee worden geëerd wegens trouwe dienst.

Men hoeft geen metselaar of steenhouwer meer te zijn om zich bij de broederschap te kunnen aansluiten. In de statuten staat dat voor het lidmaatschap slechts een geloof in een opperwezen nodig is, een goed moreel karakter en de hoop op een toekomstig bestaan. De vrijmetselarij heeft geen unieke religieuze dogma's en biedt geen wegen tot verlossing. Er mag bij de bijeenkomsten van de loge zelfs niet gesproken worden over religie en politiek.

Het doel van alle oude regalia (waaronder voorschoten en handschoenen), titels, rituelen en symbolen en de praktische gereedschappen (winkelhaken, passers enzovoort) is het geven van levenslessen in filosofie en moraliteit, die de vrijmetselaar zullen helpen een hogere graad te bereiken en dichter bij 'het licht' van zelfverbetering en morele perfectie te komen. Ze zijn niet bedoeld om de vrijmetselarij als geheim genootschap te beschermen.

Ondanks alles wat we weten over het ontstaan van de vrijmetselarij, namelijk dat die door bedreven ambachtslieden uit de zeventiende en achttiende eeuw tot een broederschap is ontwikkeld, zijn er altijd aanhangers van de 'romantische school' binnen de maçonnieke gemeenschap die ons verzekeren dat oude geschriften, legenden, mythologie, symboliek en indirecte aanwijzingen op een veel oudere oorsprong duiden. Zij kijken daarbij naar de tempel van Salomo, de oude Egyptenaren, de mystieke scholen, de alchemisten, de kabbalisten, de Rozenkruisers, de tempelridders en andere geheimzinnige orden. In vroeger tijden voerden enthousiastelingen de oorsprong van de vrijmetselarij terug tot Noach, Nimrod en zelfs Adam vanwege zijn schootsvel in de vorm van een vijgenblad.

Maar voor moderne samenzweringstheorieën is het niet echt belangrijk waar de vrijmetselarij vandaan komt, maar des te meer waar de broederschap naartoe gaat en welke invloed ze zou uitoefenen. Adolf Hitler, ayatollah Khomeini en andere dictators geloofden in hetzelfde antimaçonnieke geraaskal als de mensen die overal samenzweringen zien en die bang zijn dat de broederschap een wereldregering steunt die ze de Nieuwe Wereldorde noemen. Ze beroepen zich daarbij onvermijdelijk op vervalsingen als de *Protocollen van de wijzen van Zion,* op bedrog als de schrijfsels van 'Léo Taxil' of op pseudo-wetenschappelijke werken als die van C.W. Leadbeater. Dergelijke geschriften verdedigen extreme ideeën als maçonnieke samenzweringen, Luciferianisme en vermoede relaties met de oude mysteriën, in plaats van te vertrouwen op het werk van competente geschiedkundigen.

Dan Brown danst bij zijn weergave van de vrijmetselarij langs de rand van dergelijke ideeën. Mal'akhs opvatting is esoterisch en grenst aan het samenzweerderige. De echte 'hoofdprincipes' van de broederschap – broederliefde, liefdadigheid en waarheid – worden overschaduwd door een obsessie die hem voortdrijft naar een kafkaëske metamorfose die hij de 'transformatie' noemt. Door het ultieme maçonnieke geheim, het 'Verloren Woord', te ontdekken en te gebruiken hoopt hij bevrijd te worden van zijn sterfelijkheid. De weergave van Peter Solomon is ook op het randje. Zijn vrijmetselarij is weliswaar welwillend en grenst aan het heilige, maar er zijn sterke suggesties van een politieke invloed die als een onderstroom door de machtscentra van de stad Washington loopt. Over het algemeen is Browns behandeling van de vrijmetselarij – met fouten en al – echter respectvol en niet aanstootgevend.

Daarnaast zijn er een aantal meer concrete elementen in Dan Browns weergave van maçonnieke praktijken en symbolen waarbij feiten ten onder dreigen te gaan in de fictie van *Het Verloren Symbool.* Hier zijn een paar voorbeelden.

- In de proloog van HVS wordt een initiatieritueel in de drieëndertigste graad beschreven dat Mal'akh ondergaat in de Tempelzaal van het House of the Temple, om 20.33 uur. Maar de drieëndertigste graad wordt niet verleend in het House of the Temple en ook niet 's avonds. Hij wordt meestal 's middags verleend tijdens de tweejaarlijkse zittingen van de Opperraad van de drieëndertigste graad, Zuidelijke Jurisdictie, die in oneven jaren aan het eind van september of het begin van oktober worden gehouden, gewoonlijk in het gebouw van de Schotse Ritus op Sixteenth Street N.W. nummer 2800, zo'n tien blokken ten noorden van het House of the Temple. Verder is Mal'akh te jong om in de drieëndertigste graad te worden ingewijd. Volgens Dan Brown zou hij 34 zijn: de statuten van de Opperraad vereisen een minimumleeftijd van 35 jaar. Hoewel Mal'akh gekleed is 'als meester' en de andere aanwezigen lamsleren voorschoten, sjerpen en witte handschoenen dragen, is dit fictie en geen feit. De kandidaten en andere aanwezigen dragen bij een initiatie in de drieëndertigste graad geen voorschoten, sjerpen en witte handschoenen; een smoking volstaat.

- Peter Solomon wordt 'Achtbare Meester' genoemd, maar in werkelijkheid is het hoogste lid van de Opperraad de 'Soeverein Grootcommandeur'. Als Mal'akh de drieëndertigste graad ontvangt, denkt hij: Hoe te sterven, dat is het geheim. Hoewel het belang van deze zin de meeste lezers (en ook de meeste Amerikaanse vrijmetselaars) zal ontgaan, komt hij voor in veel Engelse rituelen voor een meestervrijmetselaar van de drieëndertigste graad, in een deel dat bekendstaat als de 'vermaning van de Achtbare Meester'. In deze korte woordenwisseling wordt gezegd dat de natuur ons voorbereidt op de laatste uren van het bestaan en 'ons uiteindelijk leert hoe te sterven' – een filosofisch denkbeeld dat gedeeld wordt door Plato (*Phaedo*, 67d) en Cicero (*De Contemnenda Morte*, 30).

- Als onderdeel van zijn initiatie in de drieëndertigste graad drinkt Mal'akh wijn uit een menselijke schedel om zijn eed te bezegelen. Dit is in de Schotse Ritus nooit gebruikelijk geweest. Het werd gedaan in een splintergroepering die zichzelf de Cerneau Scottish Rite noemde, een pseudo-maçonnieke organisatie die in de negentiende eeuw met de Schotse Ritus wedijverde.

- De interpretatie van sommige symbolen is ook onjuist. Het rode symbool dat bijvoorbeeld zo'n centrale plaats inneemt op de omslag van het boek, is de afdruk van het zegel op Peter Solomons ring, dat aldus wordt beschreven: 'De ring droeg het symbool van een tweekoppige feniks met in zijn klauwen een banier met daarop de woorden ORDO AB CHAO, en op zijn borst het nummer 33.' In de band, zegt de schrijver, staat de inscriptie: 'Alles wordt geopenbaard bij de drieëndertigste graad.' In werkelijkheid staat in het zegel van de Opperraad een twee-koppige *adelaar*. Bovendien is die adelaar helemaal niet te zien op de ring van de drieëndertigste graad. Deze ring bestaat in werkelijkheid uit drie gouden banden, eventueel met het nummer 33 in een driehoek. Op de binnenkant van de ring staan de woorden DEUS MEUMQUE JUS (mijn God en mijn recht), het motto van de graad. Het motto ORDO AB CHAO is het motto van de Opperraad 33°, niet van de graad zelf. Maar de feniks blijkt op een andere manier wel een passend symbool voor Browns verhaal. De feniks is een mythische vogel die herrijst uit zijn eigen as, zodat hij kan staan voor de 'transformatie' die Mal'akh wil bereiken. Volgens Adam McLean's *Hermetic Journal* nr. 5 (1979) 'completeert de feniks het proces van de ontwikkeling van de ziel. De feniks bouwt een nest, dat tegelijkertijd brandstapel is, steekt het in brand en cremeert zichzelf. Maar hij herrijst in een andere gedaante uit de as. Daarmee hebben we de vergeestelijking gevangen die de alche-mist ervaart. Hij heeft zijn wezen zodanig geïntegreerd dat hij niet lan-ger afhankelijk is van zijn stoffelijke lichaam als basis voor zijn wezen.'

• Het is misschien goed voor de plot van HVS, maar het 'Verloren Woord' is helemaal niet zo geheimzinnig. Volgens de maçonnieke legende werd de tempel van koning Salomo gebouwd door drie soorten ambachts-lieden: leerlingen, gezellen en meestermetselaars. Elke klasse werd be-taald naar zijn kunnen en had zijn eigen wachtwoord. Alle werklieden stonden onder leiding van Hiram Abiff, die de zoon was van een we-duwe uit de stam Naftali (zie 1 Koningen 7:14). Drie opstandige gezel-len, die ontevreden waren met hun loon, probeerden het 'meester-woord' los te krijgen bij de bouwmeester, maar die weigerde en moest zijn integriteit met de dood bekopen.

Het woord dat Hiram Abiff weigerde te onthullen, kwam bekend te staan als het 'Verloren Woord'. Er zijn verscheidene maçonnieke legen-den ontstaan rond dit woord. Sommige beschrijven het als een gewoon woord, andere als een symbool voor een filosofische waarheid. Robert Langdons omschrijving van het Verloren Woord als 'één enkel woord, geschreven in een esoterische taal die niemand meer kon ontcijferen' is extreem en niet maçonniek. De vrijmetselarij beweert evenmin dat het woord 'verborgen kracht' bezit of dat het 'de betekenis van de Oude Mysteriën duidelijk zal maken' aan wie het bezit. En er is zeker nooit gezegd dat 'wanneer het Verloren Woord geschreven staat op de geest van de mens, hij klaar is voor het ontvangen van onvoorstelbare macht'. Dergelijke beweringen zijn leuk in een fictieverhaal, maar grove over-drijvingen. Maar omdat de vrijmetselarij zoveel symbolen kent, zijn er mensen, ook vrijmetselaars, die buitensporige en bizarre ideeën hebben over het Verloren Woord en de 'verborgen betekenis' ervan, ook al blijkt daar niets van in de officiële rituelen.

- Aan het Akedah-mes wordt een betekenis toegekend die het in de moderne vrijmetselarij niet heeft. Het Bijbelse verhaal in Genesis 22:1-19 over het vastbinden van Isaak door Abraham (dat in het Hebreeuws *akedah* heet) wordt in sommige versies van het maçonnieke ritueel kort vermeld, maar is praktisch onbekend in de Verenigde Staten en maakt geen deel uit van de rituelen van de Schotse Ritus. Deze korte vermelding wordt opgeblazen tot een belangrijk thema wanneer in hoofdstuk 119 wordt verklaard dat 'de Akedah altijd heilig was geweest in het maçonnieke ritueel'. Mal'akh gelooft dat zijn eigen rituele dood zal leiden tot zijn transformatie, iets wat in de vrijmetselarij nooit wordt beweerd.

- Deken Galloway, de deken van de National Cathedral, legt Robert Langdon uit dat de *ashlar* als vorm door de vrijmetselaars wordt vereerd omdat 'het een driedimensionale representatie is van een ander symbool': uitgeklapt is het een kruis. De symbolische vrijmetselarij kent in werkelijkheid twee typen *ashlar*: een ruwe steen en een bewerkte, gladde kubusvormige steen. Volgens het maçonnieke ritueel 'vertegenwoordigt de ruwe *ashlar* de mens in zijn onbewerkte en onvolmaakte natuurlijke staat, terwijl de volmaakte *ashlar* de mens vertegenwoordigt in de staat van perfectie die we allemaal hopen te bereiken door middel van een deugdzaam leven en onderricht, onze eigen inspanningen en de zegen van God'. De steen die uitklapt en een kruis vormt, staat bekend als de *kubieke steen.*

- De beschrijving van het House of the Temple is redelijk accuraat, maar er zijn een paar punten die niet kloppen. Het vierkante daklicht in de tempelzaal is bijvoorbeeld geen oculus (die rond hoort te zijn). De zuilen van groen graniet zijn niet 'monolithisch' (ze bestaan uit vijf delen). De lift komt niet uit in de tempelzaal, maar in de bibliotheek, rechts van de grote trap die naar de tempelzaal leidt. Een van de interessantste aspecten van het gebouw is dat er zich echt twee verzegelde graftomben in bevinden waarin de overblijfselen liggen van twee voormalige grootcommandeurs van de Schotse Ritus, Albert Pike (1809-1891) en John Henry Cowles (1863-1954).

- De term *Heredom* wordt normaal niet gebruikt voor het House of the

Temple, zoals Robert Langdon beweert, hoewel dat woord wel op de titelpagina van sommige publicaties van de Schotse Ritus staat. Ik was licht geamuseerd toen ik in hoofdstuk 114 de zogenaamde omschrijving uit de encyclopedie van 'Heredom' las. De definitie die hier te lezen is, is door S. Brent Morris en mijzelf geschreven om te worden opgenomen in het jaarverslag van de Scottish Rite Research Society, een publicatie die overigens *Heredom* heet. Onze definitie staat in geen enkele encyclopedie.

- Ten slotte komen we er in hoofdstuk 117 achter dat Mal'akh zijn initiatie als leerling van de eerste graad in het geheim heeft gefilmd. 'Een geblinddoekte man was gekleed als een middeleeuwse ketter die naar het schavot werd gebracht. Om zijn hals hing een strop, zijn linkerbroekspijp was tot aan zijn knie opgestroopt, zijn rechtermouw tot aan zijn elleboog en onder zijn openhangende hemd was zijn blote borst te zien.' Dan Browns beschrijving is ontleend aan *De sleutel van Hiram* (2001) van Christopher Knight en Robert Lomas, een overdreven dramatisch stukje fictie. Maçonnieke geleerden wijzen het beeld van de 'middeleeuwse ketter' af.

Mal'akh weet ook een initiatie in de drieëndertigste graad te filmen en de gezichten van vooraanstaande broeders in beeld te brengen, onder wie zich twee rechters van het hooggerechtshof, de voorzitter van het Huis van Afgevaardigden, drie prominente senatoren en de minister van Binnenlandse Veiligheid bevinden. Langdon is bang dat de video 'chaos zal ontketenen' als hij op internet verschijnt. Hij vraagt zich af wat de leiders van andere landen zullen denken als ze het ritueel zien en komt tot de conclusie dat het 'over de hele wereld onmiddellijk tot massale protesten zou leiden'. Het is moeilijk te geloven dat de beschreven rituelen heden ten dage 'de vooraanstaande leiders van Rusland of de islamitische wereld' zouden schokken, terwijl zij te maken hebben met werkelijke menselijke gruweldaden.

Het is waar dat de Amerikaanse gemeenschap een keer geschokt is door de onthulling van maçonnieke riten. In 1826 werd beweerd dat William Morgan uit Batavia in de staat New York was vermoord door de vrijmetselaars omdat hij een maçonniek ritueel openbaar had willen maken. De openbare verontwaardiging was een zware slag voor de broederschap. Er werden in het openbaar maçonnieke rituelen nagespeeld en er kwamen tientallen boeken op de markt waarin de 'geheimen' van de vrijmetselaars werden geopenbaard. De meeste loges in de Verenigde Staten staakten hun bezigheden en de leden bleven massaal weg, in ieder geval tot omstreeks 1842. Maar ironisch genoeg werd op het hoogtepunt van de 'Morgan-affaire' een vrijmetselaar tot president van de Verenigde Staten gekozen! Andrew Jackson, de held van de slag van New Orleans en president van 1829 tot 1837, was van 1822 tot 1824 grootmees-ter van de vrijmetselaars van Tennessee geweest en was nog steeds een toegewijd aanhanger van de broederschap.

Deze en andere voorbeelden van wat Dan Brown vast dichterlijke vrijheid zou noemen, doen niets af aan de vele aspecten van de maçonnieke traditie die juist worden weergegeven in *Het Verloren Symbool*. Zoals Robert Langdon in de loop van zijn avontuur ontdekt, heeft de Amerikaanse vrijmetselarij het raamwerk geboden waarin de Oude Wereld zich kon ontwikkelen tot de Nieuwe met haar belofte van de vrije uitwisseling van ideeën, religieuze tolerantie, ethische ontwikkeling en het belang van een spirituele zoektocht naar universele waarheden.

Een vrijmetselaar over zijn 'reis naar het licht'

door Mark E. Koltko-Rivera

Wie zijn de vrijmetselaars? Wat zijn hun symbolen en waarden? Waarom heeft Brown de vrijmetselarij een centrale rol gegeven in zijn boek? Dr. Mark Koltko-Rivera, gespecialiseerd in godsdienstpsychologie, bezit de derde en hoogste graad van de blauwe vrijmetselarij. Bovendien is hij in de wereld van de 'hogere-gradenvrijmetselarij' (technisch gesproken) een Sublieme Prins van het Koninklijk Geheim, oftewel een vrijmetselaar van de tweeëndertigste graad in de Schotse Ritus (waarvan de oudste onderafdeling, de Amerikaanse Zuidelijke Jurisdictie, haar hoofdkwartier heeft in het House of the Temple dat een rol speelt in *Het Verloren Symbool*). Koltko-Rivera is bovendien lid van de maçonnieke versie van de tempeliers in de York Ritus. Hij behoort tot de kleine groep schrijvers en bloggers die de ontwikkelingen met betrekking tot Dan Browns *Het Verloren Symbool* al verscheidene jaren voor het in druk verscheen hebben gevolgd. Hij begint hier met de vraag: wat voor reis moet men ondernemen om vrijmetselaar te worden?

Elke vrijmetselaar onderneemt zijn eigen rituele 'reis naar het licht', waarin elke ceremonie staat voor een initiatiegraad. In de gewone of 'blauwe' vrijmetselarij bestaan drie zulke graden, elk genoemd naar een stadium in de denkbeeldige professionele ontwikkeling van de middeleeuwse steenhouwer: leerling ('de eerste graad' of '1°'), gezel ('2°') en meester ('3°'). De reis naar het licht bestaat onder meer uit rituele uitdagingen en beproevingen, het verwerven van informatie en het toetsen van kennis, en de kennismaking met symbolen en de interpretatie daarvan. In het ritueel heeft bijna alles – de kledij, de handelingen, de woorden, de plaats van de aanwezigen en zelfs de route die iedereen aflegt door de logeruimte – een symbolische betekenis.

Laten we eens kijken naar wat Mal'akh, de schurk van *Het Verloren Symbool*, moet hebben ondergaan om vrijmetselaar te worden (een proces waarop Brown slechts kort ingaat in zijn proloog). Ten eerste vraagt men de kandidaat in een voorkamer van de eigenlijke ontmoetingszaal van de loge om op zijn eer te verklaren dat hij zich bij de vrijmetselarij wil aansluiten omdat hij een gunstig beeld heeft van de broederschap, dat hij ernaar verlangt kennis te vergaren en zijn medemens van dienst te zijn en dat hij dat doet zonder winstoogmerk. Mal'akh zal ongetwijfeld hebben gelogen en ja hebben gezegd, net zoals hij in de 33°-ceremonie in de proloog deed. Mal'akh was niet van plan anderen van dienst te zijn; hij wilde juist de vooruitgang van de mens tegenhouden.

De ontmoetingszaal wordt voor rituele doeleinden symbolisch getransformeerd in een deel van wat volgens de Bijbel het meest eerbiedwaardige van alle oude stenen gebouwen is: de tempel van koning Salomo. Midden in de zaal staat een altaar, waarop een Boek van de Heilige Wet ligt (meestal vertegenwoordigd door een exemplaar van de Bijbel). Voor dit altaar neemt de kandidaat de plichten op zich van de graad die hij ontvangt. (Elke kandidaat is gerechtigd om op het altaar een Boek van de Heilige Wet te gebruiken dat voor hém heilig is.)

Waartoe verplichten vrijmetselaars zich bij elke graad met een plechtige eed? Ethische zaken als eerlijkheid, liefdadigheid, welwillendheid en het geven van hulp en steun nemen een belangrijke plaats in. Daarnaast zweert de vrijmetselaar geheimhouding van bepaalde herkenningstekens (zoals wachtwoorden en handdrukken), waaraan twee mannen die verder vreemden voor elkaar zijn kunnen merken dat elk van hen vrijmetselaar is. Vrijmetselaars verplichten zich bovendien onder ede om bloedstollende straffen te ondergaan als ze deze plichten niet vervullen – straffen die, laat dat duidelijk zijn, door God zullen worden uitgevoerd, niet door andere vrijmetselaars.

In elk van de eerste drie graden van de vrijmetselarij komt de kandidaat symbolen tegen, waarvan sommige steenhouwerswerktuigen zijn die voor de vrijmetselaars een morele betekenis hebben. De moraliteit die hier wordt onderwezen begint met zeer praktische zaken (de vrijmetselaar wordt bijvoorbeeld aangespoord tijd in te ruimen voor liefdadigheidswerk en godsdienstoefening), en gaat verder met interpersoonlijke deugden zoals eerlijkheid, egalitarisme en de noodzaak om moeite te doen voor het opbouwen van de broederschap. Zelfs de beroemde maçonnieke geheimhouding heeft een moreel oogmerk: een man die geen geheimpje kan bewaren (zoals een wachtwoord of een handdruk) kunnen ook geen grotere levensgeheimen worden toevertrouwd. Houd je aan je woord, zegt de vrijmetselarij tegen haar kandidaten; een test waarvoor Mal'akh op spectaculaire manier zakt.

Een man wordt nooit een betere vrijmetselaar dan wanneer hij eenmaal de derde initiatiegraad heeft verkregen en meester is geworden in een gewone of blauwe loge. Maar vanaf de eerste dagen van de moderne vrijmetselarij in het vroeg-achttiende-eeuwse Europa zijn er nog andere initiatiegraden ontwikkeld om de maçonnieke ervaring te verhogen en de vrijmetselaar ertoe aan te sporen verder te werken aan zijn intellectuele, spirituele en morele ontwikkeling. Dit zijn de zogenoemde ritussen of obediënties met vervolggraden, waarvan de rituele initiaties alleen toegankelijk zijn voor meestervrijmetselaars.

Een van die organisaties is de Schotse Ritus, die genummerde graden biedt vanaf de vierde graad, Geheim Meester, tot de tweeëndertigste graad, Sublieme Prins van het Koninklijk Geheim. Hiervoor moet kennis worden genomen van verschillende spirituele tradities en van zowel mythische als historische gebeurtenissen, om nog meer principes van moraliteit en filosofie te leren. Slechts enkele van de vrijmetselaars van de Schotse Ritus ontvangen de uiteindelijke 33° als eerbetoon – de eer die Mal'akh ten deel valt in de proloog van *Het Verloren Symbool*.

Het Verloren Woord van de vrijmetselarij

Een mythisch thema dat de verschillende ritussen van de vrijmetselarij delen, is de zoektocht naar het Verloren Woord. Het gaat om een legendarisch wachtwoord dat verband houdt met de bouw van de tempel door Salomo – een wachtwoord dat, zo leert de kandidaat, door schurkenstreken verloren is gegaan.

Net als zovele andere dingen in de vrijmetselarij is het Verloren Woord een symbool dat op verschillende manieren kan worden geïnterpreteerd: als een bijzonder heilig woord, als een principe dat noodzakelijk is voor de verlichting, als een geheim dat niet in woorden kan worden uitgedrukt en als het geheim van de lotsbestemming van de mens. Deze kennis over het Verloren Woord geeft de titel van Dan Browns boek, *Het Verloren Symbool*, een speciale betekenis en levert een bijzonder inzicht op in de zoektocht waar een groot deel van de plot om draait.

De rituele structuur van de vrijmetselarij en het centrale belang van het Verloren Woord worden geïllustreerd door de tatoeages die Mal'akhs lichaam bedekken (HVS, hoofdstuk 2). Zijn voeten zijn getatoeëerd met klauwen van een havik, misschien als symbool voor de oude hermetische mysteriën waaruit volgens sommigen de vrijmetselarij zou zijn ontstaan. Mal'akhs benen zijn getatoeëerd met de zuilen Boaz en Jachin, die volgens de Bijbel voor de tempel van Salomo waren neergezet. Deze zuilen zijn in elke logezaal te zien. Daarmee stellen Mal'akhs benen een vooruitgang voor van de oude hermetische mysteriën naar de mysteriën van de blauwe vrijmetselarij.

Mal'akhs buik is getatoeëerd met een gedecoreerde poort of boog. Hij verwijst hier naar de traditionele voltooiing van de graad van meestervrijmetselaar in de York Ritus (een andere hogeregraads organisatie) met de Graad van het Koninklijk Gewelf.

De tatoeage op Mal'akhs borst wordt door Dan Brown een tweekoppige feniks genoemd, maar is eigenlijk de tweekoppige adelaar van het zegel van de Opperraad van de Schotse Ritus. (Op de omslag van *Het Verloren Symbool* staat een afdruk van dit zegel in was.)

Elke vierkante centimeter van Mal'akhs lichaam is getatoeëerd, behalve een kleine cirkel op de kruin van zijn hoofd. Daar wil Mal'akh het Verloren Woord van de vrijmetselarij aanbrengen. Dit toont een groot contrast tussen Mal'akh en een oprechte vrijmetselaar. In de vrijmetselarij is de zoektocht naar het Verloren Woord deel van een programma om zichzelf te verheffen in dienst van de mensheid. Voor Mal'akh, die onder valse voorwendselen lid is geworden van de broederschap, is de zoektocht naar het Verloren Woord het hoofdbestanddeel van zijn onderneming om immense persoonlijke macht te verkrijgen. Mal'akh is van plan het Verloren Woord te gebruiken om een soort duistere god in Hades te worden: hij ziet het Verloren Woord als een Woord van Macht, iets wat een beoefenaar van de ware magie kan gebruiken om macht uit te oefenen over de demonen van de onderwereld.

De zoektocht naar het Verloren Woord is het element waar de hele plot van het boek om draait. Deze zoektocht zet Mal'akh aan tot de ontvoering, marteling en verminking van Peter Solomon. Het is de reden waarom Mal'akh de wereldberoemde professor in de symbolenleer en expert in esoterische kennis Robert Langdon onder valse voorwendselen naar de stad Washington lokt, waarna diens pogingen om het Verloren Woord voor Mal'akh te vinden en daarmee Peter Solomon te redden het verhaal vormen.

Het Verloren Woord van de vrijmetselarij , of in ieder geval Dan Browns versie ervan, is ook de sleutel tot het eind van het boek. Als Mal'akh stervend op het altaar ligt waarop hij valselijk zijn maçonnieke eed heeft afgelegd, hoort hij dat het Woord dat hij heeft gekregen net zo vals is als zijn reis door de vrijmetselarij; nadat hij door middel van leugens en moord zijn nepreis naar het licht heeft afgelegd, voelt Mal'akh op het moment van zijn dood dat hij afstevent op wat schijnbaar een eeuwigheid aan duisternis en angst zal zijn.

Als tegenwicht vertelt Peter Solomon Robert Langdon wat de aard is van het echte Woord, als symbool – het Verloren Symbool uit de titel van het boek – van het goddelijke potentieel dat in elke mens schuilt. Terwijl de smadelijke dood van Mal'akh het dramatische hoogtepunt van het boek vormt, is Robert Langdons ontdekking van het echte Verloren Woord en de betekenis daarvan het emotionele en intellectuele hoogtepunt.

Waarom Dan Brown zich richtte op de vrijmetselarij

In het stelsel van maçonnieke waarden vinden we het antwoord op een mysterie dat niet ín het boek te vinden is maar er wel betrekking op heeft: waarom heeft Brown ervoor gekozen de vrijmetselarij als onderwerp te nemen?

Toevallig werd de publicatie van *Het Verloren Symbool* op 15 september 2009 drie weken later gevolgd door de tweejaarlijkse sessie van de Opperraad van de Zuidelijke Jurisdictie van de Schotse Ritus. De Opperraad had Dan Brown uitgenodigd om bij deze bijeenkomst te spreken. Omdat hij een vol schema had, stuurde Brown in plaats daarvan een brief (gedateerd op 6 oktober) waarin hij zijn keuzes als schrijver van commentaar voorzag. Brown schreef onder meer:

> De laatste paar weken... is mij herhaaldelijk gevraagd wat me zo sterk aantrok in de vrijmetselarij dat ik die een centrale plaats heb gegeven in mijn nieuwe boek. Mijn antwoord is steeds hetzelfde: 'In een wereld waarin mensen strijd voeren over de vraag wiens definitie van God de meest juiste is, kan ik niet genoeg benadrukken welk een diep respect en grote bewondering ik voel jegens een organisatie waarin mannen van verschillend geloof in staat zijn "samen het brood te breken" in een verbond van broederschap, vriendschap en kameraadschap.' Wees zo goed mijn nederige dank te aanvaarden voor het nobele voorbeeld dat u de mens stelt. Ik hoop oprecht dat de maçonnieke gemeenschap *Het Verloren Symbool* ziet als wat het werkelijk is ... een oprechte poging om de geschiedenis en schoonheid van de maçonnieke filosofie vol eerbied te onderzoeken.

Dit is de reden waarom Dan Brown de vrijmetselarij een hoofdrol heeft gegeven in *Het Verloren Symbool*. Hij bewondert het feit dat de vrijmetselaars aansporen tot tolerantie voor religieuze verschillen, dat de organisatie mensen van verschillende religies aanspoort broeders en vrienden te zijn. (Discussies over religie en sektarische kwesties zijn strikt verboden in de loges.) Hij uit zijn dank voor het 'nobele voorbeeld' dat de vrijmet-selarij 'de mens' volgens hem stelt. Door over dit voorbeeld te schrijven, probeert Dan Brown de wereld te veranderen, wat zijn hoogste doel als schrijver is.

In zekere zin is Dan Browns echte roeping die van een religieus filosoof. Elk van zijn boeken kan worden gezien als een poging om de kenmerken van een verbeterde houding ten opzichte van religie te schetsen – religie voor gevorderden volgens Dan Brown, als het ware. In *Het Bernini Mysterie* verbreidt hij het idee dat religie en wetenschap niet met elkaar in conflict hoeven te zijn; dat de beste vorm van godsdienst de ontdekkingen van de wetenschap zou erkennen en zelfs zegenen. In *De Da Vinci Code* probeert Brown conventionele ideeën over God te hervormen om zo in de westerse religie een ingangspunt te creëren om het heilig vrouwelijke te kunnen eren. En nu, in *Het Verloren Symbool*, draagt Brown het idee uit dat een goede religie boven de verschillende zuilen uitstijgt om mensen van goede wil met allerlei achtergronden te verenigen en het goddelijke potentieel binnen in elke mens te vieren.

We hebben de laatste paar millennia een zee van bloed zien vergieten in de naam van het geloof. In deze context zijn de tradities van religieuze tolerantie bij de vrijmetselaars dan misschien eeuwenoud, maar tegelijkertijd regelrecht radicaal.

De onzichtbare aanwezigheid van Albert Pike in *Het Verloren Symbool*

door *Warren Getler*

Dan Brown vindt het heerlijk om ons te plagen... met mysteriën, puzzels, codes, geheimschrift en allerlei andere esoterische dingen. In *Het Verloren Symbool* verwijst zijn grootste plagerij naar een vrijmetselaarsschat die verborgen ligt in Amerika (en meer in het bijzonder in de stad Washington). De implicatie in de meer dan vijfhonderd pagina's van HVS is dat de schat iets te maken heeft met de vrijmetselarij, en in het bijzonder met de tak van vrijmetselarij die bekendstaat als de Schotse Ritus. Zoals de lezers van HVS weten, ontdekt Robert Langdon dat de 'schat' eerder allegorisch, figuurlijk en spiritueel van aard is, dan dat hij materiële rijkdommen behelst zoals goud, zilver en diamanten. Dit was misschien een teleurstelling voor mensen die er meer van hadden verwacht.

Net als in Browns andere boeken zijn de dingen niet altijd wat ze lijken te zijn. Is het mogelijk dat de schrijver wel degelijk duidt op iets tastbaars – een echte schat, die te maken heeft met de vrijmetselaars en die ze verborgen houden voor een niet nader gespecificeerd hoger doel, wellicht spiritueel van aard? Over dergelijke thema's gaat de reeks *National Treasure*-films van Disney, waarbij in de tweede film, *National Treasure: Book of Secrets*, specifiek een verband wordt gelegd tussen de man die lang aan het hoofd heeft gestaan van de Schotse Ritus, Albert Pike, en de vermoede schat die uiteindelijk in het westen wordt gevonden door het hoofdpersonage in de film, de door Nicolas Cage gespeelde Benjamin Gates.

In *Het Verloren Symbool* wordt Albert Pike vreemd genoeg slechts terloops genoemd: er wordt opgemerkt dat zijn buste in het House of the Temple staat, het gebouw van de Schotse Ritus op Sixteenth Street, waar Pike begraven ligt en waar veel van de actie in HVS plaatsvindt. Een groot deel van het omvangrijke boek draait om de Schotse Ritus – met zijn uitgebreide drieëndertig initiatiegraden – maar er staat niet veel in over de

Soevereine Grootcommandeur die van 1859 tot zijn dood in 1891 aan het hoofd van de Ritus stond.

Dit is op zichzelf al een beetje een mysterie, omdat Dan Brown toen wij elkaar ontmoetten (in 2003 in New York bij een vroege bijeenkomst naar aanleiding van *De Da Vinci Code*) expliciet zei dat zijn volgende boek over de voormalige leider van de Schotse Ritus zou gaan. Brown vertelde zelfs dat hij over mijn non-fictieboek *Rebel Gold* had gehoord, dat net uit was. Toen ik in het gesprek over Pike begon, zei hij een beetje geschokt: 'Ik weet niet goed of ik uw boek nu wel moet lezen; mijn volgende boek gaat over Albert Pike.' Hij heeft zijn belofte in veel opzichten gestand gedaan. Pike, die in zijn eentje de Schotse Ritus op de nationale en internationale kaart heeft gezet, lijkt in *Het Verloren Symbool* steeds op de achtergrond aanwezig te zijn, maar zijn naam komt bijna niet in het boek voor. Het is net zoiets als een boek schrijven over de Founding Fathers en niets over George Washington vermelden behalve dat hij begraven is op Mount Vernon. Brown vermeldt terloops dat er twee lichamen begraven liggen binnen de muren van het House of the Temple... waarvan er een natuurlijk dat van Albert Pike is. Albert Pike is niet uit het House of the Temple weg te denken. Er is een hele museumkamer ter ere van hem ingericht, die met zijn enorme bibliotheek, zijn pijpen en andere fascinerende souvenirs wel een soort heiligdom lijkt.

Waarom heeft Dan Brown dan besloten deze enorm mysterieuze en controversiële historische figuur, Albert Pike, in *Het Verloren Symbool* niet meer te gunnen dan een terloopse vermelding? Misschien heeft het te maken met het feit dat Pike een ongemakkelijk persoon is. Pike is controversieel. *Het Verloren Symbool* prijst de vrijmetselarij omdat iedereen er lid van kan worden, ongeacht zijn geloof, maar op het sociale vlak was Pike in zijn eigen woorden en als hoofd van de Schotse Ritus niet altijd zo tolerant. Of misschien is het nog eenvoudiger: misschien wilde Dan Brown geen dingen aanhalen die al breed waren uitgemeten in de *National Treasure*-films.

Hoewel hij geen hoofdrol blijkt te spelen in HVS, heeft Pike die wel in de geschiedenis van de vrijmetselarij. Pike, een imposante beer van een man met een lengte van bijna twee meter en een gewicht van ruim 135 kilo, was een fascinerende persoon die tegelijkertijd voor verdeeldheid zorgde, zowel onder vrijmetselaars als onder het publiek als geheel.

Hij was een briljant geleerde, linguïst en jurist, maar ook een generaal van de Confederatie en – volgens recent onderzoek – wellicht de leider van een opstandige ondergrondse groep van geconfedereerden, de Knights of the Golden Circle (KGC). Ik ben de laatste tien jaar betrokken geweest bij een onderzoek dat lijkt uit te wijzen dat de KGC directe banden had met de Zuidelijke Jurisdictie van de Schotse Ritus, die tijdens en na de Burgeroorlog werd geleid door Pike. Het onderzoek, dat is beschreven in een boek dat ik samen met Bob Brewer heb geschreven (*Rebel Gold: One Man's Quest to Crack the Code Behind the Secret Treasure of the Confederacy*, Simon & Schuster 2003) wijst uit dat de Knights of the Golden Circle tijdens en na de Burgeroorlog in het Zuiden en Zuidwesten grote hoeveelheden goud, zilver en wapens hebben begraven in zeer geavanceerd, geometrisch systeem van ondergrondse opslagplaatsen. De oorspronkelijke reden hiervoor was het financieren van de wederopstanding van de Confederatie ingeval het Zuiden de oorlog mocht verliezen. Maar later werd dat anders en kregen bepaalde families het verzoek om generaties lang de verborgen rijkdom te bewaken en de locatie geheim te houden.

Zoals Bob Brewer en ik in *Rebel Gold* opperden, verborg de KGC de schat 'achter een meesterlijk raster van aanwijzingen dat waarschijnlijk was ontworpen door Pike en anderen. Het systeem bestond uit complexe geheimschriften, zeer precieze landmetingstechnieken, cryptische, met de vrijmetselarij verwante inscripties op bomen en rotswanden en een handvol kaarten vol verbijsterende codes.' Ons onderzoek onthulde dat de beruchte bank- en treinrover van na de Burgeroorlog, Jesse James, vrijmetselaar was en veldcommandant van de Knights of the Golden Circle, en dat hij het beheer kan hebben gehad over het ondergrondse netwerk van de KGC in het Amerikaanse Zuiden en Zuidwesten. Maar gold dat ook voor Albert Pike, met zijn kennis van de heilige geometrie van de tempelridders en de Rozenkruisers, zijn vele banden met het Amerikaanse Zuiden en Westen en zijn enorme invloed achter de schermen van de macht? Was hij het geheime genie achter deze onderneming, die ongetwijfeld als hoogverraad zou worden opgevat? Sommige antimaçonnieke critici van Pike zeggen dat de voormalige officier van het geconfedereerde leger later Grand Dragon van de Ku Klux Klan is geworden. Deze aantijging heeft Pike de laatste eeuw achtervolgd, maar er is weinig concreet bewijsmateriaal dat de bewering kan staven.

Pike voelde zich in 1868, drie jaar na de overgave van het Zuiden, gedwongen deze woorden te schrijven in een redactioneel artikel in de *Memphis Daily Appeal*, misschien omdat hij zo opging in de nog steeds aanwezige, onherziene vooroordelen van die tijd:

De rechteloos gemaakte burgers van het Zuiden vinden nergens bescherming van hun eigendom of hun leven, behalve in geheime organisaties. We moeten elke blanke man in het Zuiden bijeenbrengen die tegen het kiesrecht voor negers is en een grote Orde van Zuidelijke Broederschap vormen, met een organisatie ... waarin een paar mensen de gezamenlijke wil van alle anderen uitvoeren, maar wier identiteit verborgen moet worden gehouden voor alle leden.

Als er mensen naar de stad Washington komen om de belangrijkste maçonnieke plekken te bezoeken die in HVS worden beschreven – plekken als het House of the Temple en het George Washington Masonic National Memorial in het nabijgelegen Alexandria in de staat Virginia – hebben ze dankzij Dan Brown een op kennis gebaseerd kompas om hun weg mee te vinden. Maar de schrijver Brown, die de vrijmetselaars van de Schotse Ritus over het geheel genomen veel beter heeft behandeld dan organisaties die een rol speelden in zijn eerdere boeken, heeft allerlei geheimzinnigheden en tegenstrijdigheden op de kaart achtergelaten. Dat is ongetwijfeld precies wat hij wilde. Albert Pike, die voortdurend aanwezig is op de achtergrond van Robert Langdons twaalf uur durende race door Washington, heeft eens gezegd: 'Het eenvoudigste in het universum heeft te maken met het ultieme mysterie.' Wat zou dat kunnen zijn?

Mozart en Ellington, Tolstoj en Kipling

In de broederschap van beroemde vrijmetselaars

door David D. Burstein

Halverwege de twintigste eeuw, toen de vrijmetsclaars in Amerika vele malen meer leden beweerden te hebben dan tegenwoordig (bij een half zo grote bevolking), waren ze waarschijnlijk veel minder vreemd en veel bekender en beter begrepen dan nu. Daarbij hebben de idealen en de filosofie van de maçonnieke beweging in de loop der jaren een onevenredig aantal kunstenaars en creatieve geesten aangetrokken. Wie deze twee facetten naast elkaar zet, begint te begrijpen waarom er zo veel maçonnieke tradities in onze cultuur voorkomen. We hebben David D. Burstein, een eenentwintigjarige filmmaker cn student politiek en nieuwe media, gevraagd eens te kijken naar de invloed die de vrijmetselarij heeft gehad op onze cultuur. Hieronder volgt zijn verslag.

We beseffen niet dat de vrijmetselarij zich overal in onze cultuur bevindt, verborgen in het volle zicht, zoals Robert Langdon zou kunnen zeggen.

De invloed van vrijmetselaars en hun denken op de klassieke cultuur is groot, maar niet breed onderkend. Net zoals de meesten van ons niet wisten dat George Washington, Benjamin Franklin en Paul Revere vrijmetselaars waren (hoeveel lessen over de Amerikaanse Revolutie we ook gevolgd hebben op de middelbare school), zijn we ons er ook niet van bewust dat veel culturele uitblinkers die we bestuderen vrijmetselaars waren: Mozart, Tolstoj, Kipling, Oscar Wilde, Arthur Conan Doyle (de schrijver van de Sherlock Holmes-serie), de dichter Robert Burns, Goethe (de schrijver van *Faust*), Voltaire (de grote filosoof uit de verlichting) en Mark Twain – hoewel hij blijkbaar moeite had zijn contributie te betalen – om er maar een paar te noemen. *Die Zauberflöte* van Mozart is een achttiende-eeuwse maçonnieke allegorie over initiatie en mystieke reizen, hoewel bijna niemand dat weet; het beroemde verhaal 'Cask of Amontillado' van Edgar Allen Poe, dat veel leerlingen op school lezen, is een bijtende negentiende-eeuwse antimaçonnieke allegorie – maar dat vertellen ze je op school niet.

Niet alleen de grote creatieve geesten van de traditionele literatuur en de kunsten uit de achttiende en de negentiende eeuw werden aangetrokken tot deze ongewone broederschap. Toen de 'hoge cultuur' in de twintigste eeuw deels plaatsmaakte voor de 'populaire cultuur', bleken veel mensen uit de entertainmentwereld lid te zijn van een vrijmetselaarsloge. Er zijn musici en zangers bij: mensen als Duke Ellington, Louis Armstrong, Irving Berlin en Gene Autry. Maar ook filmmagnaten: Jack Warner, Cecil B. DeMille en Billy Wilder. En filmsterren als Harpo Mars, Burl Ives, Harold Lloyd, Roy Rogers, Red Skelton, Peter Sellers en Jackie Mason. In overeenstemming met het principe van gelijkheid en tolerantie dat de vrijmetselaars aanhangen zijn ook veel joodse komieken, zwarte jazzmusici en mensen uit allerlei andere groeperingen aangetrokken tot het denkbeeld en het sociale netwerk van de maçonnieke loge.

Maçonnieke thema's en motieven komen voor in veel films. *The Man Who Would Be King* (met Sean Connery en Michael Caine) is gebaseerd op een verhaal met een maçonniek thema van Rudyard Kipling, zelf een overtuigd vrijmetselaar en de eerste Engelstalige winnaar van de Nobelprijs voor literatuur. In het verhaal van Kipling zijn alle hoofdpersonages vrijmetselaars, en de plot gaat mede over het idee dat sinds de tijd van Alexander de Grote oude maçonnieke geheimen generaties lang zijn doorgegeven onder stamleden in een afgelegen deel van Afghanistan.

Een creatief gebruik van maçonnieke legenden is te zien in de intrigerende, maar niet heel serieuze *National Treasure*-serie. Veel mensen zullen zich de openingsmonoloog van de eerste *National Treasure* uit 2004 herinneren, die mysterieus en meeslepend is en behoorlijk pseudo-geschiedkundig.

Charles Carroll was de laatste nog levende ondertekenaar van de Onafhankelijkheidsverklaring. Hij was ook lid van een geheim genootschap dat bekendstaat als de vrijmetselarij, mensen die wisten van een geheime schat waar al eeuwen om werd gevochten door tirannen, farao's, keizers en krijgsheren. En toen was die opeens verdwenen. Hij kwam meer dan duizend jaar niet meer boven water, maar toen ontdekten de ridders van de eerste kruistocht geheime kelders onder de tempel van Salomo. Ze namen de schat mee terug naar Europa en noemden zichzelf voortaan tempelridders. In de volgende eeuw smokkelden ze hem Europa uit en vormden ze een nieuwe broederschap, die de vrijmetselarij heette... Toen de Amerikaanse Revolutie uitbrak, was de schat weer verstopt. In die tijd waren onder andere George Washington, Benjamin Franklin en Paul Revere vrijmetselaars...

We nemen een paar andere voorbeelden:

- In de Beatles-film *Help!* uit 1965 wordt Ringo Starr gevraagd een vrijmetselaarsring te identificeren, wat hij correct doet.
- 'Heredom' lijkt een obscuur maçonniek codewoord dat alleen bekend is aan personages in *Het Verloren Symbool*. Maar Arnold Schwarzenegger verwijst ernaar bij zijn verschijning in de film *The End of Days* in 1999.
- De plot van *The Godfather: Part III* uit 1990 draait om een aantal fictieve incidenten die de recente geschiedenis van de zogenaamde P2-loge en het Vaticaan weerspiegelen.
- In de film *Being There* van Peter Sellers uit 1979 is een Maçonnieke Piramide te zien.

Hoe vaak Robert Langdons beroemde Mickey Mouse-horloge ook genoemd wordt, Dan Brown vertelt in *Het Verloren Symbool* niet dat Walt Disney door velen geassocieerd wordt met de vrijmetselaars. Terwijl Brown in *De Da Vinci Code* toch het verhaal van de Priorij van Sion vertelde en daarbij verwees naar het idee dat Disney een van de 'grootmeesters' van de Priorij was.

Mensen die in samenzweringstheorieën geloven en die overtuigd zijn van een wereldomspannende samenzwering van de vrijmetselaars, beschuldigen Walt Disney er vaak van dat hij een vrijmetselaar was en dat hij zijn films gebruikte om subliminaal het maçonnieke gedachtegoed te verspreiden. Maar serieuzer onderzoek lijkt erop te wijzen dat Disney niet werkelijk een vrijmetselaar was. Hij was wel lid van DeMolay, de maçonnieke jeugdorganisatie die is genoemd naar Jacques de Molay, de grootmeester van de tempeliers die weigerde het hoofd te buigen voor de machtige koning van Frankrijk en die in 1314 als ketter op de brandstapel belandde. Zes eeuwen later waren Bill Clinton, Buddy Ebsen en John Wayne ook lid van de Amerikaanse DeMolay-organisatie.

Walt Disney had zulke fijne herinneringen aan zijn dagen als jeugdlid dat hij DeMolay aanmoedigde om Mickey Mouse tot erelid te benoemen. In de begintijd sponsorde Disneyland blijkbaar een maçonnieke club voor de medewerkers, naast andere recreatieverenigingen als ski- en breiclubs. Bovendien heette een clubrestaurant in Disneyland Club 33, en hoewel woordvoerders volhouden dat er geen verband is met het belang van het getal 33 voor vrijmetselaars en met de 33°-rang van de vrijmetselarij, blijft de benaming onverklaard als die niet verwijst naar de vrijmetselarij.

Vrijmetselaars, altijd voorstanders van vooruitgang en nieuwe technologie, hebben al vroeg de waarde van de film als medium ingezien. Er waren expliciete vrijmetselaarsfilms als *Bobby Bumps Starts a Lodge*, waarin zelfs de kwestie van rassengelijkheid in Amerika aan bod kwam – heel vooruitstrevend voor 1916. In talloze moderne films wordt subtiel verwezen naar maçonnieke zaken. De titels lopen uiteen van *Bad Boys II* tot *Eyes Wide Shut*, van Mel Gibsons *Conspiracy Theory* tot *What's Eating Gilbert Grape?*

Ook wordt er in films regelmatig visueel verwezen naar de vrijmetselarij, door een korte glimp van een maçonnieke hal of loge. Nu veel loges moeite hebben zich staande te houden door afnemende ledenaantallen, worden ze vaak verhuurd voor concerten, muziekcompetities en andere plaatselijke evenementen. Veel mensen zien het niet eens meer of denken er niet over na, maar we komen in onze woonplaats vaak langs maçonnieke gebouwen. In Connecticut, waar ik ben opgegroeid, reden we elke keer als we naar het centrum gingen langs een vrijmetselaarsloge. Zoals het geval is met zovele maçonnieke gebouwen, wordt ook dit pand tegenwoordig niet meer voornamelijk gebruikt door vrijmetselaars, maar het draagt nog steeds de naam en op de gevel zijn nog steeds de passer en de winkelhaak te zien – een andere herinnering aan het feit dat maçonnieke beelden stevig verankerd zijn in onze moderne wereld.

In tekenfilms en lachfilms worden de vrijmetselaars en andere broederschappen al jaren op de hak genomen. Meestal is dat gewoon grappig bedoeld en laat het alleen zien hoe alomtegenwoordig en normaal deze organisaties vroeger waren in het Amerikaanse leven. In *The Flintstones* zijn Fred en Barney lid van de Loyal Order of Water Buffaloes Lodge nummer 26. In *The Honeymooners* horen Ralph en Ed bij de International Order of Friendly Sons of the Raccoons. De Raccoons hadden hun eigen Latijnse motto, *e pluribus raccoon*, ontleend aan *ordo ab chao*. Zelfs in *The Simpsons* komen secundaire verhaallijnen voor die maçonniek van aard zijn, zoals de aflevering waarin Homer zich aansluit bij een geheime broederschap die de Stonecutters heet, een duidelijke verwijzing naar de steenhouwers die de grondleggers waren van de vrijmetselarij.

In *Het Verloren Symbool* noemt Dan Brown steeds weer de Rozenkruisers en hun eeuwenlange banden met de vrijmetselaars. Tot op de dag van vandaag weten de geschiedkundigen niet zeker of de Rozenkruisers ooit hebben bestaan of dat ze een uitvoerig intellectueel verzinsel of allegorie waren van de briljante veelweter Francis Bacon. Maar wie *Het Verloren Symbool* eenmaal gelezen heeft, is in een betere positie om de vrij bizarre scène in *Beat the Devil* te begrijpen, een film uit 1953 die werd geregisseerd door John Huston (een invloedrijke regisseur met een Oscar op zijn naam en de vader van Anjelica Huston). In *Beat the Devil* speelt Humphrey Bogart de hoofdrol. Midden in de film komt er op een kritiek moment een man binnenrennen die een hele redevoering afsteekt tegen Bogarts personage over de Rozenkruisers en de internationale samenzwering die zij op touw zetten. Hij vertrouwt hem toe: 'Ik kan het weten. Geheime informatie. De Rozenkruisers, de grote witte broederschap, de Hoge Geheime Orden, die geen enkel geloof aanhangen... Geloof en macht, geheime macht, mannen die vanuit de diepste krochten van de jeweetwel bewaken wat aan hen is toevertrouwd, Mystieke heersers, één pot nat, samengeketend door één doel, één idee, de kampioenen van de mensheid...'

Velen van ons, vooral van mijn generatie, komen bij het lezen van *Het Verloren Symbool* voor het eerst iets te weten over de vrijmetselarij. Toch is het een feit dat de meesten van ons verwijzingen naar de vrijmetselarij hebben gezien of gehoord in films, op televisie en in boeken, meestal zonder het te beseffen. Want wat *Het Verloren Symbool* verder ook mag zijn, het zal veel mensen de ogen openen op het gebied van de Amerikaanse geschiedenis en de honderden jaren durende zoektocht van de vrijmetselaars naar kennis door oude wijsheden te bewaren en een meer open, tolerantere samenleving voor te staan. Al deze thema's zijn deel gaan uitmaken van de bekende structuur en de archetypische aard van onze populaire cultuur en onze wereld.

3

Geheime kennis

De Oude Mysteriën en
Het Verloren Symbool

door Glenn W. Erickson

Glenn Erickson, docent filosofie aan de Universidade Federal do Rio Grande do Norte in Brazilië, heeft uitgebreid geschreven over de raakvlakken tussen filosofie, wiskunde en kunst. In onze eerdere boeken *Geheimen van De Da Vinci Code* en *Geheimen van het Bernini Mysterie* heeft hij artikelen bijgedragen die de boeken vanuit het standpunt van een filosoof benaderen. Gezien zijn specialisatie op het gebied van de geschiedenis van de tarotkaarten, de heilige geometrie van de neopythagoreeërs en de kosmologie van de neoplatonici, hebben wij hem verzocht Dan Browns gebruik van de 'Oude Mysteriën' in HVS te onderzoeken. Wat hij ontdekte is buitengewoon verbazingwekkend: rechtstreekse parallellen met de tarot en ook specifieke getallen, namen en beelden uit HVS die zinspelen op de geheimzinnige teksten in het boek Openbaring en gerelateerde middeleeuwse en renaissancistische werken.

Langdon meende zich te herinneren dat de legende niet inging op wat er precies in de Maçonnieke Piramide opgeslagen zou liggen – of het ging om eeuwenoude manuscripten, occulte geschriften, wetenschappelijke onthullingen of iets nog veel geheimzinnigers. Wat wel in de legende werd genoemd, was dat de kostbare informatie op ingenieuze wijze was gecodeerd...
Het Verloren Symbool, hoofdstuk 30

Door *Het Verloren Symbool* loopt een rode draad, een hoofdstroming binnen de mystieke traditie van het christelijke Europa, die in het boek 'de Oude Mysteriën' wordt genoemd. Over het algemeen zijn eeuwenoude mysteriën gewoon alles wat oud en intrigerend is, maar wat Dan Brown met de woorden 'Oude Mysteriën' bedoelt is specifiek de christelijke tegenhanger van de joodse mystieke traditie van de kabbala. Net als in de kabbala gaat het bij de Oude Mysteriën om een ingewikkeld allegorisch systeem, een reeks tekenen die zijn samengesteld uit zowel symbolische als conceptuele elementen.

In *Het Verloren Symbool* zouden de Oude Mysteriën, althans, een symbolische kaart om de documenten ervan op te sporen, verborgen liggen in een Maçonnieke Piramide. De schurk Mal'akh dwingt de held Robert Langdon de Piramide te ontdekken en de Mysteriën te ontcijferen om het Verloren Woord in zijn bezit te krijgen en zodoende de apotheose te bereiken. Hoe misleidend ook, geen van de verklaringen die Robert Langdon van de Oude Mysteriën en de Maçonnieke Piramide geeft, is aantoonbaar fout. Dat verleent het karakter van de professor van Harvard een grotere geloofwaardigheid dan in *De Da Vinci Code* of *Het Bernini Mysterie*.

Tussen de regels van de tekst door laat Dan Brown zien dat hij de Oude Mysteriën zelfs een stuk beter kent dan zijn held. Terwijl Langdon de Oude Mysteriën louter gebruikt om een serie raadsels op te lossen, verweeft Brown ze in zijn tekst. Zo wordt Browns derde mysteriethriller de meest cryptische van allemaal, omdat het ook de openbaring van een mysterie is. Om die 'openbaring volgens Dan Brown' beter te kunnen begrijpen, zal ik iets van mijn eigen inzichten in de Oude Mysteriën met u delen.

De oorsprong van de mysteriën

De Oude Mysteriën zijn tot ons gekomen via vier belangrijke bronnen. Allereerst is er het boek Openbaring ofwel de Apocalyps, het laatste boek van het Nieuwe Testament, waarvan men algemeen aanneemt dat het is geschreven halverwege de tweede eeuw van onze jaartelling. Het feit dat de Oude Mysteriën, hoewel goed verhuld, in het boek Openbaring te vinden zijn, maakt het tot een van de belangrijkste teksten binnen de canon van de westerse literatuur. Ten tweede bestaat er een belangrijk commentaar op het boek Openbaring van Joachim van Flora uit de late twaalfde eeuw, dat de leidraad van de franciscaanse theologie is geworden. Ten derde zijn er de oorspronkelijke tarotkaarten, die in de eerste helft van de vijftiende eeuw door onbekende Noord-Italiaanse kunstenaars zijn ontwikkeld. Ten vierde is er de prachtige Spaanse roman *La Celestina*, tegen het einde van de vijftiende eeuw geschreven door Fernando de Rojas. Het is duidelijk dat Shakespeare hieruit heeft geput voor zijn *Antonius en Cleopatra*. Deze vier bronnen zijn allemaal christelijke documenten en laten een grondige kennis van de Oude Mysteriën zien.

De oorsprong van de Oude Mysteriën ligt verder terug. Ze zijn waarschijnlijk ontwikkeld in de 250 jaar die voorafgingen aan het schrijven van het boek Openbaring, in wat wel de Alexandrijnse cultuur wordt genoemd. Deze prechristelijke cultuur ontleent haar naam aan de stad Alexandrië in Egypte, die ooit door Alexander de Grote was gesticht en al snel uitgroeide tot de grootste, rijkste en meest kosmopolitische stad van alle Grieks sprekende steden.

Verscheidene intellectuele tendensen die kenmerkend zijn voor de Alexandrijnse cultuur zijn terug te vinden in het boek Openbaring, waaronder:

- de filologische traditie van de bibliotheek van Alexandrië, die (voor ons) wordt vertegenwoordigd door personen als de dichter Kallimachus;
- de filosofie van de neoplatonici, zoals te vinden in de *Enneaden* van Plotinus;
- de neopythagorese wiskunde, zoals die te vinden is in lesboeken van Nikomachus van Gerasa en Theon van Smyrna;
- de allegorische Bijbeluitleg van Philo de Jood;
- de astronomische en astrologische richtingen, vertegenwoordigd door respectievelijk Claudius Ptolemaeus en Macrobius.

De aard van de Mysteriën

Oude Mysteriën zijn complexe tekens, in die zin dat ze meerdere conceptuele en symbolische aspecten hebben. Het zijn eenheden die een aantal componenten kunnen bevatten, zoals:

- een geometrische figuur;
- een getal (voor de plaats ervan binnen de reeks van Oude Mysteriën);
- een grafische voorstelling (gebaseerd op de geometrische figuur);
- een naam (voor de grafische voorstelling);
- een embleem (gebaseerd op de grafische voorstelling);
- een naam (voor het embleem);
- een samengestelde afbeelding (waarbij gebruik wordt gemaakt van het embleem of een andere verwijzing) zoals in de tarot;
- een naam (voor de samengestelde afbeelding);
- een literaire passage (gebaseerd op een of meer van bovengenoemde componenten), iets wat in de twintigste eeuw voorkomt bij onder meer T.S. Eliot, Italo Calvino, Sylvia Plath en Mario Vargas Llosa.

Elk van deze componenten kan gebruikt worden om te verwijzen naar een Oud Mysterie.

De Oude Mysteriën worden gedefinieerd volgens de onderlinge relaties die ze binnen het systeem hebben. Deze systematische contexten, die in de loop van de tijd en afhankelijk van het doel kunnen variëren, bepalen de interpretaties van de symbolen. De Oude Mysteriën hebben onder meer ten doel zielen te redden, de toekomst te voorspellen, magie te bedrijven, boodschappen te coderen en verhalen te vertellen.

De Oude Mysteriën zijn beschouwd als vormen (het platonisme), emanaties (het neoplatonisme) en de taal der engelen (de gnostiek). Ze hebben ook een veelvoud aan betekenissen en rollen in de tarot: Oude Sleutels, Grote Arcana, troeven en de tarotkaarten in het algemeen.

Let maar eens op de overdaad aan sleutels (en deuren) in HVS in het stuk tekst tussen 'de sleutels kunnen er elk moment zijn' (hoofdstuk 32) en 'nu heb ik mijn eigen sleutels' (hoofdstuk 37). Er verschijnen op verschillende plaatsen kaarten, bijvoorbeeld: 'Mal'akh had zijn kaarten kundig gespeeld' (hoofdstuk 12) en 'Katherine besefte dat ze nog een laatste troefkaart had' (hoofdstuk 47).

Geometrische figuren

De doctrine van de Oude Mysteriën begint met het idee dat het Goddelijke zich in het fysieke universum zou manifesteren als de mooiste van alle vormen. Dit 'toonbeeld van schoonheid' blijkt de eenvoudigste rechthoekige driehoek te zijn, waarbij de verhoudingen van de zijden en de hoogte uitgedrukt worden in hele getallen. De hypotenusa van de driehoek in kwestie is 25; de andere twee zijden 15 en 20. Een hoogtelijn van 12, die de hypotenusa splitst in segmenten van 9 en 16, verdeelt de driehoek in twee gelijkvormige driehoeken.

De geometrische figuren die geassocieerd zijn met de twintig andere onderdelen in de reeks van Oude Mysteriën worden verkregen door deze figuur te vermenigvuldigen met de getallen 2 tot en met 21. Anders gezegd: elke volgende figuur wordt vergroot met de omvang van de eerste.

Materie

Een geometrische figuur in zijn geheel wordt een 'Drievuldigheid' genoemd, omdat het de vereniging is van drie driehoeken in één driehoek. De kleinste driehoek in de samenstelling is de 'Moeder', de middelste is de

'Vader' en de grootste, die wordt gevormd als de Vader en de Moeder bij elkaar komen, is de 'Zoon'. Laten we de hoogte van een geometrische figuur, plus zijn hypotenusa, 'Materie' noemen; de som van de twee andere zijden 'Geest'. Het aspect waarvan meestal wordt gezegd dat het naar de Oude Mysteriën verwijst, is Materie.

In het eerste Oude Mysterie is Materie de hypotenusa van 25 plus de hoogte van 12, dus 37. Een van de namen die Mal'akh in het boek draagt is 'Gevangene 37' (hoofdstuk 57). Ook wordt in hoofdstuk 15 gezegd dat 'zevenendertig random event generators' minder willekeurig worden.

Het derde Oude Mysterie heeft als Materie 3 x 37 = 111 en verschijnt in de tarot als 'III, de Keizerin'. De reeks letters in 'Washington' komt exact 111 keer in de Engelse tekst van *Het Verloren Symbool* voor. Dit is in zekere zin ironisch, omdat George Washington weigerde koning te worden, laat staan keizer. Maar HVS zit vol verwijzingen naar de Hebreeuwse namen voor God, waaronder 'Heer', en naar de artistieke en filosofische apotheose van Washington, dus hier zijn veel verbanden te leggen. Hoe dan ook, de patronen zijn duidelijk genoeg. Browns getallen komen niet zomaar uit de lucht vallen; er zit systeem in zijn gekte.

De Materie van het vijftiende Oude Mysterie is 15 x 37 = 555. In HVS wordt vier keer beweerd dat de obelisk, het Washington Monument, 555 voet (170 meter) hoog is. (hoofdstukken 1, 20, 128, 129). Dan is het passend dat in een van de belangrijkste tarotversies de vijftiende Oude Sleutel 'de Toren' heet.

Het achttiende van de Oude Mysteriën heeft een Geest van 630 en een Materie van 666, waarvan de elkaar opvolgende driehoeksgetallen samen het kwadraat van 36 geven: 1296, de Drievuldigheid van dit Oude Mysterie. De grafische voorstelling die door deze veelhoeken wordt verkregen is de meest magnifieke van allemaal, de achttiende Oude Sleutel van de tarot, 'de Zon'. Openbaring 13:18 verwijst naar dit Oude Mysterie met het getal 666, dat 'het getal van het beest' wordt genoemd en wordt gebruikt als aanduiding voor de planeet Saturnus.

Grafische voorstellingen

De grafische voorstellingen worden geconstrueerd uit zeven polygonen (veelhoeken) die ontstaan door het ten opzichte van elkaar plaatsen van stenen en die de 'zeven sterren' worden genoemd. De eenvoudigste is de gelijkzijdige driehoek. De andere veelhoeken worden vanuit deze driehoek gecreëerd. De andere sterren zijn de kubus, de zeshoek, de vierpuntige ster,

de zespuntige ster (het 'zegel van Salomo' of de 'davidster'), de achtpun-
tige ster (de 'kerstster') en de twaalfpuntige ster.

Elk van die zeven sterren bestaat in verschillende afmetingen en ze worden toegepast om de waarden van zorgvuldig gekozen eigenschappen van
de geometrische figuren te vertegenwoordigen. Indien mogelijk worden er
twee veelhoeken geselecteerd. De grootste is de basisfiguur van de grafische voorstelling en wordt geconstrueerd uit witte stenen. De kleinere veelhoek (of in ieder geval een ontwerp met dezelfde numerieke waarde) wordt
met zwarte stenen binnen in de grote geplaatst.

Uit een en dezelfde geometrische figuur kan meer dan één grafische
voorstelling worden geconstrueerd. Het eerste Oude Mysterie heeft twee
grafische voorstellingen, die volgens de traditie de 'ogen van God' worden
genoemd. Het linker oog van God correspondeert met de emblematische
weergave van de winkelhaak en de passer, het symbool van de vrijmetselaars. Het rechter oog van God is de grafische voorstelling achter de emblemen die worden gebruikt in de samengestelde afbeelding van de eerste
Oude Sleutel van de tarot, genaamd 'de Bateleur' of 'de Magiër'. Dit rechter oog vormt ook de literaire schildering in de Openbaring, waarin de
Zoon des Mensen voor Johannes verschijnt met zeven sterren in zijn rechterhand. Een van deze ogen staat afgebeeld boven de onvoltooide piramide op het briefje van één dollar (hoofdstuk 75).

Getallenreeksen

Het getal van een Oud Mysterie (of van een Oude Sleutel van de tarot) is
de plaats van de geometrische figuur ervan binnen de reeks van 1 tot en
met 21.

De ruimte in het subsouterrain van het Capitool waar de aanwijzingen
de zoekers naartoe leiden is sbb13, het dertiende kantoor, als in 'xiii de
Dood' in de tarot, omdat het verhaal dat hier wordt verteld gaat over een
afdaling in de hel (net als in Homerus' *Odyssee*, genoemd in hoofdstuk
57). Als Langdon vraagt van wie dit kantoor is, luidt het antwoord 'van
niemand' (hoofdstuk 28), zoals ook de grafische voorstelling van het Oude Mysterie leeg is, omdat geen van de aspecten van zijn geometrische figuur overeenkomt met een van de zeven sterren.

Let ook op wederom een verwijzing naar een sleutel: 'de grappig bedoelde bijnaam Key4' (hoofdstuk 58).

Een allegorische sluier

De beeldend kunstenaar heeft een zekere speelruimte bij het maken van grafische voorstellingen: het boek Openbaring, de tarot en De Rojas bieden alternatieven. In Openbaring suggereert de twaalfde grafische voorstelling het symbool van de Afgrond (in HVS speelt Brown met verschillende verwijzingen naar afgronden en diepten, zoals naar een vestaals vuur in het souterrain van het Capitool). Maar in de tradities van de tarot leidt een andere behandeling van de kleinere veelhoek tot de Geldbuidel en de Strop, die respectievelijk het evangelisch embleem en het embleem van het martelaarschap van Judas Iskariot zijn. Deze emblemen had de schrijver van de Openbaring niet tot zijn beschikking.

In de tarot worden zulke emblemen altijd binnen een veelomvattende aanschouwelijke afbeelding toegepast. In de twaalfde Oude Sleutel van de tarot zien we het embleem van de Geldbuidel en de Strop in een afbeelding van een man die een buidel met zilveren munten vasthoudt en die met één voet in een strop hangt. Ondersteboven opgehangen worden was de marteling voor verraders, zoals Judas. (Dan Brown vertelt dat hij wel eens met zwaartekrachtlaarzen aan ondersteboven gaat hangen als hij een writer's block heeft of als hij een belangrijk punt in zijn plot moet uitwerken.)

De Materie van het twaalfde Oude Mysterie is 444. Op de twaalfde kaart van de Grote Arcana van de tarot houdt 'de Gehangene' zijn benen gekruist in een 4. Misschien verwijst Dan Brown in de proloog naar 'XII de Gehangene', als Mal'akh tijdens zijn maçonnieke inwijding een strop om zijn hals heeft. Aangezien het twaalfde Oude Mysterie kosmologisch de Maan is (zie het volgende onderdeel), is het logisch dat Mal'akh verschillende keren een 'krankzinnige' (*lunatic*) wordt genoemd.

Brown laat Mal'akh de schuilnaam Abaddon aannemen, de Hebreeuwse naam voor de engel van de afgrond in het boek Openbaring. Mal'akh/Abaddon plaatst Robert Langdon in een 'oneindige leegte' (hoofdstuk 108); het is best mogelijk dat Brown daarmee verwijst naar het symbool van de afgrond in Openbaring.

De kosmische harp

De Oude Mysteriën zijn in verschillende geometrische modellen gerangschikt om de dimensies in ruimte en tijd van het universum uit te drukken. Joachim van Flora plaatst de Oude Mysteriën bijvoorbeeld in een diagram dat 'de kosmische harp' wordt genoemd. De tien kosmische sferen

– binnen sommige ervan draaien planeten – worden elk uitgedrukt door twee Oude Mysteriën, maar het elfde Oude Mysterie vertegenwoordigt de Aarde als het centrum van de kosmos. Aldus wordt de sfeer van de Maan vertegenwoordigd door het tiende en twaalfde Oude Mysterie, die van Mercurius door het negende en het dertiende, enzovoort. Tussen elk paar Mysteriën is een snaar van de harp gespannen, waarop God de Vader, Christus of David de muziek der sferen speelt. Dit diagram werd in middeleeuwse manuscripten vaak gereproduceerd.

Dan Brown lijkt dit schema in *hvs* op te pakken. In de tarot* wordt 'xi de Oude Man' (of 'de Gebochelde', Rider Waite: 'de Kluizenaar') gevolgd door 'xii de Gehangene'. En de achternaam van de deken, Galloway, kan worden opgevat als 'onderweg naar de galg' (*gallows*). Hij wordt beschreven als 'voorovergebogen' (hoofdstuk 82) zoals een gebochelde en hij wordt een 'oude man' genoemd.

Op zeker moment vraagt deken Galloway: 'Hoeveel mensen hebben jullie nodig om een oude man vast te houden?' (hoofdstuk 92). Waarop Inoue Sato antwoordt: 'We zijn met zijn zevenen. Onder wie Robert Langdon, Katherine Solomon en uw maçonnieke broeder Warren Bellamy.' Het zijn er zeven, omdat er zeven planeten om het elfde Oude Mysterie draaien dat kosmologisch wordt geïnterpreteerd als de Aarde, en misschien omdat verscheidene karakters in het boek, inclusief degenen die genoemd worden, symbolisch met de planeten geassocieerd worden.

Het spel is aan de gang!

Het Verloren Symbool roept de mystiek aangelegde lezer op deel te nemen aan een queeste naar de schat van de Oude Mysteriën. Als Brown zijn karakters werkelijk heeft ontwikkeld volgens de troefkaarten van de tarot, moeten we kunnen raden wie wie is. Hier volgen een paar gissingen met betrekking tot vijftien troeven, opgesomd volgens de namen en getallen die er in een laatvijftiende-eeuws sermoen aan worden toegekend:

0 Dwaas	Zachary Solomon en al zijn andere identiteiten: gevangene 37, Andros

---

* Noot 2: Hier wordt verwezen naar een vijftiende-eeuws tarotkaartendeck, waarin een andere volgorde wordt gehanteerd dan in de bekendste tarot van Rider Waite, die tegenwoordig nog alom verkrijgbaar is en veel gebruikt wordt. Ook de opsomming verderop op deze bladzijde gaat uit van het laatvijftiende-eeuwse deck, waarbij tussen haakjes de gangbaardere benamingen van Rider Waite worden vermeld, voor zover ze afwijken.

	Dareios, Mal'akh, dr. Christopher Abaddon, Anthony Jelbart
1 Bateleur (Magiër)	Robert Langdon, symboliekdeskundige aan Harvard
2 Keizerin	Inoue Sato, directeur van het Office of Security van de CIA
3 Keizer	Trent Anderson, veiligheidschef van het Capitool
4 Pausin (Hogepriesteres)	Katherine Solomon, noëtisch wetenschapper
5 Paus (Hogepriesteres of Hiërofant)	Peter Solomon, grootmeester
6 Gematigdheid	Nola Kaye, hoofd afdeling analyse van de CIA
7 Liefde (Geliefden)	Trish Dunne en Mark Zoubianis, hackers
8 Wagen (Zegewagen)	Omar Amirana, taxichauffeur
9 Kracht	Hercules, een mastiff
10 Wiel (Rad van Fortuin)	Turner Simkins, leider van de CIA-operatie
11 Gebochelde (Kluizenaar)	Colin Galloway, deken van de National Cathedral in Washington
12 Gehangene	Alfonso Nuñez, beveiligingsagent in het Capitool
13 Dood	Rick Parrish, systeembeveiligingsspecialist van de CIA
14 Duivel	Warren Bellamy, Bouwmeester van het Capitool
15 Pijl (Toren)	het Washington Monument

De Maçonnieke Piramide en *Het Verloren Symbool*

Gezien Dan Browns fascinatie voor magische vierkanten, zou het kunnen zijn dat hij de Maçonnieke Piramide opvat als een stapel van steeds groter wordende magische vierkanten of dingen die daarop lijken, zoals Dürers vierkant van vier bij vier en Franklins vierkant van acht bij acht. Het moet worden opgemerkt dat de letterreeks 'Franklin Square' 55 maal in het Engelse boek voorkomt en dat 55 de som is van de getallen langs elke zijde van een piramide die Dürers magische vierkant als basis heeft. De 'magische constante' (de som die herhaald wordt in de rijen, kolommen en diagonalen) van een normaal magisch vierkant van zes bij zes is zelfs 111, hetzelfde getal als het aantal keren dat 'Washington' in het Engelse boek voorkomt, en de som van alle getallen in een dergelijk vierkant is 666. Dit zijn wellicht geen toevalligheden, maar verwijzingen naar een Maçonnieke Piramide die zich in het boek bevindt.

De Maçonnieke Piramide kan ook een opstapeling zijn van wat we de geometrische figuren van de Oude Mysteriën noemen. Deze piramide heeft vier zijkanten, niet vijf, zoals de piramides die in het oude Egypte werden gebouwd, en is bovendien scheef, omdat geen van de zijkanten gelijk is. De vrijmetselaar wordt verondersteld zo goed mogelijk de treden van de piramide te beklimmen, zodat hij opklimt naar de verlichting en de apotheose.

In de neopythagorese wiskunde wordt elke reeks zoals die van de geometrische figuren in de Oude Mysteriën beschouwd als een afgeleide van een opgevouwen figuur die uit één enkel punt bestaat. Deze simpele eenheid drukt via een geometrische allegorie het (goddelijke of platonische) Ene uit, waar de emanaties van het neoplatonisme uit voortkomen.

En zo bestaat er naast de 21 nóg een Oud Mysterie. De geometrische figuur ervan is een enkele witte steen. In de tarot verschijnt het Ene als de kaart de Dwaas (0 of ongenummerd) en later als de joker in het gewone kaartspel. Als het verloren symbool uit de titel van het boek dit Ene is, dan heeft Dan Brown een sublieme clou voor zijn thriller gevonden!

Een uitwerking van deze laatste figuur zou de cirkel met punt zijn, een enkele witte steen binnen een cirkel, die zogezegd de emanatie van de Logos uit het Ene moet voorstellen. Deze figuur is volgens *Het Verloren Symbool* de onjuiste oplossing van de vraag naar het verloren symbool, een oplossing die door de dwaze Zachary Solomon wordt geaccepteerd. De ware oplossing substitueert *woord* voor *symbool* en begrijpt het *woord* als het Woord van God, datgene wat 'verloren' is geraakt. Het is de bijbel van de vrijmetselaars, begraven in de hoeksteen van het Washington Monument. Deze monumentale obelisk – een tamelijk langwerpige, dunne piramide – is dan de materialisatie van de Maçonnieke Piramide zelf, omgeven door decoratieve cirkels die suggereren dat het monument in combinatie met de cirkel de cirkel met punt vormt. Toch kunnen we hierbij in gedachten houden dat Gods Woord de Logos *is*, en dat je geen hoger streven kunt hebben dan de Dwaas van God te zijn.

Een beknopt overzicht van de filosofen in *Het Verloren Symbool*

door *Glenn W. Erickson*

In *Het Verloren Symbool* gebruikt Dan Brown het begrip 'filosoof' op een brede, zelfs populaire manier voor iemand die in zijn geschriften of verklaringen een 'intellectuele of spirituele kijk' tot uiting brengt. Brown legt de nadruk op zeer oude en vroege filosofieën: mystieke, hermetische, maçonnieke en oosterse filosofieën, de filosofie van de Rozenkruisers en 'één allesomvattende filosofie'. Zijn personages vertegenwoordigen verschillende standpunten in deze discussie. De hiërofant Peter Solomon is goedgelovig; de tovenares Katherine Solomon is esoterisch; de geestenbezweerder Mal'akh is manisch; de schriftverklaarder Colin Galloway is rationalistisch; de zielenbegeleider Warren Bellamy is cryptisch; de hermeneuticus Robert Langdon is sceptisch; heksenjager Inoue Sato is pragmatisch. De stem van Dan Brown die alles bezingt is syncretisch, interpretatief, transformatief, vaag, hyper – kortom, heel erg eenentwintigste-eeuws. Hier volgen beknopte schetsen van een aantal filosofen die voorkomen in en relevant zijn voor *Het Verloren Symbool*.

Pythagoras (zesde eeuw v.Chr.), Griekse filosoof, beroemd geworden door zijn stelling, een van de eerste theoriën die op school bij meetkunde worden onderwezen. Hij leerde dat de werkelijkheid fundamenteel wiskundig is en stichtte een stroming die aan allerlei aspecten van de geometrie heilige eigenschappen toeschreef. De school van Pythagoras was tegelijkertijd een filosofische school, een religieuze broederschap, een politieke groepering en een vroege voorloper van de orden van de Rozenkruisers en vrijmetselaars. Hoewel er geen geschreven werk van Pythagoras bewaard is gebleven, worden zijn 'geschriften' in HVS (hoofdstuk 129) genoemd. Aan hem wordt de uitspraak: 'Ken uzelf' toegeschreven (hoofdstuk 102) en aan zijn volgelingen, de pythagoreërs, de nadruk op het getal 33 (hoofdstuk 89), dat belangrijk wordt in de vrijmetselarij, en het toekennen van een speciale betekenis aan het geometrische symbool van de cirkel met punt (hoofdstuk 84).

Heraclitus de Duistere (ca. 540 – ca. 480 v.Chr.), Griekse filosoof, die leerde dat alles in een staat van stroming is ('Je kunt nooit twee keer in dezelfde rivier stappen') en dat de eenheid van de dingen ligt in het evenwicht tussen tegenstellingen. Vermoedelijk zijn dit een paar van de 'mystieke geheimen van de alchemie ... die gecodeerd zijn opgenomen in de geschriften' (hoofdstuk 129). Hij staat bekend als de 'wenende filosoof' en stond mogelijk model voor Dürers gravure *Melencolia 1*, die zo'n prominente plaats inneemt in *HVS*.

Socrates (469–399 v.Chr.), Griekse filosoof, die als martelaar stierf voor zijn principes. Hij is bekend om zijn socratisch optimisme, de socratische methode, de socratische ironie en de algemene definitie. Hij is de hoofdpersoon in de *Dialogen* van zijn leerling Plato. In *HVS* lezen we dat Robert Langdon ervoor heeft gekozen zich niet bij de vrijmetselarij aan te sluiten om dezelfde reden als Socrates, die niet wilde deelnemen aan de Mysteriën van Eleusis, omdat het hem ervan zou weerhouden bepaalde zaken met zijn leerlingen te bespreken (hoofdstuk 24).

Plato (427 – 347 v.Chr.), Griekse filosoof en centrale figuur in de westerse literaire en intellectuele tradities, bekend van de platonische liefde, de platonische vormen, de mythe van Atlantis en de mythe van de grot. Zijn dialogen – vooral de trilogie *Staat*, *Timaeus* en *Critias* – gaven de westerse mystiek haar richting en toon. In *HVS* wordt Plato genoemd vanwege zijn geschriften over de 'wereldgeest' en de 'samengestelde God' (hoofdstuk 133) en zijn volgelingen, de platonisten, vanwege hun zienswijze dat het lichaam een gevangenis is waaruit de ziel ontsnapt (hoofdstuk 107). Plato's concept van de geest, of *nous*, is de eerste oorsprong van de 'noetische wetenschap' die Katherine Solomon beoefent.

Hermes Trismegistus (de 'driewerf grootste Hermes'), een neoplatonische combinatie van de Griekse god Hermes en de Egyptische god Thoth, is de traditionele bron van mystieke en alchemistische kennis in de Grieks-Egyptische of hermetische traditie. Onder deze naam is de hermetische literatuur tot stand gekomen, een verzameling religieuze en filosofische geschriften, waarschijnlijk opgesteld van de eerste tot de derde eeuw na Christus, hoewel men vroeger meende dat ze veel ouder was. Zijn geschriften worden in het boek genoemd (hoofdstukken 102, 129) en specifiek de 'hermetische filosofie' van de *Kybalion* (hoofdstuk 15). Hermetische zegswijzen als 'Zo boven, zo beneden' (hoofdstukken 9, 21, 26, 82, 85 en 96) en 'Weet gij niet dat ge goden zijt?' (hoofdstukken 82, 102 en 131) klinken overal in HVS door.

Apostel Johannes (eerste eeuw n.chr.), wordt verondersteld de schrijver te zijn van het Evangelie van Johannes, zijn brieven en Openbaring. Hij stond bekend als Jezus' 'geliefde discipel'. Kritische onderzoekers beschouwen hem nu als verschillende personen in één, van wie de laatste – de schrijver die onder pseudoniem de Openbaring schreef – gedateerd wordt in het midden van de tweede eeuw. In HVS zegt deken Galloway over de Openbaring van Johannes: 'Niemand weet hoe je dat moet lezen' (hoofdstuk 84), en het Evangelie van Johannes wordt tweemaal geciteerd (hoofdstukken 131 en 133). Elementen uit Openbaring, zoals de zeven zegels, de vier ruiters en de engel des afgronds komen ook in HVS voor. *Openbaring* en het Griekse equivalent *Apocalyps* betekenen allebei 'onthulling'.

Sint Augustinus (354–430 n.chr.), Algerijnse Berber-filosoof en theoloog. Hij schreef de *Belijdenissen*, de meest invloedrijke autobiografie aller tijden, over zijn bekering tot het orthodoxe christendom. Een troefkaart in de tarot, 'de Geliefden', herinnert aan deze bekering. Daarop staat Augustinus' moeder, de heilige Monica, afgebeeld als degene die de band tussen haar zoon en de Heilige Kerk zegent. Deken Galloway, die met eerbied spreekt over de komst van een 'moment van grote verlichting', prefereert de helderheid van Augustinus – én die van Bacon, Newton en Einstein – boven de onduidelijkheid van Johannes (hoofdstuk 84).

Moses de Leon (ca.1250–1305), een Spaanse mysticus, wordt verondersteld de *Zohar* te hebben samengesteld (of geredigeerd). De *Zohar* of 'het Boek der Schittering' (hoofdstukken 15 en 131) is een verzameling allegorische commentaren op de Pentateuch. Het is het voornaamste document van de kabbala (hoofdstukken 23, 84, 96 en 131), een joodse mystieke 'traditie' die van belang is binnen de maçonnieke kennis.

Albrecht Dürer (1471–1528), Duitse etser en schilder. Volgens Robert Langdon is hij de 'ultieme renaissancegeest – kunstenaar, filosoof en alchemist, én hij bestudeerde zijn hele leven lang de Oude Mysteriën' (hoofdstuk 68). Dürers gnomische magische vierkant in zijn *Melencolia I* is een hoofdelement in de decodering van de Maçonnieke Piramide en zijn naam komt 28 keer in het boek voor (hoofdstukken 68, 70, 82, 85, 106 en 129).

Paracelsus (1490–1541), Zwitserse arts die de alchemie, het neoplatonisme,

de kabbala en het gnosticisme samenbracht. HVS noemt hem als een Rozenkruiser en alchemist (hoofdstukken 85, 129). Sommigen speculeerden
zelfs dat hij Christian Rosenkreutz zelf was, die de stichter zou zijn van de
orde van de Rozenkruisers.

Sir Francis Bacon (1561–1626), Engelse filosoof en staatsman, wordt traditioneel samen met Descartes geroemd als stichter van de moderne filosofie. Sommigen beweren dat hij de echte schrijver is van de toneelstukken
van William Shakespeare. Robert Langdon herinnert zich dat hij lid was
van de Royal Society of London (ook bekend als het Invisible College)
(hoofdstuk 30) en van de orde van de Rozenkruisers, en mogelijk zelfs de
stichter ervan, Christian Rosenkreutz (hoofdstuk 85). Deken Galloway bewondert zijn heldere visie op een komende eeuw van verlichting (hoofdstuk 84), uitgedrukt in zijn utopische roman *Nova Atlantis*, die te vinden
is in de Folger Shakespeare Library in Washington (hoofdstuk 73). Peter
Solomon denkt dat 'King James hem opdracht had gegeven tot het vervaardigen van een nieuwe vertaling van de Bijbel' en dat hij 'er zo van overtuigd [raakte] dat de Bijbel een cryptische betekenislaag bevatte, dat hij in
de vertaling zijn eigen codes heeft verwerkt', waarbij hij Bacons *Wisdom
of the Ancients* noemt (hoofdstuk 131). Weinig geleerden geloven echter dat
Bacon een grote rol heeft gespeeld bij het vervaardigen van de King James
Bible.

René Descartes (1596–1650), Franse filosoof en wiskundige. Stond aan de
wieg van de moderne filosofie en vond de analytische meetkunde uit. Van
hem is de beroemde uitspraak 'Ik denk, dus ik ben.' In HVS komt hij voor
op Robert Langdons lijst van zestiende- en zeventiende-eeuwse verlichte
denkers die tot de orde van de Rozenkruisers ofwel de Aloude Mystieke
Orde Rosae Crucis behoorden, samen met Elias Ashmole, Francis Bacon,
John Dee, Robert Fludd, Gottfried Wilhelm Leibniz, Isaac Newton, Blai-
se Pascal en Baruch Spinoza (hoofdstuk 85). Descartes' 'geheime dagboek',
in code geschreven en later door Leibniz gedecodeerd, is het onderwerp
van een fascinerend boek van Amir Aczel, die eveneens een bijdrage aan
dit boek levert.

Robert Boyle (1627–1691), zowel alchemist als de eerste moderne chemi-
cus, is vooral bekend door de wet van Boyle. Als gentleman-onderzoeker
propageerde Boyle het christendom energiek in woord en daad. Robert
Langdon noemt hem als een van de vroege leden van het Invisible College. Zijn medelid Newton verzocht hem te zwijgen over hun onderzoek
(hoofdstuk 30).

Sir Isaac Newton (1642–1727), Engelse wis- en natuurkundige. Hij wordt vaak boven aan de lijst van wetenschappers aller tijden gezet. Het merendeel van zijn geschriften gaat echter over excentrieke Bijbelse hermeneutiek, esoterie en alchemie. De econoom uit de twintigste eeuw John Maynard Keynes schijnt gezegd te hebben: 'Newton was niet de eerste van het tijdperk van de rede. Hij was de laatste der magiërs.' In HVS verschijnt Newtons naam als oplossing van een anagram, *Jeova Sanctus Unus* (hoofdstuk 30), waarmee hij soms ondertekende. Hij wordt genoemd in verband met zijn temperatuurschaal (hoofdstuk 89) waarop het gerespecteerde maçonnieke getal van 33 graden het kookpunt van water aangeeft, en vanwege een overdaad aan Bijbelinterpretaties (hoofdstuk 131). Newton speelt ook een prominente rol in *De Da Vinci Code*, waarin wordt beweerd dat hij een van de grootmeesters van de 'Priorij van Sion' was. Het is duidelijk dat Dan Brown erg geboeid is door alle facetten van Newtons persoonlijke geschiedenis als wetenschapper, meetkundige, schriftverklaarder, alchemist en mysticus.

Benjamin Franklin (1706–1790), Amerikaanse wetenschapper en staatsman. Hij was erelid van de Royal Society of Londen (hoofdstuk 30) op grond van zijn demonstratie dat bliksem en elektriciteit een en hetzelfde verschijnsel zijn. Hij komt in HVS voor als een van de maçonnieke ontwerpers van Washington D.C. (hoofdstuk 6), als een groot uitvinder (hoofdstukken 21 en 133), als drukker (hoofdstuk 126) en als Amerikaanse voorvader, die bezorgd was over het gevaar van een letterlijke interpretatie van de Bijbel (hoofdstuk 131). Zijn belangrijke rol in het boek heeft hij echter te danken aan zijn hobby om magische vierkanten te ontwerpen, vooral een variant die in zijn autobiografie wordt genoemd, die als kenmerk 'gebogen diagonalen' heeft.

Thomas Jefferson (1743–1826), Amerikaanse staatsman en politiek filosoof. Hij stelde de ruwe versie van de Onafhankelijkheidsverklaring op en was de derde Amerikaanse president. Hij was deskundig op het gebied van wetenschap, architectuur, onderwijs en de geesteswetenschappen. Jefferson wordt genoemd vanwege vele relevante aspecten in zijn leven en werk. HVS belicht de tegenwoordig nauwelijks bekende Jefferson-bijbel (hoofdstuk 131). De originele titel luidt *The Life and Morals of Jesus of Nazareth*. Deze bijbel weerspiegelt Jeffersons persoonlijke deïstische filosofie. Jeffersons versie van het leven van Jezus wordt verteld in de vier evangeliën, gezuiverd van 'bijgelovigheid' en wonderen; hij laat bijvoorbeeld de maagdelijke geboorte en de wederopstanding weg.

Manly Palmer Hall (1901–1990), een in Canada geboren mysticus die het grootste deel van zijn leven in de Verenigde Staten woonde. Hij is vooral bekend vanwege zijn *The Sacred Teachings of all Ages: An Encyclopedic Outline of Masonic, Hermetic, Qabbalistic and Rosicrucian Symbolical Philosophy* (1928). Hall heeft veel geschreven over oude mysteriën van uiteenlopende aard en werd uiteindelijk vrijmetselaar. Dan Brown heeft verteld dat Hall invloed heeft gehad op zijn eigen waardering voor de mystieke waarheden en hij citeert diens boek in het motto voorin en aan het eind van HVS. In feite krijgt Hall het eerste en het laatste woord: Langdon besluit de lange tocht met de woorden van deze 'filosoof' (hoofdstuk 133).

Geheime kennis

Verborgen in het volle zicht in het oneindige universum

een interview met Ingrid Rowland

Ingrid Rowland, een Amerikaanse academica die in Rome woont, is verantwoordelijk voor fascinerende artikelen en denkbeelden op het gebied van de kunst en de filosofie van de renaissance. Ze levert regelmatig bijdragen aan *The New York Review of Books* en heeft biografieën geschreven over Giordano Bruno, de grote wetenschapper/mysticus/filosoof uit de zestiende eeuw, en Athanasius Kircher, een van de belangrijkste, maar minst bekende denkers uit het tijdperk van de barok. Rowland, die de dochter is van een Nobelprijswinnaar op het gebied van scheikunde, heeft een bijzondere humanistische kijk op de wetenschap en op de ervaringen van de alchemisten en de Griekse en renaissancistische filosofen, die het fundament legden voor de wetenschappelijke revolutie. Dan Burstein interviewde Rowland op de dag waarop zij net klaar was met het lezen van *Het Verloren Symbool*, ter voorbereiding op een recensie die ze zou schrijven voor *The New Republic*.

Wat is uw algehele reactie op Het Verloren Symbool?
Dan Brown had nooit verwacht dat *De Da Vinci Code* zoveel succes zou hebben en dat de mensen het zo serieus zouden nemen. Nu, met *Het Verloren Symbool*, is tot hem doorgedrongen hoeveel kracht hij met het geschreven woord kan genereren. Dit is zowel een betere thriller als een boek met meer verantwoordelijkheidsgevoel.

HVS *is doortrokken van het concept van de zogeheten Oude Mysteriën. Waar verwijst dat naar of waarvoor zijn ze een metafoor?*
De uitdrukking 'Oude Mysteriën' verwijst naar een lange Europese traditie waarin men ervan uitging dat de Egyptenaren toegang hadden tot buitengewone bronnen van wijsheid en macht. Zowel de oude Grieken, zoals Plato, als de Hebreeuwse Bijbel verwijzen vol bewondering naar de oude Egyptische wijsheid, en ook de apostel Paulus doet dat. In de renais-

sance geloofden de Europeanen dat de Egyptenaren hun hoogste waarheden hadden genoteerd in symbolische hiëroglyfen om ervoor te zorgen dat een dergelijke machtige kennis nooit misbruikt kon worden door de bijgelovige massa. Maar het idee dat slechts een kleine elite begrijpt hoe de wereld werkelijk in elkaar steekt, is veel ouder dan het oude Egypte; misschien zit het wel in de menselijke aard om dat te denken. De Mysteriën waarnaar Dan Brown verwijst, vormen een samenstel van geloofsopvattingen die in grofweg dezelfde vorm voorkwamen bij de humanisten van de renaissance, de moderne vrijmetselaars, de Rozenkruisers en anderen. Maar in zijn nieuwe boek zorgt hij zorgvuldig dat hij deze opvattingen niet in detail beschrijft – in tegenstelling tot in *De Da Vinci Code*, waarin hij zwaar en niet altijd succesvol leunt op een boek getiteld *Het Heilige Bloed en de Heilige Graal*, dat het spoor volgt van het verhaal van Maria Magdalena. Maar in *Het Verloren Symbool* noemt Brown gewoon een aantal raadselachtige ideeën en namen, die hij net voldoende uitwerkt om de intrige van het verhaal te steunen in plaats van ze diepgaand te verklaren. Het belangrijkste resultaat van dit zorgvuldige proces van zelfcorrectie is dat het verhaal veel vlotter en soberder wordt verteld. Dit vermogen om zijn eigen werk bij te stellen is een teken dat Brown werkelijk professioneel is op het terrein van zijn keuze, namelijk het schrijven van thrillers.

U hebt een gezaghebbende recente biografie geschreven over de mysticus, voorloper van de wetenschap en kosmoloog Giordano Bruno. In Het Bernini Mysterie *verwijst Brown naar Bruno, door te zeggen dat veel 'wetenschappers' op de brandstapel levend zijn verbrand. Bruno schijnt een van die voorbeelden te zijn – iemand die werkelijk als wetenschapper gekwalificeerd kon worden en die voor zijn ketterij werd verbrand. In* HVS *verwijst Brown opnieuw naar Bruno (en naar anderen die voor en na hem kwamen) als een van de vroege denkers die zich niet alleen een universum voorstelden met de zon als middelpunt, maar ook met de mens als middelpunt.*

Bruno's ideeën over het oneindige universum – zijn kosmos die uit een veelvoud van werelden bestond, dat wil zeggen, een veelvoud van zonnestelsels, en ook zijn overtuiging dat het onbegrensde universum geheel uit atomen is opgebouwd – blijven belangrijke stappen op weg naar ons huidige begrip van de natuur. Bruno's reputatie heeft eronder te lijden dat onze verhalen over kosmologie zo gefocust zijn op technologie dat ze dikwijls beginnen met Galilei's ontdekkingen via de telescoop. Vandaar dat het gemakkelijk is om Galilei aan te wijzen als herkenbare moderne wetenschapper, terwijl Bruno ongrijpbaarder is en in veel opzichten een ouderwetse figuur lijkt te zijn. Hij poneerde gedachtevraagstukken die nauwelijks door experimenten bevestigd konden worden en noemde zichzelf 'natuurfilosoof' in plaats van wiskundige, hoewel hij naar zijn werk verwees als 'een uiteenzetting over de natuur en de natuurkunde'. Eigenlijk doen veel moderne wetenschappers hun baanbrekende ontdekkingen nog steeds net als Bruno destijds, door eerst een gedachtevraagstuk te poneren, lang voor ze hun ingevingen aan de hand van experimenten kunnen bewijzen.

De filosofie van Bruno had bovenal tot doel de plaats van individuele menselijke wezens als bewoners van een onbevattelijk groot universum te verbeteren. Hij geloofde dat een accuraat begrip van onze plaats binnen de kosmos ons morele gedrag ten goede zou komen, en ook onze helderheid van denken. Hij schreef dat wij God in onszelf behoorden te zoeken in plaats van buiten onszelf, omdat ieder van ons zijn eigen goddelijke vonk in zich heeft; het is alleen een kwestie van weten waar je die vonk moet zoeken.

Brown noemt en verwijst ook naar andere figuren in de geschiedenis van de wetenschap, filosofie en mystieke kennis. Hoe denkt u over Paracelsus? Pythagoras? Agrippa? Dürer?

Paracelsus is in veel opzichten nog steeds de belangrijkste voorloper van de moderne geneeskunde, ondanks het feit dat de meeste van zijn ideeën absoluut merkwaardig zijn, vooral die over religie. Paracelsus geloofde dat hij door chemicaliën op de juiste wijze met elkaar te vermengen, disbalansen in het menselijk lichaam kon compenseren. Als wij een pil innemen tegen een kwaal doen wij dat ook, al definiëren wij die disbalans niet in termen van de vier lichaamssappen en definiëren we de chemicaliën niet, zoals hij, in termen van kwik, zwavel en zout. Toch is zijn verdeling van de materie in die drie substanties van fundamenteel belang geweest voor de toekomst van de scheikundige analyse.

Hij was een buitengewoon succesvolle en tamelijk conservatieve arts – maar hij was ook een showman. Veel van zijn beweringen zouden nu bombastisch overkomen; toch zit onder die bombast een helder idee, namelijk dat de hele wereld is opgebouwd uit elementen en dat deze elementen in het menselijk lichaam in balans moeten zijn. Hij geloofde er ook heel sterk in dat het menselijk vernuft een manier zou vinden om die balans te herstellen. Wij getuigen zelf van dat geloof als we een vitaminepil slikken.

Paracelsus was ook geïnteresseerd in alchemie, het lang gekoesterde geloof dat materie onder bepaalde omstandigheden getransformeerd kon worden, van de ene vorm in een andere kon overgaan. Nog niet zo lang geleden vertelde mijn vader, die scheikundige is, mij dat de alchemisten het energieniveau verkeerd beoordeelden dat vereist was om hun bewerkingen uit te voeren: daarvoor is hetzelfde energieniveau nodig als voor het splijten van een atoom. Maar filosofisch gezien is de transformatie van materie, zoals Paracelsus en andere alchemisten zich die voorstelden, reëel.

En hoe zit het met Pythagoras? Hij wordt vijf keer genoemd in HVS.
Pythagoras was al een legendarische figuur in de tijd van Plato, de vierde eeuw voor Christus – hij leefde ongeveer twee eeuwen eerder dan Plato. Wij hebben niets meer van zijn eigen geschriften, alleen de legenden over hem en zijn stelling over de rechthoekige driehoeken ('in een rechthoekige driehoek is het kwadraat van de lengte van de hypotenusa gelijk aan de som van de kwadraten van de lengtes van de rechthoekszijden'). Hij geloofde dat getallen speciale eigenschappen bezaten die op zichzelf een betekenis hadden, terwijl wij getallen gewoonlijk alleen maar gebruiken als hulpmiddel om te rekenen. Algebra, differentiaal- en integraalrekening en zelfs geavanceerde rekenkundige toepassingen gingen zijn vermogen te boven. Maar ik vermoed dat we minder ver verwijderd zijn van Pythagoras met zijn getaltheorie dan we misschien willen geloven.

Jaren geleden waren mijn vader en ik op een conferentie met als titel 'Van wetenschapper tot wetenschapper', een poging om onderzoekers uit verschillende disciplines aan te moedigen met elkaar in gesprek te komen. Ik was erbij als buitenstaander uit de geesteswetenschappen. De beschrijving die de deeltjesfysici gaven van hun werk, met vier soorten energie die uiteindelijk verenigd zullen worden, leek eigenaardig veel op de pythagorese zoektocht naar een transcendente Ene. En hun idee dat deze uiteindelijke onthulling alleen maar toegankelijk zou zijn voor een paar natuurkundigen, klonk ook verdacht veel naar een geheime sekte van ingewijden, zoals de pythagoreeërs. In elk geval beweerden de deeltjesfysici dat zij hun ontdekkingen nooit zouden kunnen doen zonder een gigantisch, enorm duur instrument, de supergeleidende deeltjesversneller, terwijl Pythagoras zijn observaties over de muziek en haar relatie tot getallen deed aan de hand van de snaren op een lier. Maar de erfenissen van Pythagoras en Plato leven voort in de esthetische normen die wetenschappers aanleggen voor hun proeven, die 'solide' en 'elegant' moeten zijn en moeten neigen naar eenvoud. Die opvatting is opmerkelijk hardnekkig en een aantal jeugdige wetenschappers erkent dat; Brian Greenes *De kosmische symfonie* is daar een goed voorbeeld van.

Agrippa?
Agrippa is nog zo'n naam die we altijd tegenkomen in verband met 'occulte filosofie, zowel in *Het Verloren Symbool* als overal waar dergelijke onderwerpen worden behandeld. Agrippa schreef een boek getiteld *De oc-*

culta philosophia. In feite moest ik vanmorgen nog aan het concept van het 'occulte' denken: ik realiseerde me dat het in vroeger eeuwen heel eenvoudig was om informatie occult en geheim te maken, simpelweg door haar op te schrijven.

Wacht even – dingen opschrijven om ze geheim te houden?
Ja, tot aan de moderne tijd. Je moest kunnen lezen om dingen op te kunnen schrijven en om toegang te krijgen tot die kennis – een tamelijk goede manier om iets verborgen te houden. Het is dus ironisch dat iets wat in een boek werd opgeschreven, bijna per definitie geheim en verborgen was. Agrippa's boek *De occulta philosophia* was voor de meeste van zijn tijdgenoten, ongeletterde boeren, volstrekt onbegrijpelijk. Zoals veel mensen genoten zijn lezers echt van die zweem van geheimzinnigheid en het feit dat hun kennis aan de meeste mensen werd onthouden.

Dürer?
Ik vermoed dat Dan Brown het heerlijk zou vinden om kunsthistoricus te zijn, maar dat hij nog niet helemaal doorheeft hoe je kunst moet lezen. Zijn interpretaties van Leonardo da Vinci's *Laatste Avondmaal* in *De Da Vinci Code* waren niet erg subtiel en leverden hem dan ook een heleboel kritiek op. In *Het Verloren Symbool* noemt hij de verbazingwekkende gravure *Melencolia I* wel, maar hij analyseert hem niet zo formeel als hij dat in *De Da Vinci Code* heeft geprobeerd. Het enige wat Brown voor zijn onmiddellijke doel nodig heeft is het magische vierkant op de achtergrond in de gravure. En in plaats van het nog altijd niet opgeloste probleem van de symboliek in *Melencolia* aan te pakken en een horde vertoornde geleerden over zich heen te krijgen, concentreert hij zijn verhaal rond het rekenkundige probleem van het magische vierkant.

Opnieuw denk ik dat we te maken hebben met een schrijver met genoeg zelfkritiek, die uitprobeert wat hij wel en wat hij niet kan maken. Om de sfeer te verhogen wil hij een raadselachtig beeld creëren, maar hij beseft dat hij het raadsel niet hoeft op te lossen, dat hij het integendeel alleen maar hoeft op te roepen. Dus doet hij waar hij het beste in is, en dat is Dürers *Melencolia I* verweven met de plot van zijn thriller.

In uw boek over Bruno verwijst u een paar keer naar Dürer en naar mogelijke onderlinge verbanden.
Bruno was een Italiaan die een hele tijd in Duitsland heeft doorgebracht, en Dürer was een Duitser, die een tijdje in Italië heeft gewoond. In de zestiende eeuw vonden er over de Alpen heen een aantal fascinerende uitwisselingen plaats. De Duitsers waren met name geïnteresseerd in wiskunde

en de meer verbale aspecten van kennis, en de Italianen ontwikkelden een schitterende visuele taal om een aantal van diezelfde ideeën uit te drukken. Dürer en Bruno hebben allebei systemen geschapen van een verbluffende complexiteit: mentale, visuele en symbolische systemen. En beiden geloofden dat al die systemen uiteindelijk met elkaar verbonden konden worden. En ondanks de Italiaanse dominantie op het gebied van de artistieke cultuur van het vroegmoderne Europa, stond en staat Dürers bekwaamheid als etser en kunstenaar in houtsnijwerk nog altijd overeind als een klasse apart.

Hebt u nog meer conclusies? U hebt Het Verloren Symbool *nog fris in het geheugen.*
Er waren verscheidene dingen in het boek die me opvielen, en ze hebben allemaal te maken met de huidige tijdgeest. Ik kan niet ontkomen aan de indruk dat Browns keuze van openbaarmaking op het internet als het meest verpletterende dreigement van de schurk, een commentaar moet zijn op zijn eigen op hol geslagen succes – het oncontroleerbare aspect ervan. Aanvankelijk begon hij een avonturenverhaal te vertellen, en hij eindigt als een orakel. Buiten hun context zijn de details van *De Da Vinci Code* net zo mal als de aanblik van prominente senatoren die maçonnieke rituelen uitvoeren. En nadat Brown massa's toeristen naar Parijs, Rome en Rosslyn heeft laten hollen, is hij zo praktisch geweest om hen in tijden van economische crisis allemaal naar Washington te sturen – dat is goed voor het budget van Amerikaanse lezers en goed voor Washingtons behoefte aan inkomen.

Ten tweede zegt Brown in feite dat het geheim van alle geheime kennis eigenlijk vlak voor onze neus ligt. En we weten allemaal wat dat geheim is: een gematigd leven leiden. We weten allemaal wat ervoor nodig is om af te vallen, naar andere mensen te luisteren, ons temperament in bedwang te houden – het is alleen wel keihard werken om dat ook te doen.

Het is boeiend dat een paar personages in dit nieuwe boek alle reden hebben om de Verenigde Staten diep te haten: Sato, een Japans-Amerikaanse vrouw, geboren in het interneringskamp Manzanar, en Bellamy, een Afro-Amerikaanse man, die zich scherp bewust is van het punt waar Langdon ook op wijst, namelijk dat het ironisch genoeg slaven waren die het zware werk moesten verrichten om het standbeeld van de vrijheidsgodin naar de bovenkant van de koepel van het Capitool te hijsen. En toch zijn deze personages allebei loyale dienaren van de Verenigde Staten en toegewijd aan de idealen ervan, ook al strookt de werkelijkheid vaak niet met die idealen.

Vervolgens zien we, als om de boodschap van persoonlijke verantwoordelijkheid te benadrukken, een kwade inborst die voortkomt uit de menselijke aard zelf – geen Russen, geen nazi's of jihadstrijders die van buitenaf komen, maar in plaats daarvan de krachten van een slechte of verkeerd gerichte discipline die ons uit balans brengen. Er is een sterke Bijbelse subtekst: van Peter Solomon wordt gevraagd Abrahams offer van Isaak opnieuw uit te voeren, maar ditmaal is er geen engel die zijn arm vastgrijpt. De gekwelde vader heeft verschrikkelijke, van wraak vervulde gedachten, maar steekt het offermes liever in de tafel dan in zijn zoon. Op het eind zegeviert de menselijkheid, de menselijkheid waarnaar wij in feite allemaal streven. En dit vermogen om onze laagste impulsen te beheersen, is wat mij betreft werkelijk de essentie van beschaving.

De plot van *Het Verloren Symbool* neemt een reële maatschappelijke verantwoordelijkheid: het is een bewonderenswaardig bewijs voor het feit dat Dan Brown zorgvuldig heeft nagedacht over zijn succes en de grotere implicaties daarvan. *De Da Vinci Code* eindigde ermee ons te verzekeren dat er afstammelingen van de Merovingische monarchie onder ons leven – maar wie maalt daar nou om? *Het Verloren Symbool* eindigt met een visioen waarin de Verenigde Staten misschien de principes van hun stichting zullen gaan naleven. Dat wil zeggen, een visioen dat voor vele levens over de hele wereld een enorm verschil zal maken. Het boek zegt ons bovendien dat de verlossing niet komt als een bevrijding van buitenaf, maar als een zwaar bevochten resultaat van de constante strijd tussen onze hogere en lagere aard.

Dit is dezelfde boodschap die de Oude Mysteriën overbrengen, en het is geen gemakkelijke boodschap. Het 'verloren symbool' gaat verloren door onze eigen handelingen; het gebeurt elke keer als we de werkelijke doelen van het leven uit het oog verliezen.

4

Wetenschap, geloof en de geboorte van een natie

Grondleggers

Verwante geesten vinden de moderne wereld uit

een interview met Steven Johnson

De achttiende eeuw was een heel bijzonder tijdperk van grote ideeën en baanbrekende vernieuwingen. De grote denkers van de verlichting in Europa – Voltaire, Priestley, Banks, Herschel en vele anderen – onderzochten alle terreinen van de menselijke kennis tegelijk: onder meer filosofie, politieke theorie, scheikunde, astronomie, natuurkunde, wiskunde en geneeskunde. Radicale nieuwe ideeën kwamen op vanuit een aantal losjes georganiseerde sociale netwerken van alchemisten, voorlopers van de wetenschap en wetenschappers. Ze ontmoetten elkaar in koffiehuizen, tavernes, zelfs in vrijmetselaarsloges – overal waar ze maar konden ontsnappen aan het wantrouwig oog van kerk en staat. Omdat ze soms door deze 'oude orde' uit de maatschappij gestoten of vervolgd dreigden te worden, zag een aantal vooraanstaande intellectuelen Amerika als het land van de toekomst, waar vrijheid van meningsuiting de ruimte kreeg. Hoewel Europa zichzelf bleef beschouwen als het middelpunt van de verlichting, hadden sommige denkers met een vooruitziende blik al begrepen dat de energie van vernieuwing bezig was naar de Nieuwe Wereld te verschuiven. Deze geschiedenis geeft voedsel aan Dan Browns kijk op de Founding Fathers, die van zichzelf wisten dat ze een intellectuele omwenteling aan het veroorzaken waren. Door hun integratie van politiek, wetenschap en kosmologie, hun nieuwe benadering van religie en geloof, hun fascinatie voor en bezieling door 'oude kennis', vormen de denkers van die tijd bij uitstek een referentiepunt voor de innerlijke gesprekken die Robert Langdon met zichzelf voert.

Steven Johnson, een modern auteur en iemand met een encyclopedische kennis, noemt deze periode van de late achttiende eeuw het tijdperk van 'tektonische aardverschuivingen op intellectueel gebied'. De titel van zijn recentste boek geeft dit uitstekend weer: *The Invention of Air: A Story of Science, Faith, Revolution, and the Birth of America.* Johnson onderzoekt daarin de opkomst en verspreiding van nieuwe ideeën en het milieu dat de voedingsbodem vormde voor hun doorbraken. Johnson is ook bekend vanwege zijn werken over uiteenlopende intrigerende onderwerpen van de eenentwintigste eeuw. Zijn vorige boek is getiteld *Alle slechte dingen zijn goed voor je: waarom de populaire cultuur ons slimmer maakt.*

In dit gesprek met Arne de Keijzer geeft Johnson zijn visie op de ideeën van de verlichting en hun invloed op de stichting van Amerika, via de persoon van Joseph Priestley. Priestley werd in die tijd alom geroemd als onderzoeker (hij zette belangrijke stappen op weg naar de ontdekking van zuurstof), als religieuze persoonlijkheid (hij was een geestelijke die brak met de anglicaanse kerk en hielp het unitarisme op te richten) en als politiek activist (hij steunde de Franse Revolutie). Priestley komt maar heel kort in *Het Verloren Symbool* voor, maar vertegenwoordigt, zoals Johnson duidelijk maakt, wel de ideale intellectuele synthese die steeds aanwezig is in het boek van Dan Brown.

Hoewel Dan Brown er niet zo diep in is gedoken als in het tijdperk van Galilei voor Het Bernini Mysterie *en in het vroege christendom voor* De Da Vinci Code, *vormt de verlichting zeker de achtergrond voor de ideeën in* Het Verloren Symbool. *Wat maakte de achttiende eeuw tot zo'n belangrijk keerpunt in de geschiedenis?*

In veel opzichten zijn de wetenschappelijke, sociale en politieke principes van de moderne wereld in de achttiende eeuw uitgevonden: de experimentele methode, de Amerikaanse grondwet, de eerste grote golf van de industriële revolutie in Noord-Engeland. Tegelijk met die buitengewone ontwikkelingen begon men ook op een andere, kritische manier over de wereld na te denken: het idee dat de maatschappij op een gestage en voorspelbare manier vooruitging.

De renaissance had haar eigen revoluties in het menselijk inzicht ontketend, maar het heersende idee gedurende die periode was cyclisch: historische perioden van helderheid werden snel opgevolgd door perioden van duisternis. Pas in de achttiende eeuw begon men aan te nemen dat wetenschap en technologie vooruit zouden blijven gaan, misschien wel in versnelde mate. Dit idee is een van de belangrijke dingen die Priestley heeft nagelaten; het is een dominant thema in zijn eerste grote boek over de geschiedenis van de elektriciteit, en volgens mij een van de dingen die Franklin en Jefferson zo in hem aansprak.

Het valt mij op dat de grote denkers uit die tijd voor een deel konden gedijen omdat ze hun ideeën over allerlei onderwerpen zo vrij en openlijk konden laten stromen. En deden ze dat in de koffiehuizen?

Priestley ontmoette Franklin in het Londense Coffeehouse, wat van belang is omdat koffiehuizen het intellectuele middelpunt waren van het achttiende-eeuwse Londen. Franklin had een groep gelijkgestemde zielen, de 'Club of Honest Whigs' geheten, die elke twee weken in het koffiehuis bijeenkwamen, waar ze urenlang onder het genot van koffie, nicotine en alcohol en immense hoeveelheden voedsel debatteerden over religieuze meningsverschillen, de nieuwe wetenschap van de elektriciteit, de Amerikaanse kwestie, industriële technische wetenschappen en honderden andere onderwerpen. De interdisciplinaire sfeer maakte dat de koffiehuizen in die periode een katalysator voor innovatie werden.

Het is duidelijk dat u Priestley ziet als iemand met een overvloed aan ideeën.
Priestley was een van de grote, veelzijdige denkers van die tijd. Hij verrichtte baanbrekend werk op het gebied van linguïstiek en natuurkunde (met de focus vooral op elektriciteit). Samen met Lavoisier stond hij aan de wieg van de moderne scheikunde en isoleerde hij voor de eerste keer zuurstof. Hij ontdekte een van de basisprincipes van de moderne ecologische wetenschappen: de ademhaling van de plant, het feit dat de 'adembare' atmosfeer van de aarde geheel wordt gecreëerd door het plantenleven. Hij was medeoprichter van de unitariërskerk in Engeland en schreef enkele van de meest controversiële religieuze boeken van die tijd. En hij had ook een hand in de Amerikaanse Revolutie, om te beginnen als vurige Engelse supporter van de Amerikaanse zaak gedurende de oorlog, en na zijn emigratie naar Amerika als belangrijke figuur in de controverse over de Alien and Sedition Acts. Je kunt je in deze tijd nauwelijks een vergelijkbare persoonlijkheid indenken: stel je voor dat Al Gore niet alleen voormalig vice-president was maar ook een baanbrekend klimatoloog, die had meegeholpen een nieuwe religieuze sekte op te richten. Natuurlijk werden Priestleys talenten als veelzijdig denker geëvenaard door die van Franklin en Jefferson, maar dat is een van de redenen waarom beide mannen in Priestley zo'n verwante ziel zagen.

Waarom voelde Priestley zich intellectueel zo aangetrokken tot de Founding Fathers?
Wat je in verband met Priestley en de stichters van Amerika – in het bijzonder Franklin en Jefferson – vooral moet begrijpen, is dat hun intellectuele kijk op de wereld sterk op verbondenheid gericht was. Zij probeerden voortdurend verbanden tussen verschillende vakgebieden te leggen of te ontdekken: ze beschouwden religie en wetenschap en politieke theorie als één groot web, niet als een reeks verschillende disciplines met ondoordringbare muren ertussen. In zekere zin waren de academische vakgebieden nog niet volledig uitgekristalliseerd, dus was het in die tijd veel ge-

makkelijker om generalistisch te zijn en op een heleboel verschillende gebieden te liefhebberen en interessante onderlinge verbanden te leggen.

Waarom ontvluchtte Priestley Engeland en vertrok hij naar de Verenigde Staten?

Priestleys politieke en religieuze standpunten werden in de jaren tachtig van de achttiende eeuw radicaler, en dankzij een aantal controversiële artikelen en preken was hij tegen 1790 aanwijsbaar de meest gehate man van Engeland. (Het hielp uiteraard niet dat hij al vroeg de Amerikanen had gesteund.) In 1791 stak tijdens het beruchte oproer in Birmingham een woedende menigte zijn huis in brand, wat hem er uiteindelijk toe bracht zijn biezen te pakken en naar de jonge Verenigde Staten te vertrekken, waar hij als een held werd ontvangen. Met zijn vertrek naar de Verenigde Staten stond Priestley aan het begin van een van de grote tradities van dat land: hij was de eerste grote wetenschapper in ballingschap die de intellectuele vrijheid van het nieuwe land opzocht. Helaas bleek die vrijheid een beetje overschat, althans op korte termijn. Hij raakte uit de gratie bij zijn oude vriend John Adams in de tijd dat deze president was, en schreef verscheidene artikelen waarin hij de regering bekritiseerde (en waarin hij partij trok voor Jefferson). Tijdens de crisis in verband met de Alien and Sedition Acts liet Adams hem bijna deporteren. Maar toen Jefferson tot president werd gekozen, was een van diens eerste daden een prachtige brief aan Priestley te schrijven, waaruit blijkt hoe de Founders over hem dachten: 'Wetenschap en oprechtheid worden weer naar hun hoge plaats verheven, en u, geachte heer, staat bovenaan als hun grote apostel. Het geeft mij intense voldoening dat ik als een van mijn eerste regeringshandelingen u welkom mag heten in ons land, u de hulde van zijn respect en hoogachting mag doen toekomen en u de bescherming mag bieden van die wetten die gemaakt zijn voor de wijzen en goeden zoals u.'

Priestleys religieuze standpunten hadden ook invloed op de Founders, Jefferson in het bijzonder. Daarnaast zouden Priestleys ideeën over de verbintenis tussen wetenschap en religie ook goed passen bij die van Robert Langdon.
Het verhaal van Priestley herinnert ons eraan hoe iconoclastisch de maatschappelijke en religieuze waarden van de stichters van Amerika waren. Van alle invloeden op Jeffersons kijk op religie, was die van Priestley het grootst; Jefferson heeft zelfs letterlijk gezegd dat Priestley ervoor had gezorgd dat hij christen was gebleven, in ieder geval in naam. Dat was voor een groot deel te danken aan de fusie tussen wetenschap en religie die Priestley tot stand had gebracht vanuit zijn zeer onorthodoxe kijk op wat het betekende christen te zijn. Hij geloofde in de boodschap en de moraal

van Jezus Christus, maar hij vond dat het oorspronkelijke verhaal door de eeuwen heen was verdraaid door priesters en religieuze geleerden, die het nodig hadden gevonden er lagen van bijgeloof en magie aan toe te voegen om het voor de grote massa boeiender te maken. Dat hield in dat Jefferson en Priestley wel geloofden in de woorden van Jezus, maar bijvoorbeeld niet dat Jezus de zoon van God was of dat hij uit de dood was opgestaan. Toen Jefferson het werk van Priestley las, inspireerde het hem tot het creëren van de beroemde Jefferson-bijbel, waarin alle bovennatuurlijke elementen zijn weggelaten en alleen de kern van de woorden van Christus zelf is overgebleven. En Franklin was wat religie betreft natuurlijk een nog grotere ongelovige. (Priestley merkte in zijn autobiografie op dat het altijd zijn wens was geweest Franklin tot zijn non-conformistische versie van het christendom te bekeren, maar Franklin had blijkbaar nooit tijd om alle traktaten te lezen die Priestley hem toestuurde.)

Tegenwoordig hebben wij het over de voors en tegens van een amateuristische benadering, maar waren mensen als Priestley uiteindelijk niet amateurwetenschappers, amateuristische politieke denkers, amateurtheologen... en hebben ze evengoed niet een enorme impact gehad?
In feite is de verlichting helemaal door amateurs gecreëerd. Dat kwam voor een deel doordat het hele concept van de professionele wetenschappelijk onderzoeker nog niet echt was uitgevonden. En voor een deel ook doordat de meeste vakgebieden nog zo in de kinderschoenen stonden, dat je baanbrekend werk kon verrichten zonder zes jaar aan een proefschrift te hebben gewerkt. Veel ontdekkingen lagen zó voor het grijpen, wachtend tot er een wetenschappelijke methode op werd toegepast.

U bent zeer geïnteresseerd in het samenvloeien van technologie, maatschappij en cultuur in het heden, dat blijkt duidelijk uit uw boek Alle slechte dingen zijn goed voor je. *Ziet u parallellen tussen die opmerkelijk inventieve wereld aan het einde van de achttiende eeuw en de huidige tijd?*
Ik denk dat er een aantal bijzonder boeiende gemeenschappelijkheden bestaan tussen onze tijd en de tijd van Priestley. De digitale revolutie heeft een vergelijkbaar gevoel van open verkenning gecreëerd: een gevoel dat de wereld absoluut aan de rand van een radicale verandering staat en dat de wetenschap en technologie de stuwende kracht van die verandering zijn. En natuurlijk hebben wij nu onze eigen cultuur van de betrokkenheid van amateurs, dankzij webblogs en andere vormen van democratische media. (Priestley zou bijvoorbeeld dol zijn geweest op Wikipedia.) Maar het punt waarop wij volgens mij van Priestley en de stichters van Amerika kunnen leren, bevindt zich in de tussenruimte tussen wetenschap en religie. Voor

intellectuelen als de Founders was een van hun belangrijkste doelstellingen om verbanden te smeden tussen die twee werelden, om een manier te bedenken waarop ze hun religieuze waarden konden laten aansluiten op de nieuwe inzichten vanuit de wetenschap. Dat dreef hen tot opmerkelijke religieuze standpunten (zelfs naar de huidige normen), maar hun worsteling was zeer integer. Ik vrees dat te veel gelovige mensen tegenwoordig de conclusie trekken dat er tussen hun religieuze opvattingen en de wereld van de wetenschap geen zinvolle connectie mogelijk is. In ieder geval wordt het op dat punt hoog tijd dat we terugkeren naar onze wortels.

Het occulte Amerika

een interview met Mitch Horowitz

Mitch Horowitz is schrijver en uitgever en interesseert zich al zijn hele leven voor de zoektocht van de mens naar betekenis. In zijn boek *Occult America: the Secret History of How Mysticism Shaped Our Nation* laat hij zien dat mystieke tradities niet slechts een historisch artefact zijn, maar een integraal onderdeel uitmaken van het complexe verhaal van Amerika als natie, een vaak genegeerde en verkeerd begrepen kracht die heeft bijgedragen aan de vormgeving van de Amerikaanse culturele en spirituele identiteit.

Het spiritisme – oftewel praten met de doden – uit de negentiende eeuw heeft bijvoorbeeld de opkomst van de suffragettebeweging gesteund, doordat vrouwen een leidende rol kregen op het gebied van religie, in dit geval als mediums. Uit de 'mental healing'-beweging in het midden van de negentiende eeuw kwam een therapeutische spiritualiteit voort die zich uiteindelijk snel over het religieuze landschap van Amerika zou verspreiden. En de wereldbeschouwing van een verrassende reeks opmerkelijke Amerikanen – van Frederick Douglass en Mary Todd Lincoln tot Henry A. Wallace en Marcus Garvey – is beïnvloed door occulte en esoterische ideeën.

Waarom blijven mysterietradities en occulte opvattingen overeind in het moderne Amerika? 'Omdat,' zegt Horowitz, 'de grondslagen van onze liberale religieuze kijk en zelfhulpspiritualiteit voor een deel berusten op occulte tradities. En omdat voldoende mensen in deze ideeën een stukje van de waarheid hebben gevonden.' Dan Brown is zo iemand, natuurlijk. Zijn boek ritselt van de geheime vrijmetselaarssymbolen die verband houden met ethische ontwikkeling, en de 'noëtische' zoektocht naar wetenschappelijk bewijs dat gedachten persoonlijke en maatschappelijke verandering kunnen bewerkstelligen. Op welke manier ook, velen van ons zijn bezig aan een persoonlijke zoektocht naar Het Woord dat ons 'hoop' kan geven... letterlijk het laatste woord in het boek.

Hier volgt Mitch Horowitz' bijzondere beschouwing van *Het Verloren*

Symbool, in een interview door Arne de Keijzer. Gaandeweg verneemt de lezer iets over de esoterische leerstellingen achter Robert Langdons gedachten wanneer hij de dood nabij is, over de Rozenkruisers en hun subtiele banden met de vrijmetselarij, de belangrijke rol van vrouwen in de occulte beweging in Amerika, de banden van de vrijmetselaars met de mormonen en onze algemene verwachting dat religie therapeutisch moet zijn. Horowitz vertelt ook iets over Manly P. Hall, de autodidactische geleerde die zich bezighield met esoterische religie en symboliek, wiens boek *The Secret Teachings of All Ages* duidelijk invloed heeft gehad op Dan Brown, die zijn woorden zowel aan het begin als aan het einde van *Het Verloren Symbool* heeft gebruikt.

In Het Verloren Symbool *suggereert Dan Brown dat de vrijmetselarij een sleutelrol heeft gespeeld bij het stichten van de natie. Denkt u, als schrijver van* Occult America, *dat Dan Brown daar gelijk in heeft?*
Ja, ik denk dat Dan Brown de invloed van de vrijmetselarij op de vroege Amerikaanse maatschappij heel goed heeft begrepen. De vrijmetselarij droeg bij aan het introduceren van principes als religieuze tolerantie en oecumene in de Amerikaanse koloniën. In bepaalde opzichten heeft Brown dat vollediger en dieper begrepen dan menige Amerikaanse godsdiensthistoricus.

Om de aard van de invloed van de vrijmetselaars te begrijpen, is het noodzakelijk om een indruk te hebben hoe dunbevolkt en hoe agrarisch het koloniale Amerika in de zeventiende en achttiende eeuw was. Er waren weinig seminaries, universiteiten, bibliotheken en scholen. Zelfs de stad Philadelphia telde rond 1700 niet meer dan ongeveer vijfhonderd huizen. De mensen deden hun ideeën en hun filosofie meestal op via de kerkelijke en burgerlijke organisaties waar ze lid van waren. Dat is de reden waarom de aanwezigheid van de hechte broederschap van vrijmetselaars – waarvan de leden vooraanstaande posities in de koloniale maatschappij innamen – zo invloedrijk was. De Amerikaanse vrijmetselaars verheerlijkten het liberale principe dat mensen van verschillende geloofsrichtingen uitstekend binnen één enkele organisatie of natie naast elkaar konden bestaan. Dit principe, naar voren gebracht door een betrekkelijk klein aantal opgeleide mannen dat actief was in bestuursaangelegenheden, heeft disproportioneel veel effect gehad op het leven in Amerika en bijgedragen aan de inhoud van enkele van de stichtingsdocumenten van het land.

Tegenwoordig vinden wij dat 'liberale principes' hun wortels hebben in de 'rede'. Dat wil zeggen, in de wetenschap, het politieke denken en het huma-

nisme van de verlichting. Maar u verbindt die principes aan een groep die doordrenkt is van het occultisme.
De vrijmetselaars waren van oudsher in zoverre liberaal, dat hun benadering van religie niet sektarisch was. De vroege vrijmetselarij zag zichzelf als een schakel in de keten van grote beschavingen en zoekers door de eeuwen heen, die zich bezighielden met een zoektocht naar waarheid en betekenis – eentje die groter was dan elke individuele geloofsgemeenschap of doctrine. De Britse vrijmetselaars uit de zeventiende eeuw, van wie sommige beïnvloed waren door het occultisme uit het renaissancetijdperk, waren gecharmeerd van de oude Egyptische symboliek, de Griekse mysterie-godsdiensten en de alchemie. Zij beschouwden alchemie niet als de transformatie van metalen, maar als een metafoor voor de verfijning van ziel en geest.
Sommige beelden die de vrijmetselaars koesterden, zien er tegenwoordig erg mysterieus uit, zoals piramides, obelisken, tekens van de dierenriem, alziende ogen en alchemistische tekens. De vrijmetselaars gebruikten ook symbolen van dood en sterfelijkheid – schedels, stroppen en mausoleums. Maar deze beelden hadden een spiritueel doel. Zoals Brown in zijn boek aangeeft, bestaat er een esoterische leer die erop gebaseerd is dat men probeert zich te bezinnen op zijn sterfelijkheid en het onbekende uur van zijn dood te overpeinzen. Dit kan ons helpen onszelf op een andere manier te gaan bezien. De vrijmetselaars werkten vanuit dat idee. De vrijmetselarij had niet alleen een ethos van religieuze tolerantie, maar ook van zelfverfijning.

In HVS *legt Dan Brown ook een verband tussen de vrijmetselaars en de Rozenkruisers, die geheimzinnige, zeventiende-eeuwse broederschap waar hij in* De Da Vinci Code *ook al zo mee bezig was.*
De Rozenkruisers zijn een belangrijk maar vaak verkeerd begrepen onderwerp. Vanaf 1614 waren er elementen binnen de Europese intelligentsia die in de ban raakten van manuscripten die geschreven waren door een onzichtbare broederschap van adepten die zichzelf Rozenkruisers noemden. Deze clandestiene broederschap verheerlijkte het mysticisme, maatschappelijke hulp aan de armen en hogere wijsheid, terwijl zij voorspelden dat er een nieuw tijdperk aanbrak op het gebied van opleiding en spirituele verlichting (thema's die in de alternatieve spirituele cultuur van Amerika weer boven water zijn gekomen). Er bestaat twijfel of de Rozenkruisers werkelijk hebben bestaan. Die hele episode kan een provocatie van een aantal mensen zijn geweest, zoals vereerders van de Britse wiskundige en occultist John Dee, die na de dood van koningin Elizabeth, zijn beschermvrouwe, werd vervolgd. Hoe dan ook, de geschriften van de Rozenkruisers

gaven krachtig uiting aan het principe van oecumene – in die tijd een haast ondenkbaar ideaal, maar wel één dat waarschijnlijk van invloed is geweest op het religieuze pluralisme dat later in Amerika door de vrijmetselaars werd omhelsd.

Het drama van de Rozenkruisers vormde op subtiele wijze de achtergrond voor het verschijnen van de vrijmetselarij. Een van de vroegste en duidelijkste verwijzingen naar de moderne vrijmetselarij vinden we in het dagboek van de Britse geleerde en antiquair Elias Ashmole, die in oktober 1646 zijn inwijding als 'vrijmetselaar' in een loge optekende. Hier valt een connectie met de Rozenkruisers te vermoeden. Ashmole en de zijnen bevonden zich onder de oprichters van de British Royal Society, een bastion van verlichtingsdenken in de late renaissance. De kring rond Ashmole spreidde serieuze belangstelling tentoon voor de manuscripten van de Rozenkruisers en verwezen soms naar zichzelf als een 'invisible college' – een suggestieve zinspeling op het onzichtbare genootschap van Rozenkruisers. Of er nu wel of niet ooit een 'invisible college' van Rozenkruisers heeft bestaan, de alchemistische symboliek en radicale oecumene in de geschriften van de Rozenkruisers inspireerden de kring rond Ashmole en van daaruit, heel goed mogelijk, de vroege vrijmetselarij.

Het is inderdaad niet moeilijk je een groep religieus liberale, Britse onderwijzers, handelaars en hovelingen voor te stellen, wier identiteit om reden van politieke bescherming verhuld bleef, die een broederschap met bestuurlijke en commerciële invloed wilden oprichten, buiten het bereik van het pauselijk gezag in het buitenland en van de krachten in eigen land die John Dee hadden veroordeeld. In die zin kan de vrijmetselarij worden gezien als een van de meest radicale denkrichtingen die uit de reformatie zijn voortgekomen.

Maar het was niet alleen de vrijmetselarij die esoterische ideeën in de vroege Amerikaanse samenleving introduceerde. Welke andere invloeden waren er nog meer?
Om te beginnen bestond er in het begin een heel rijke folklore in het Amerikaanse leven. Vóór de revolutionaire strijd was het centrale gebied van de staat New York, dat later het 'Burned-over District' werd genoemd (vanwege de vurige religieuze hartstochten), het thuisland van het volk van de Iroquois. Vlak na de oorlog verdreef de koloniale regering de meeste Iroquois uit die streek. De nieuwe Amerikanen die zich in dat gebied vestigden, waarvan de meeste zich slechts zijdelings bewust waren van het leven van de indianen die verjaagd waren, fabriceerden volksverhalen over het gebied, dat ooit het thuisland zou zijn geweest van een geheimzinnige stam, ouder dan de oudste van de indiaanse stammen, misschien zelfs

wel een verloren stam van Israël. Deze wezens van heel vroeger, zo luidde het verhaal, waren weggevaagd in een confrontatie met de indianen. Dit verhaal had een verbazend wijdverbreide invloed en veel Amerikanen geloofden dat de jonge natie haar eigen oude religieuze mysteriën en een verloren geschiedenis bezat. In 1830 nam de mormoonse profeet Joseph Smith dit thema op in zijn 'Boek van Mormon', waarin werd beschreven hoe oude verloren stammen Israëls zich hadden gevestigd op het Amerikaanse continent.

Nu we het toch over de mormonen hebben, Dan Brown noemt ze helemaal niet in HVS. Vertelt u eens iets over de connectie tussen de vrijmetselarij en de mormonen.
Begin jaren veertig van de negentiende eeuw was de oprichter van de mormoonse religie, Joseph Smith, zeer gefascineerd geraakt door de riten van de vrijmetselaars, waarvan hij geloofde dat ze rituelen bevatten die teruggingen tot de tabernakel van de oude Hebreeën. Volgens overgebleven verslagen geloofde Smith dat hij deze riten kon laten herleven, ze kon opnemen in zijn nieuwe religie en deze kon verbinden met de praktijken uit het verre verleden. Hij mengde wat van de maçonnieke ceremoniën, symbolen, geheime wachtwoorden, handdrukken, inwijdingsrituelen en religieuze opvoeringen door zijn mormoonse geloof. Dit is een van de verschillende manieren waarop maçonnieke rituelen in andere Amerikaanse tradities werden verweven, vaak zo naadloos dat de aanvankelijke vrijmetselaarsinvloed vergeten raakte.

Meer in het algemeen gesproken, welke thema's spelen er in het Amerikaanse occulte denken en de bijbehorende tradities?
Vandaag de dag is het een wijdverspreide opvatting van de Amerikanen dat religie therapeutisch behoort te zijn. Veel Amerikanen vinden dat godsdienst praktische ideeën moet verschaffen om de problemen van het dagelijks leven het hoofd te bieden. Die instelling was ongeveer honderdvijftig jaar geleden heel vreemd; ongekend in het calvinistische protestantisme. Veel van de zelfhulpideeën die je tegenwoordig in de Amerikaanse religies aantreft, zijn halverwege de negentiende eeuw voor het eerst in onze cultuur binnengedrongen. In die tijd vonden er in de natie diverse esoterische, mystieke en occulte religieuze experimenten plaats.

Een van de belangrijkste experimenten was een beweging van 'mental healing', die na 1840 opkwam. Een klokkenmaker uit Maine, Phineas Quimby, begon experimenten te doen om uit te vinden hoe de stemming van mensen hun lichamelijk welzijn kon beïnvloeden. Hij trok invloedrijke studenten aan, onder wie Mary Baker Eddy, die de religie van de Christian Science oprichtte. Tegen 1850 zag ook het spiritisme het daglicht, waarbij doodgewone mensen rond de seancetafel plaatsnamen om contact te zoeken met overleden naasten. Ook hieruit spreekt een therapeutische drijfveer: de Amerikaanse gezinnen gingen gebukt onder het verdriet van de kindersterfte en de mensen hadden geen manier om hun leed te verzachten. Er waren geen pastorale hulpverlening, geen steungroepen en therapieën. Vandaar dat mensen hun troost zochten aan de seancetafel. Brieven en dagboeken uit die periode leren ons hoe ontwikkelde mensen op die manier zeer aangrijpende episoden meemaakten in hun leven. Mensen verklaarden dat ze een catharsis hadden ervaren. Je kunt zien hoe er een therapeutische spiritualiteit begon op te komen vanuit zowel mental healing als spiritisme.

Dat klinkt alsof de spiritistische beweging meer dan genoeg kleurrijke karakters heeft gekend.
Een van mijn favorieten is de Publick Universal Friend, een spiritistisch medium. Het was een jonge vrouw, Jemima Wilkinson genaamd, die in 1776 de eerste vrouwelijke religieuze leider van de natie werd. Ze was opgegroeid op een welvarende Quakerboerderij in Cumberland, Rhode Island. Na 1770, toen Jemima voor in de twintig was, bekeerde ze zich tot een hartstochtelijke vorm van baptisme, die werd verspreid door de religieuze revivalbeweging die de Great Awakening werd genoemd. In oktober 1776, toen Jemima vierentwintig was, kreeg ze tyfus en moest ze het bed houden. Dagen achtereen verloor Jemima telkens het bewustzijn en kwam ze weer bij, en haar familie dacht al dat ze dood was. Maar op een dag sprong ze op van haar bed – weliswaar vermagerd vanwege de koorts, maar met een rode blos op haar wangen – en verkondigde ze tegenover het geschokte huisgezin dat het meisje dat ze hadden gekend als Jemima nu inderdaad dood was, maar dat de persoon die voor hen stond was gereanimeerd door een geest uit het hiernamaals, en dat ze alleen zou reageren op de naam Publick Universal Friend.

De Publick Universal Friend begon te prediken in heel New England, van het noordelijke gedeelte van de staat New York tot in Philadelphia. Haar onderwerpen waren meestal nogal tam en liepen uiteen van naastenliefde tot de deugd van het stipt zijn.

U hebt twee beroemd geworden vrouwelijke religieuze leiders genoemd. Was er een uitzonderlijke vertegenwoordiging van vrouwen in occulte kringen in Amerika?
In feite verschafte het spiritisme de vrouwen van de negentiende eeuw een enorme uitlaatklep. In sommige opzichten was het de eerste moderne be-

weging waarin vrouwen openlijk als religieuze leiders konden optreden, althans, van een bepaald soort. De meeste vooraanstaande trancemediums in het midden van de negentiende eeuw waren vrouwen. De mentalhealingbeweging kende ook een aantal invloedrijke vrouwelijke leiders en opvallende persoonlijkheden. Deze bewegingen verschaften vrouwen die dat wilden, toegang tot de burgerlijke of religieuze cultuur. En deze beide religieuze culturen hielpen bij de opkomst van de suffragettebeweging, de beweging voor het vrouwenkiesrecht. In het midden van de negentiende eeuw was er geen suffragette te vinden die niet een tijdje aan de seancetafel had doorgebracht. Dit is een van de verschillende manieren waarop esoterische religie en progressieve politiek in Amerika hand in hand gingen.

HVS gaat helemaal over boeken, de primaire bron voor 'Het Woord' waar Peter Solomon naar leeft en waar Robert Langdon naar zoekt. Eén boek dat Dan Brown naar voren haalt omdat het zijn denken heeft beïnvloed, is The Secret Teachings of All Ages *van Manly P. Hall. Wie was de auteur van dit mysterieuze boek?*

Manly P. Hall was een autodidactische geleerde die zich bezighield met esoterische religies en symboliek. Hij was van heel gewone afkomst, van het platteland in Canada, waar hij in 1901 werd geboren als zoon van een echtpaar dat al snel uit elkaar ging. Hall werd door zijn grootmoeder in het Westen van Amerika opgevoed en had nauwelijks een behoorlijke schoolopleiding, maar zijn grootmoeder voedde zijn belangstelling voor religie en geschiedenis door uitstapjes te maken naar musea in Chicago en New York. Zeer opmerkelijk in Halls leven is dat deze voorlijke jongeman in 1928, toen hij pas zevenentwintig was, een gezaghebbende encyclopedie van de occulte filosofie publiceerde – *The Secret Teachings of All Ages*. Dan Brown zei in een recent televisie-interview dat het boek een van zijn belangrijkste bronnen was geweest bij zijn research voor *Het Verloren Symbool* en dat het vele van zijn opvattingen over esoterische religie en symboliek had beïnvloed.

Als boek is *The Secret Teachings of All Ages* bijna onmogelijk te classificeren. Het is op een alomvattende wijze geschreven en samengesteld, als de bibliotheek van Alexandrië, en de artikelen werpen een zeldzaam licht op enkele van de meest fascinerende en weinig begrepen aspecten van mythen, religie en filosofie. Het gaat onder andere in op de wiskunde van Pythagoras, alchemistische formules, de hermetische leer, de werking de kabbala, de geometrie van oude Egyptische monumenten, de mythen van de oorspronkelijke bevolking van Amerika, het gebruik van cryptogrammen, een analyse van de tarot, de symbolen van de Rozenkruisers, de esoterie in de toneelstukken van Shakespeare – en dit is nog maar een kleine greep uit Halls onderwerpen.

Waar Hall zijn kennis en zijn grote mate van virtuositeit op zo jonge leeftijd vandaan haalde, mag terecht een mysterie worden genoemd. Wat zijn motieven betreft: Hall zag het schrijven en het zelf publiceren van *The Secret Teachings of All Ages* als een poging een ethische reactie te formuleren op het algemeen heersende materialisme dat hij in Amerika in de jaren twintig van de vorige eeuw om zich heen zag.

Het boek blijft verrassend goed overeind in de eenentwintigste eeuw. Hoewel de teksten bij tijd en wijle speculatief zijn, blijft het de enige codex van esoterische ideeën waarin de onderwerpen volstrekt serieus worden behandeld. In andere werken, zoals *De gouden tak*, worden inheemse religieuze tradities beschouwd als bijgeloof of als interessante museumstukken, die wel een antropologische studie waard zijn, maar niet direct relevant zijn voor ons leven nu. Hall, daarentegen, vond dat hij de missie had om een levende verbinding met de mysterietradities te herstellen.

In Occult America *bespreekt u tot in detail 'mystieke Amerikanen' en 'de wetenschap van het juiste denken'. Is de huidige newagebeweging een natuurlijke uitgroeisel van dergelijke ideeën? Wat hebben ze gemeen? En waarin verschillen ze?*

Zoals eerder is opgemerkt, is de therapeutische en zelfhulpspiritualiteit waarvan de Amerikaanse cultuur tegenwoordig doortrokken is, voortgekomen uit de beweging voor mental healing, waarvan de Amerikaanse mystici halverwege de negentiende eeuw de pioniers waren. Vanaf 1840 begon een boeiende, uiteenlopende groep religieuze vernieuwers in New England te experimenteren met diverse occulte en esoterische ideeën. Ze waren vooral geïnteresseerd in het mesmerisme (wat wij nu hypnose noemen), in de mystieke ideeën van de filosoof Emanuel Swedenborg en in de geschriften van de transcendentalisten. Zij combineerden deze gedachtestromingen met hun eigen innerlijke ervaringen en creëerden een filosofie van genezing via het mentale, ofwel gedachtekracht. Zij geloofden dat het mentale causatief was en uiterlijke gebeurtenissen kon beïnvloeden. Sommigen gingen zover te suggereren dat het onderbewuste hetzelfde was als de scheppende kracht die God heet.

Deze filosofie vertakte zich in verschillende richtingen. In het denken van Mary Baker Eddy kwam ze op als de nieuwe religie van de Christian Science. In de handen van verschillende Amerikaanse mystici kwam ze bekend te staan onder benamingen als New Thought, Science of Mind en Science of Right Thinking, om er een paar te noemen. Rond het begin van de twintigste eeuw had deze filosofie van positief denken zich door de hele natie verspreid en vormde ze de basis voor de invloedrijkste zelfhulpboeken aller tijden, zoals *Denk groot & word rijk* van Napoleon Hill en *De kracht van positief denken* van Norman Vincent Peale. Overal in Amerikaanse spirituele kringen was dit de aanzet tot het geloof dat godsdienst niet alleen een middel tot verlossing moet zijn, maar ook een middel tot genezing en zelfverbetering. Vandaag de dag verwachten Amerikanen van alle achtergronden en geloofsrichtingen dat religie hun praktische hulp verschaft om opgewassen te zijn tegen de moeilijkheden van het dagelijks leven, zoals verslaving, relatiekwesties, financiële problemen en het zoeken naar geluk. In zekere zin is dit de Amerikaanse religie. En die spruit rechtstreeks voort uit de idealen van de Amerikaanse mystici en de religieuze experimentatoren van de negentiende en vroege twintigste eeuw.

5

De mens ontmoet God en God ontmoet de mens

Wat verloren is gegaan en in onze tijd teruggevonden moet worden

een interview met rabbijn Irwin Kula

Irwin Kula is een van de meest diepzinnige en tot nadenken stemmende rabbijnen van Amerika. Kula inspireert miljoenen mensen over de hele wereld door de joodse wijsheid toe te passen op alle aspecten van het moderne leven en relaties. Hij omschrijft zichzelf als een 'handelaar op de wereldmarkt van ideeën'. Hij heeft een pesachviering geleid in Bhutan, gesprekken gevoerd met regeringsfunctionarissen in Rwanda en hooggeplaatste personen als de Dalai Lama en koningin Noor ontmoet om te praten over leiderschap met mededogen. Redacteur van *Geheimen van het Verloren Symbool* Dan Burstein heeft rabbijn Kula geïnterviewd over een hele reeks ideeën, betekenissen en interpretaties in HVS.

U bent net klaar met het lezen van Het Verloren Symbool. *Wat is uw reactie in het algemeen?*
Het is *De Da Vinci Code*, maar dan tegen de achtergrond van de stad Washington. Het is leuk om te lezen. Je hebt het in drie dagen uit en je kunt het niet wegleggen. Wat dat betreft is het prachtig. Op een serieuzer niveau weet Dan Brown de tijdgeest te vangen van wat er in het westen gaande is op het gebied van religie. We bewegen ons van wat je 'exoterisch' zou kunnen noemen naar meer 'esoterische' tradities... van een nadruk op uiterlijke vormen van geloof, dogma's, geloofsbelijdenissen en een soort stamreligie naar een meer esoterische gerichtheid op innerlijke ontwikkeling, het oefenen van aandacht en verhogen van het bewustzijn. In *Het Verloren Symbool* heeft Dan Brown deze beweging in het maatschappelijk denken uitstekend weergegeven.

De twee belangrijkste recente onderzoeken naar de religieuze identiteit van Amerika, de Pew Study en de American Religous Identity Survey (ARIS), die in het voorjaar van 2009 voor het dertigste jaar achtereen is gepubliceerd, hebben dezelfde uitkomsten opgeleverd: alle grote religies –

dat wil zeggen, het niet-fundamentalistische jodendom en het christendom, eigenlijk alle niet-evangelische, niet-fundamentalistische vormen van religieus geloof, het katholicisme inbegrepen – lopen in Amerika dramatisch terug. In Europa is het met deze religies al grotendeels gedaan. Tellen we daarbij op wat er gebeurt als andere generaties zoals Gen X, Y en de Millennials de cultuur gaan overheersen, dan zullen we een massale leegloop zien van deze liberale vormen van georganiseerde religie. En wat komt ervoor in de plaats? Een grensoverschrijdend ratjetoe aan wijsheden en praktijken, gekozen uit de religieuze en spirituele mengelmoes die nu al duidelijk bestaat. Ik noem dit nu tevoorschijn komende cohort de 'mixers, mengers, zoekers en shoppers'. Het is boeiend dat iemand als Karen Armstrong in haar nieuwe boek *De kwestie God* precies hetzelfde naar voren brengt als Dan Brown.

Tijdens een bezoek aan de National Cathedral, die een belangrijke rol speelt in het verhaal van Het Verloren Symbool, *viel het me op dat ze Karen Armstrongs boek op een grote tafel direct naast* The Lost Symbol *hadden uitgestald.*
Op sommige punten zijn ze verrassend genoeg 'een en hetzelfde boek'. Het boek van Armstrong is ongelooflijk erudiet en dat van Dan Brown is overduidelijk populaire fictie. Maar ze zijn hetzelfde in die zin dat ze allebei beweren dat er een diepere, belangrijkere waarheid bestaat dan de simpele oppervlakkige interpretatie waarin wordt beweerd dat alleen de materiële werkelijkheid bestaat. Ook impliceren en beweren ze allebei dat de conventionele religie niet voldoet aan de behoefte van mensen. Beide boeken nodigen de mensen uit om de diepere ideeën en esoterische lijnen binnen de traditionele religies te onderzoeken.

Laten we het hebben over de Akedah – het verhaal van Abraham en Isaak – en hoe Dan Brown gebruikmaakt van dat motief vanaf het begin tot het einde van het boek. Vertelt u eens iets over het traditionele Bijbelverslag en uw persoonlijke opvatting over de manier waarop dit verhaal in de joodse geschiedenis wordt verteld.
Ik lees deze traditionele Bijbelvertelling als een gruwelverhaal. Aan het einde van een lange relatie tussen Abraham en God, die ongeveer twintig hoofdstukken van Genesis omvat en een heel leven van zoeken, reizen, beloften, teleurstellingen, omzwervingen en een ingewikkelde maar doelbewuste richting in Abrahams leven, beveelt God Abraham om Isaak te offeren, nota bene de belichaming van zijn toekomstbelofte. Het is een afgrijselijke gedachte, en toch komt er in de tekst helemaal niets over Abrahams lippen. Op het allerlaatste ogenblik, als Abraham met het mes in zijn

hand klaarstaat om Isaak te slachten, komt een engel tussenbeide, die zegt: 'Stop, Abraham. Nu weet ik dat je ontzag hebt voor God. Je bent niet bang om alles te geven.' En zo krijgen Isaak en Abraham respijt.

Dit is natuurlijk de paradox van geloof dat zich heen en weer beweegt tussen offer, dood en wedergeboorte, wat in *Het Verloren Symbool* prominent naar voren komt: je moet sterven om opnieuw geboren te kunnen worden. Wat betekent het om je zo totaal over te geven, zoals Abraham deed, dat je de diepte van je lotsverbondenheid, de eenheid en diepe connectie kunt voelen en ervaren – de mot die zichzelf verbrandt in de vlam?

Welnu, dit verhaal is op alle mogelijke manieren geïnterpreteerd, vanaf de oudste tijden tot vandaag de dag. Er bestaat een middeleeuwse midrasj – een commentaar – die suggereert dat Abraham Isaak wel degelijk heeft gedood en dat Isaak een wederopstanding kreeg. De grote Deense filosoof Kierkegaard schreef een van zijn belangrijkste werken over dit onderwerp – *Vrees en Beven* – waarin hij met het argument komt dat het een groots moment van geloof is dat 'een teleologische opschorting van het ethische' noodzakelijk maakt. Met andere woorden, de intentie van Abraham om te gehoorzamen aan Gods bevelen en zichzelf te onderwerpen aan het eeuwige plan wordt gezien als voldoende rechtvaardiging om Isaak te doden, aangezien het 'de ethiek overstijgt'. Aan de andere kant van het spectrum heb je Woody Allen, die zegt dat Abraham een idioot was dat hij luisterde naar het bevel van God om zijn eigen zoon te offeren. Deze laatste interpretatie, een wel heel moderne, wordt herhaald in de recente film van Harold Ramis, *Year One*.

Hoe dan ook, op een belangrijk niveau is dit een sterk en primair verhaal over de relatie tussen vaders en zonen en de ongelooflijke complexiteit van die uiterst fundamentele relatie. Als ik dat verhaal lees, dan is het bijna alsof Abraham onze vader is en God ons redt van onze gekke vader. Maar wie redt ons van onze gekke God? Het verhaal gaat dus niet alleen over het beschermen van een kind tegen zijn vader, maar het beschermen van beide, tegen wat ik een soort ouderlijk narcisme noem. *Het Verloren Symbool* pikt dat op een tamelijk essentieel niveau op.

Maar ligt in Het Verloren Symbool *de nadruk niet op het narcisme van de zoon – met andere woorden, het extreme narcisme van Mal'akh, niet dat van Peter?*
Je moet bedenken dat die Mal'akh, die jongen die het vleesgeworden kwaad lijkt te zijn, natuurlijk wel een product van Peter is. Als lezer ervaren we Peter als een nobele vent. En nobel is hij, zeker, maar hij heeft ook zwakke kanten. Mal'akh is heel erg het product van Peter, de 'narcistische' ou-

der, de ouder die besluit zijn zoon in de gevangenis te laten zitten om hem een lesje te leren.

Wat in dit boek zo krankzinnig is, is dat het personage Mal'akh wel degelijk de onttroning van het zelf begrijpt, die de kern vormt van het Akedah-verhaal én van een spirituele ervaring. Hij begrijpt dit op een veel, véél dieper niveau dan Peter, iemand met een ego dat alles perfect onder controle heeft. Peters hand is afgehakt, maar wij merken nergens aan dat hij uit zijn evenwicht zou zijn geraakt. Hij heeft de controle over zijn zuster, hij heeft de controle over politici, hij heeft de controle over een gigantisch huis, over de vrijmetselaars en over het grote geheim. Hij heeft álles onder controle. Hij is het ultieme egocentrische karakter. Nu is het niet zo dat als je egocentrisch bent, je ook een slecht mens bent. Peter is geen slecht mens. Maar hij is een controlfreak, die zijn zoon veel schade heeft toegebracht. Hij is rechtstreeks verantwoordelijk voor het ontstaan van Mal'akh. Maar wat Mal'akh begrijpt is de eerste les van de spiritualiteit – de onttroning van het zelf, zodat je mee kunt gaan in de stroom en meteen in een toestand kunt zijn waarbij geen 'met' meer nodig is, waarin je simpelweg Eén kunt zijn. Dat heeft Mal'akh op een perverse wijze begrepen. Maar Peter, de man met het geheim, het toonbeeld van moraliteit, niet. Peter is geen egobezeten figuur, maar het ultieme voorbeeld van het afgescheiden zelf. Hij is over het algemeen een moreel hoogstaand iemand. Hij wil een betere wereld opbouwen. Maar hij is het minst spirituele karakter in het boek. Katherine is veel spiritueler dan Peter.

Hoe beziet u de keus die Peter zijn zoon voorlegt, tussen 'rijkdom en wijsheid', tussen het familiebezit en de kennis van de geheimen van de vrijmetselaars waar Peter toegang toe heeft?
Ik vind dat een erg christelijke allegorie. Als je joods bent is de tegenstelling tussen rijkdom en wijsheid niet zo schril. Wij hebben niet diezelfde kloof tussen het materiële en het spirituele. Kijk maar naar het archetype van koning Salomo. Wie is de bron van wijsheid in de Bijbel? Dat is Salomo. Maar wie is de rijkste persoon in de hele Bijbelse traditie? Ook Salomo. En wie heeft de meeste vrouwen? Salomo. Ik geloof niet dat er een noodzakelijk verband bestaat tussen rijkdom en wijsheid, maar ook niet dat er een inherent conflict tussen die twee moet bestaan.

Iedereen die met kinderen uit rijke families werkt, begrijpt dit probleem. De doorsneelezer zal zich natuurlijk meer identificeren met Peter dan met de waanzinnige, demonische zoon. Maar Peter draagt een deel van de verantwoordelijkheid, omdat hij de voorwaarden heeft geschapen die zijn zoon in die richting hebben gedreven. Als je even afstand neemt van het verhaal, is het een heel sinistere beschrijving van de relatie tussen ouder en kind. En dat is niet de goede ouder tegenover het slechte kind, zoals het op het eerste gezicht lijkt. Het is veel ingewikkelder. In sommige opzichten is het eigenlijk een poging van het kind om de vader te verlossen van zijn narcistische, controlerende ouderrol.

Nu we het toch over het personage Mal'akh hebben, wat vindt u van die naam? Er klinkt duidelijk zowel Melech in door, het Hebreeuwse woord voor koning (zoals in koning Salomo), als Moloch, de wrede god van de Kanaänieten uit de tijd van vóór het monotheïsme, die kinderoffers verlangde.

Ik denk dat Dan Brown, door deze naam te kiezen, ons uitnodigt om in te zien dat deze relatie gecompliceerder is. Peter behandelt zijn zoon als ouderlijk bezit. Je krijgt het gevoel dat zijn zoon een van de hiaten in zijn psyche moet opvullen in plaats van recht te hebben op een eigen bestaan. Daarmee beschadig je iemand diep, je sluit hem op in een gevangenis – in dit geval belandt het kind ook werkelijk in de gevangenis. En Peter neemt daarvoor nooit echt de verantwoordelijkheid op zich. Helemaal aan het einde van het boek begint hij een beetje te huilen, maar hij neemt niet de verantwoordelijkheid. Hij schrijft Zachary af als een op zichzelf staande, getroebleerde persoonlijkheid, voor wie hij als vader expliciet niet meer verantwoordelijk is. Gegeven het feit dat Peter de meester is van de Mysteriën en dat hij beter dan wie ook in het boek weet dat alles volkomen van elkaar afhankelijk is en dat niets buiten de dichte, complexe matrix van de cyclus van oorzaak en gevolg staat, had hij zich bewust moeten zijn van zijn eigen fundamentele verbondenheid met Zachary. En toch vindt de ultieme gescheidenheid in het boek, het ultieme gebrek aan verbondenheid, plaats tussen Peter en zijn zoon.

Het is ironisch dat de zoon meer van de Oude Mysteriën weet dan de vader en er toegewijder en loyaler aan is. De zoon leidt het leven dat de Oude Mysteriën van hem eisen. Dat is de paradox: in feite kent de zoon de wijsheid beter dan de vader en beoefent hij haar op een hoger niveau, hoewel het duidelijk is dat hij haar volstrekt verkeerd begrepen heeft. De zoon is spiritueel verder ontwikkeld dan de vader, maar bevindt zich op een lager en inderdaad verziekt moreel niveau, terwijl de vader een hoger moreel niveau heeft, maar spiritueel op een lager niveau staat.

Naast de paradox van Mal'akh staan er in HVS talloze verwijzingen naar de gevaren van de Oude Mysteriën. Telkens opnieuw spreken Solomon en Langdon over het gevaar van te veel kennis of macht, of dat de oude geheimen in de verkeerde handen zouden vallen.

Er bestaan drie fundamentele religieuze of spirituele zienswijzen in de huidige cultuur, die allemaal op hun eigen manier uit balans zijn. We hebben het newagesysteem, dat beweert dat alles heel mooi en fijn is en dat het leven volmaakt verloopt als je gedachten maar goed zijn afgestemd. De newagegedachte gaat daarmee voorbij aan de zware morele keuzes die we moeten maken; de angst, de belasting en de offers van een zuiver spiritueel leven. Volgens deze manier van redeneren hoeven we het kwaad niet serieus te nemen, ófwel omdat het niet bestaat, alleen maar een illusie is, een projectie van onze gedachten, óf omdat het geen inherent deel van ons leven uitmaakt. Daarmee begaat dit systeem de fout goed en kwaad te scheiden, ze uit elkaar te halen, en wordt er van ons gevraagd ons alleen te richten op het goede en positieve.

Dan hebben we het eendimensionale fundamentalisme, dat op de andere manier een splitsing maakt. De fundamentalisten zijn zich er scherp van bewust dat er goed en kwaad is, maar zij denken dat ze het kwaad kunnen wegsnijden door het op hun manier te definiëren, door ertegen in te gaan, het te bestrijden en zich vast te klampen aan hun opvatting van wat goed is. Zij denken dat ze altijd aan de kant van het goede kunnen staan, onafhankelijk van het kwaad, ondanks de tekenen die wijzen op het tegendeel.

Ten slotte hebben we een soort logge, overdreven materialistische, atheïstische wereldbeschouwing, die wordt vertegenwoordigd door mensen als Richard Dawkins en Christopher Hitchens.

Die drie zienswijzen – new age, fundamentalisme en materialisme/ atheïsme – zijn op dit moment de drie belangrijkste standpunten binnen het religieuze denken in het westen, en bij alle drie zit er iets scheef. New age is te lief en te gemakkelijk en daalt té snel af in de narcistische opvatting dat onze gedachten de werkelijkheid scheppen. Er is geen plaats voor de angst van het leven, of die wordt aan onze manier van denken geweten. De scheiding van het fundamentalisme is ook te gemakkelijk en te simplistisch. Goed en kwaad zijn niet zo duidelijk van elkaar te scheiden. Het grootste deel van het leven speelt zich op ambigu gebied af, wat onze motieven betreft. Er zijn zo veel essentiële nuances in het leven, en die ontbreken in de fundamentalistische opvattingen. Daarentegen is de visie van Dawkins/Hitchens een ontluisterende kijk op het leven. Deze zienswijze is voor de meeste mensen te leeg om te accepteren. Het is 'The Waste Land' van T.S. Eliot. De belangrijkste voorvechters van dit standpunt lijken geen logische rolmodellen te zijn. Dawkins komt zo hard over en Hitchens zo wrang. Zo wil niemand zijn.

In HVS, evenals in de vrijmetselarij meer in het algemeen, wordt er veel nadruk gelegd op de 'naam van God' – verschillende versies, verschillende betekenissen, soms enkelvoud, soms meervoud, soms weergegeven in Hebreeuw-

se letters, sommige die onuitsprekelijk zijn of niet uitgesproken mogen worden.

Het interessante is niet zozeer dat je in verschillende perioden allemaal afzonderlijke bewerkers en schrijvers hebt gehad, maar dat in het definitieve document dat wij heden ten dage kennen als de Bijbel allerlei verschillende ervaringen, hunkeringen, aspiraties, beelden, gedeeltelijke flitsen van inzicht zijn geïntegreerd – fragmenten van de totaliteit van de werkelijkheid. Dat het product vele, vele bronnen heeft, verbaast me niet. Dat er niet één naam voor God is, doet niets af aan Gods heiligheid. Dat is juist een manifestatie van de heiligheid, de onuitputtelijkheid, de onmogelijkheid om de totaliteit van de werkelijkheid en het bestaan te bevatten die een naam voor God is.

Hoe meer namen, hoe beter, omdat elke naam een raampje vormt dat uitzicht biedt op de ervaring van de werkelijkheid zelf. Eigenlijk rijst er juist een probleem wanneer één naam uitkristalliseert. Het atheïsme van tegenwoordig is voor een deel een reactie op een moment waarop één beeld van God zo concreet is geworden dat het alle andere voorstellingen, ideeën en beelden en intuïties verdringt. In wezen zien we nu een atheïsme dat een aanval is op één specifiek beeld van God – de fundamentalistische, voyeuristische God in de hemel die beloont en straft – met andere woorden, het beeld van God dat onze cultuur de afgelopen dertig jaar heeft gedomineerd.

Wat is dan het verschil tussen de verwijzing naar God als Elohim, dat meervoud is, en Adonai, dat enkelvoud is?
Het gebruik van Elohim begint al heel vroeg. Het lijkt mij dat het een vroege, algemene naam voor God is die het pantheon bij elkaar bracht. Door de grammaticale meervoudsvorm vang je een glimpje op van hoe het was voordat er één God was. Ik heb een referentiepunt dat ik mensen geef om hen te helpen de manier van denken in de periode vóór het monotheïsme te begrijpen. Ik vraag: 'Hoeveel innerlijke stemmen heb je?' En diegene antwoordt: 'Wat bedoel je? Ik ben gewoon ik.' En dan zeg ik: 'Nou, ik ben benieuwd. Hoor je de stemmen van je ouders wel eens? Hoor je ooit de stemmen van je collega's? Hoor je ooit je hebberige stem? Je jaloerse stem? Je begerige stem? Je boze stem? Hoeveel zelven heb je?' Stel je nu eens voor dat elk van die stemmen de stem van een andere god is. Er zijn veel stemmen, met veel eigenschappen, dus veel goden. Ik hoor al die stemmen en nog veel meer. Maar toch is er een soort voorzitter van de bestuursraad, van wie ik me voorstel dat hij voor mij spreekt en al die verschillende stemmen, uitersten en inbreng in evenwicht brengt. Projecteer dat nu eens op de kosmos. Dan kun je zien wat de volkeren in de oudheid

deden. Zij kenden de splitsing tussen het uiterlijke en het innerlijke nog niet, zoals wij.

Deze splitsing is echt iets recent westers, en we betalen er een hoge prijs voor. Deze tweedeling tussen binnen en buiten, tussen het innerlijke en het uiterlijke, is maar een deel van de waarheid, al is ze in sommige opzichten zeer heilzaam. Vanwege deze waarheid kunnen we kanker genezen, naar de maan reizen, dammen bouwen enzovoort. Maar het blijft slechts een deel van de waarheid. En op dit punt speelt *Het Verloren Symbool* een rol. Wij zijn het contact kwijtgeraakt met de waarheid voorbij het materiële, de waarheid voorbij de verschijnselen, de waarheid die de mensen van vóór de moderne verlichting gemakkelijker konden begrijpen, waardoor ze hun inherente verbondenheid met elkaar en het universum konden voelen. De tijd waarin het anders was, waarin iedereen met elkaar verbonden was op het diepste niveau van de waarheid over de eenheid van de wereld, is verdwenen, en als gevolg daarvan ervaren we een gevoel van verlies.

Was dat echt ooit zo? 'Wisten' de mensen in de oudheid in spirituele zin echt meer dan wij moderne mensen?
De ervaring van iets kwijtgeraakt zijn is een onderdeel van wat het betekent mens te zijn. Daar begin ik mee als uitgangspunt. Op een zeker moment in onze zeer vroege ontwikkeling is er een ervaring van verlies. Het verlies van de ervaring van een diepere harmonie. Je kunt jezelf niet als persoon herkennen zonder een scheiding, een gespleten bewustzijn, als het ware. En of dat nu gebeurt als we zes maanden oud zijn, wanneer de scheiding van de borst plaatsvindt, of als we dertien zijn, wanneer tieners hun ouders en leraren afwijzen, of op een andere leeftijd of in een ander stadium, feit is dat er geen identiteit kan zijn zonder scheiding. Maar het blijkt dat op het moment dat je jezelf als afgescheiden ervaart, zich ook een gevoel van verlies, een hunkering, een verlangen ontwikkelt.

De enorme vooruitgang van de laatste driehonderd jaar, gezien vanuit het standpunt van materiële rijkdom, welzijn, gezondheid, levensduur, kennis, communicatie en geneeskunde, maakt die afgelopen paar honderd jaar tot aan het huidige moment de beste tijd in de geschiedenis van de mens. Maar op hetzelfde moment dat onze maatschappij die ongelooflijke oogst binnenhaalt, is er ook iets weggedrongen. Volgens mij is datgene wat weggedrongen is, de andere dimensies van de manier waarop de mens de werkelijkheid ervaart, en die hebben we nodig om ons gelukkig te voelen, creatief te zijn, lief te hebben, mededogen te hebben en edelmoedig te zijn. Wij zien nu dat we zonder die ervaringen niet compleet zijn. Dit is wat het betekent om aan het einde te zijn gekomen van het moderne tijdperk en verder te gaan naar het postmoderne tijdperk. Wij beginnen te beseffen dat we wat verloren wijsheid – eeuwige wijsheid, zo je wilt – uit vorige tijdperken moeten herontdekken.

De religie van Dan Brown

Ik of wij?

een interview met Deirdre Good

Zoals we in het vorige interview met rabbijn Kula hebben gezien, roept *Het Verloren Symbool* discussies op over een aantal belangrijke thema's met betrekking tot religie. Wij vroegen Deirdre Good, wetenschappelijk medewerkster op het gebied van het Nieuwe Testament aan het General Theological Seminary in New York City, om haar oordeel te geven over Dan Browns algemene geloofssysteem. Kun je het gelijkstellen met een vorm van theologie? Zijn de Bijbelverzen en de context waarbinnen Brown ze toepast een betrouwbare interpretatie van het boek dat hij eerbiedig 'het Woord' noemt? Is zijn interpretatie van het citaat 'Gij zijt goden' uit Psalm 82 accuraat? Waarom is de deken van de National Cathedral blind?

De antwoorden van Good op deze en andere vragen zijn doordacht en vaak verrassend. Dan Brown is voor het gemak bij tijd en wijle selectief, zegt zij, door kleine stukjes uit de complete verzen te gebruiken als een soort soundbites. En, is haar retorische vraag, wat is er gebeurd met Dan Browns verering van het heilig vrouwelijke, die we zo uitgebreid te zien kregen in *De Da Vinci Code*?

Deirdre Good is een alom gerespecteerd geleerde op het gebied van religie, wier werk draait om de evangeliën, de niet-canonieke geschriften en de oorsprong van het christendom. Zij heeft bijgedragen aan drie eerdere boeken in de *Geheimen*-serie: *Geheimen van Maria Magdalena*, *Geheimen van De Da Vinci Code* en *Geheimen van Het Bernini Mysterie*. Haar laatste boek heet *Starting New Testament Study: Learning and Doing*.

Wat zegt Het Verloren Symbool *u over Dan Browns standpunt ten aanzien van religie?*
In dit boek brengt Dan Brown een zeer geïndividualiseerde opvatting van religie naar voren. Het gaat allemaal over individuele groei, individuele zuivering en individuele offers. Wat dat betreft vermoed ik dat zijn ideeën

een weerspiegeling zijn van onze tijd, zowel van mijn wereld van christelijke seminaries als van een grotere wereld van spiritueel zoeken. Het is een bepaald soort religieus uitgangspunt: 'Ik houd me met mijn eigen zoektocht bezig, en zolang ik daar niemand kwaad mee doe, is het volkomen in orde dat ik daarmee doorga.'

Wat is daar mis mee?
Ik geloof heel sterk dat religie ons in wezen oproept tot gezamenlijke activiteit, in plaats van simpelweg een proces van individuele zelfverwezenlijking. Er zijn bijvoorbeeld veel meer spirituele inzichten te verkrijgen door het gemeenschappelijk bidden, zingen, reciteren en interpreteren van de Schrift, dan wanneer je datzelfde in je eentje doet.

Toch heeft Het Verloren Symbool *het over de 'collectieve waarheid' en het 'collectief onbewuste'.*
Dat is waar, maar Browns steun voor dit collectivisme blijft beperkt tot de 'wetenschappelijke' kant van zijn verhaal. In hoofdstuk 133, het laatste hoofdstuk van het boek, zegt Katherine tegen Langdon: 'We hebben wetenschappelijk bewezen dat de macht van de menselijke gedachte exponentieel toeneemt met het aantal mensen die eenzelfde gedachte delen.' Dat is een geweldig idee, juist omdat het ons wegleidt van het individualisme. Het wil zeggen: 'Je kunt niet gewoon uitgaan van één enkele persoon en hopen dat de gedachtekracht van die ene persoon iets zal bereiken.' Een persoon alleen kan misschien wel invloed op iets hebben, maar het is zeker de collectieve activiteit die de verandering laat plaatsvinden. Zoals de Bijbel zegt: 'Want waar twee of drie vergaderd zijn in mijn naam, daar ben Ik in hun midden.' (Matteus 18:20)
Het probleem rijst als Katherine in diezelfde alinea zegt dat het nieuwe spirituele bewustzijn overgebracht kan worden via de kracht van de nieuwe technologieën – Twitter, Google en Wikipedia. Dat deze op zichzelf ons in staat stellen ons te verbinden 'om de wereld te transformeren'. De ironie is dat die bronnen onze verhouding tot religie vaak bemoeilijken; ik geloof niet dat banden die we op die manier smeden, dezelfde spirituele vervulling kunnen bieden als de banden die we persoonlijk leggen, en ik geloof ook niet dat we daar die exponentiële kracht van de collectieve geest zullen ontdekken. Ik denk dat het ons uiteindelijk juist nog meer isoleert. De mensen houden voortdurend online-gebedsbijeenkomsten, maar zijn die geen substituut? Als je de mogelijkheid hebt, waarom bid je dan niet persoonlijk en in de werkelijke tijd met andere mensen samen?

Wat vindt u van het citaat van Dan Brown 'Gij zijt goden'?
Ten eerste is hij zoals gebruikelijk zeer selectief. 'Gij zijt goden' is maar een deeltje van Psalm 82, vers 6. Brown gebruikt het om het menselijk potentieel te demonstreren, maar als je het hele vers bekijkt, zegt de psalmist met de stem van God: 'Wel heb Ik gezegd: Gij zijt goden, ja, allen zonen des Allerhoogsten,' waarna het volgende vers zegt: 'Nochtans zult gij sterven als mensen,' wat Dan Brown verkiest weg te laten. Met andere woorden, hoewel God de menselijke aspiraties erkent, is het onmogelijk één te worden met God.

Wat de psalm misschien wil uitdrukken, is dat hoewel je verheven kunt worden door je verbondenheid met het goddelijke, je leven zal eindigen zoals bij iedereen. Je zult evengoed sterven. Alleen God is oneindig. Wat Brown ons biedt is aanlokkelijk, maar het is gewoon een van zijn fragmentjes, die hij als kant-en-klare mantra's uit zijn mouw schudt.

En hoe zit het met Browns gebruik van het citaat 'Het Koninkrijk Gods is bij u' (Lukas 17:21)?
Dat vers kan op twee manieren worden geïnterpreteerd en beide worden gegeven in elke bijbel met voetnoten. Het vers zou niet alleen kunnen gaan over het individuele potentieel, het brengt ook een andere mogelijkheid te berde: het hemels koninkrijk is in ons midden. Met andere woorden, het woord 'u' wordt in het meervoud gebruikt. Het hemels koninkrijk is te midden van ons allen, niet een deel van jouw eigen psychologische ontwikkeling. Dat is een heel andere lezing dan Browns interpretatie van een geïndividualiseerd goddelijk potentieel.

Nog een belangrijk thema in Het Verloren Symbool *is de wederopstanding.*
Zonder meer. Robert Langdon 'komt weer tot leven' nadat hij ogenschijnlijk is gestorven. De methode van Langdons 'verdrinking', mogelijk gemaakt door de technologie, verschaft gewone mensen een manier om net te doen alsof ze uit de dood zijn opgestaan. Op die manier eigenen menselijke wezens zich de macht over leven en dood toe. En als menselijke wezens beschikken over het vermogen de dood te beheersen, zal de betekenis van het leven radicaal veranderen.

Je eigen dood onder ogen zien is de laatste grote uitdaging van het leven. Daar worden wij allemaal mee geconfronteerd. Daarom is het interessant om op te merken dat Robert Langdon niet tot leven lijkt te willen komen nadat ze hem uit de tank hebben gesleept. Hij wil in die baarmoeder blijven. 'Hij had zijn lichaam terug, hoewel hij dat betreurde,' zegt de verteller van HVS aan het begin van hoofdstuk 113. 'De wereld leek hard en wreed.' Brown lijkt te suggereren dat de dood misschien niet zo angstaanjagend is als wij hem vaak afschilderen. Maar is dat een adequate reactie op de dood?

Wat is volgens u de betekenis van Dan Browns gebruik van het Akedah-verhaal – het vastbinden van Isaak – in het boek?
Als je nadenkt over Bijbelverhalen die centraal zouden kunnen staan in een boek dat gaat over religieuze waarden, en ik neem aan dat dat bij dit boek het geval is, waarom kies je dan het offer van Isaak? Ja, het is een belangrijk thema, dat het idee van het brengen van offers in het boek dient – Peter verliest zijn hand, Katherine haar lab, Mal'akh waarschijnlijk zijn leven – maar het is geen voor de hand liggende keus en komt op mij over als een opzettelijke keus tegen het collectief.

Brown had bijvoorbeeld het verhaal van de verlossing van de Israëlieten bij de Rode Zee kunnen gebruiken – een fantastisch verhaal over bevrijding, dat in het jodendom absoluut centraal staat in de verhouding van het volk tot God. Zowel in de christelijke als de joodse traditie is het een verhaal over veel onderwerpen – over verlossing, redding, het stichten van een gemeenschap. Maar in de meeste interpretaties van het Akedah-verhaal gaat dat volledig over de verhouding van een individu tot zijn vader – of, in het geval van *Het Verloren Symbool*, over Peter Solomons berouw en verdriet over het verlies van de relatie met zijn zoon.

De vraag die niet wordt gesteld, is: waar was de moeder van Isaak? Dit is een van de grote discussies met betrekking tot de interpretatie van Genesis 22: God betrekt Sarah er niet bij. Ik wil hiermee aangeven dat Brown, door dit verhaal te kiezen, er ook voor heeft gekozen vrouwen te marginaliseren en de religie te reduceren tot problemen in de relatie tussen vaders en zonen.

Wilt u zeggen dat dezelfde auteur die in zijn vorige boeken het heilig vrouwelijke uitbundig prees, er nu voor kiest vrouwen opzij te schuiven, als personages en ook als spirituele wezens?
Zeg mij eens, hoeveel vrouwen zijn beoefenaars van de maçonnieke tradities? Geen. Het lijkt vreemd dat Dan Brown, die zich in *De Da Vinci Code* zo richtte op de rol van het heilig vrouwelijke, zich daarvan terugtrekt. Maar in *Het Verloren Symbool* kiest hij voor de maçonnieke tradities en de Akedah om de waarden van het boek tot uitdrukking te brengen, en beide sluiten vrouwen uit. Hoezeer Brown als schrijver en wij als lezers de rol van Katherine ook uitvergroten, zij is de uitzondering die de regel bevestigt.

Zijn er nog andere dingen die u vreemd vond toen u Het Verloren Symbool *las?*

Ja. Neem Browns interpretatie van het boek Openbaring. Die is merkwaardig. Ik vraag me af of hij het gebruikt in contrast tot de *Left Behind*-serie, waarin de Openbaring erg militaristisch wordt benaderd en de wereld zal eindigen in een reusachtige vuurzee. De weinigen die gered worden, overleven het. In de manier waarop Dan Brown Openbaring leest, komt geen oorlog voor. Hij heeft het nooit over een oorlog. Hij behandelt de tekst als de symboliekdeskundige die hij is: Openbaring is gewoon een samenstel van symbolen. Het boek op zichzelf is niet interessant; het is een uitnodiging voor Langdon om dat samenstel van symbolen te decoderen, tot hij ontdekt wat erin verborgen lag. Dat is een vreemde manier om Openbaring te lezen.

Ik vond ook zijn portrettering van de eerwaarde Colin Galloway, de deken van de National Cathedral, nogal vreemd. Je zou denken dat als hij als anglicaan is opgegroeid (Browns moeder bespeelde het orgel in Christ Church in Exeter, New Hampshire), hij zou weten dat dekens van kathedralen meestal veel aardser praten over kerkelijke zaken. Een deken is ook officiant bij alle diensten in een kathedraal, maar Galloway is blind. Ik kan alleen maar gissen naar de reden waarom Brown hem als zodanig neerzet. Is hij blind omdat hij op een 'andere' manier ziet? Het is moeilijk om in Dan Browns hoofd te kijken, wat dat aangaat.

Ten slotte vind ik dat Brown geen recht doet aan de inspanningen en discipline die vereist zijn voor een transformatie door middel van mentale kracht. Ik denk zeker dat de kracht van de menselijke geest onbegrensd is, maar het is niet een kwestie van jezelf vastkoppelen aan een apparaat in een lab. Als je bijvoorbeeld kijkt naar de meditaties en recitaties van boeddhisten om tot transformatie te komen, dan is dat niet een kwestie van drie weken naar Tibet gaan en dan verandert er opeens iets. Nee, het is een heel leven van discipline. We weten van mensen die dit doen dat het een immense toewijding en een lange training vergt. Dat is het soort van activiteit die je, als je het werkelijk serieus neemt, van nul af aan moet opbouwen. Maar vanuit een basis van totale onkunde schijnt Robert Langdon het letterlijk van de ene op de andere dag voor elkaar te krijgen. Dit is de belofte die de beweging voor het menselijk potentieel doet; het is geen oefening van geloof.

In Het Verloren Symbool *beweert Brown dat alle religieuze tradities iets fundamenteels met elkaar delen dat, als we in staat zouden zijn er toegang toe te krijgen en het te begrijpen, de belofte van een soort wereldharmonie inhoudt. Bent u het daarmee eens, of denkt u dat de verschillende religieuze*

tradities hun eigen waarheden hebben die voor een groot deel niet met die
van andere in overeenstemming te brengen zijn?
Ik vind dat we het beste van onszelf moeten inzetten, met inbegrip van
ons verstand, onze ziel en onze geest, om invloed uit te oefenen op zaken
die voor mensen van cruciaal belang zijn. Daarmee doel ik natuurlijk op
genezing van het menselijk lichaam, maar ook op de overleving van de
planeet en de transformatie van de wereld; weg van de destructiviteit, in
de richting van duurzaamheid. Of dat betekent dat we elkaar over de grenzen van de tradities heen de hand zullen reiken, moeten we afwachten.
Maar ik denk wel dat religies een essentiële rol spelen bij het opnieuw en
gezamenlijk afstemmen van waarden. Mededogen is bijvoorbeeld een universeel religieus streefdoel. Zouden we geen grootse dingen kunnen bereiken als we ons samen zouden concentreren op dergelijke waarden?

Wetenschap en religie geconfronteerd met het ongekende

door Marcelo Gleiser

Was Robert Langdon een bestaand persoon geweest, dan zou hij Marcelo Gleiser zeker hebben gekend. Hij is hoogleraar fysica en astronomie aan Dartmouth College en vermoedelijk een verwante ziel. Ook Gleiser heeft gevoel voor de Oude Mysteriën en probeert, zoals uit de hierna volgende verhandeling blijkt, de periode van vóór de dualiteit van materie en geest als gevolg van de opkomst van de moderne wetenschap, nieuw leven in te blazen.

Gleiser houdt zich voornamelijk bezig met het raakvlak tussen het universum als geheel en de deeltjesfysica, en ook met de oorsprong van het leven op aarde en de mogelijkheid van leven elders in het universum. In zijn eerste boek, *The Dancing Universe: From Creation Myths to the Big Bang*, waarvoor hij een prijs heeft gekregen, behandelde Gleiser twee fundamentele vragen: waar komen het universum en alles erin vandaan? En hoe verklaren godsdienst en wetenschap het raadsel van de schepping? Zijn recentste boek is getiteld: *A Tear at the Edge of the Universe: Searching for the Meaning of Life in an Imperfect Cosmos.*

Gleiser, actief deelnemer aan het debat tussen wetenschap en religie, ging enthousiast in op ons verzoek om commentaar te leveren op *Het Verloren Symbool.* Hij begint met een provocerende gedachte: HVS was een triest boek, vond hij, in die zin dat het bladzij na bladzij steeds maar over verlies gaat. Dat is het verlies, zo verklaart hij, dat hoort bij de drang 'tot de totale rationalisering van kennis en het uitwissen van alles wat mystiek is' uit de verlichting. Gleiser bespreekt ook de hoop op het herontwaken van het innerlijk goddelijke in de mens, die in het boek tot uiting komt, en de stelling dat wetenschappers 'de profeten van een nieuw verlichtingstijdperk' zouden kunnen worden.

Als er vanbinnen slechts atomen zijn en verder niets, worden wij daar
dan minder door of wordt de materie daar meer door?

CARL SAGAN

Wij leiden een verscheurd bestaan tussen licht en duisternis, tussen geluk-
zalige liefde en de pijn van verlies. Dit is het grote drama van het mens-
zijn – dat je je bewust bent van het verstrijken van de tijd, dat je weet dat
je bestaan ingeklemd zit tussen een begin en een eind. We weten dat we
doodgaan; we weten dat onze geliefden doodgaan. De pijn als je meemaakt
dat iemand die je na aan het hart ligt deze wereld verlaat, gaat nooit over.
Ik verloor mijn moeder toen ik zes was en ik moet eerlijk zeggen dat het
verlies niet voorbijgaat. Het wordt getransformeerd, het neemt na verloop
van tijd andere betekenissen aan. Maar de leegte blijft, hoe dan ook. En
die moet op de een of andere manier worden opgevuld. Veel van de menselijke creativiteit, van onze kunst, ons geloof, onze wetenschap is een poging om te gaan met ons ingeklemde bestaan.

'We zijn bouwers,' denkt Dan Browns hoofdpersoon Robert Langdon
in *Het Verloren Symbool*. 'We zijn scheppers.' En dus, zoals Langdon suggereert, als we dan niet eeuwig kunnen leven, kunnen onze daden dat misschien wel. Of misschien leven we wél eeuwig, alleen niet in onze sterfelijke, materiële omhulsels.

Terwijl ik *Het Verloren Symbool* las kwam aldoor dezelfde gedachte bij
me op, bladzij na bladzij: dit is een boek over verlies, over de vaak wan-
hopige worsteling van de mens om daarmee om te gaan. Het is een hart-
verscheurend menselijk drama, veroorzaakt door het verlies van geliefden
en bittere vijandschap binnen het gezinsleven. Er is een verlies van religieus geloof, veroorzaakt door de moderne wetenschap, en de daaruit voortvloeiende spirituele leegte die zovele mensen achtervolgt. Er is een verlies
van vertrouwen in de gevestigde structuren en de medemens, met als gevolg een wijdverbreid geloof in allerlei geheime complotten. De kern van
Browns verhaal is de splitsing tussen wetenschap en religie en de hoop dat
er een compromis kan worden gesmeed door een nieuw soort mystieke
wetenschap, 'noëtische wetenschap' genaamd: wetenschappers die de profeten worden van een nieuw verlichtingstijdperk.

Vóór de komst van de moderne wetenschap lagen de dingen simpeler.
De meeste mensen op de wereld geloofden in een leven na de dood. Voor
christenen en moslims kwam er een dag des oordeels en de belofte van
een wederopstanding en eeuwig leven; voor de joden was er de eeuwige
ziel; voor de hindoes waren er reïncarnatiecycli of *atma*, die voortgaan tot
de ziel gerijpt is, de materiële genietingen beu is en zich ten slotte in de
spirituele eeuwigheid voegt bij het 'Ene Brahman'. Verschillende geloven

zouden het verschillend zeggen, maar de meeste zouden de theorie aanhangen dat die paar decennia van sterfelijk leven, verankerd in een fragiel
omhulsel van vlees en botten, niet het hele verhaal zijn. De meeste zouden ook beweren dat de ziel, als onderdeel van God, eeuwig is. Als wij dan
de dragers zijn van een deel van God, dan zijn wij allemaal goden, tenminste in potentie. 'Maar dat gaat niet over ons fysieke lichaam, het gaat
over onze geest,' zegt Katherine Solomon, de wijze vrouw in HVS. Als ons
lichaam sterft, blijft ons druppeltje goddelijkheid over. Tot aan het einde
van de renaissance was onsterfelijkheid gewoon een kwestie van geloof:
voor de gelovige was het bestaan niet ingeklemd tussen een begin en een
einde. Religie bevrijdde de mens van de ketenen van de tijd, en voor velen doet ze dat nog altijd.

Halverwege de zeventiende eeuw bracht de Franse filosoof René Descartes deze dualiteit van lichaam en geest in als kernpunt in de filosofie.
Hij zag het lichaam als iets wat uitgebreidheid had (dat wil zeggen, het
nam volume in de ruimte in) en materieel was, en de geest als iets wat
geen uitgebreidheid had en immaterieel was. Deze scheiding, hoewel prettig vanuit theologisch oogpunt (zo kon je de geest gemakkelijk gelijkstellen aan een soort goddelijke ziel), veroorzaakte een probleem: hoe kon iets
immaterieels (de geest) een interactie aangaan met iets materieels (het
brein)?

Opmerkelijk genoeg zou datzelfde mysterie opnieuw opduiken met betrekking tot de grondslagen van een van de grootste natuurkundige theorieën aller tijden, de universele theorie van de zwaartekracht van Isaac
Newton uit 1687. De theorie is een kwantitatieve beschrijving van de werking van de zwaartekracht als een aantrekkende kracht tussen twee brok-
ken materie, die afneemt met het kwadraat van de afstand ertussen.

Newton, die door de invloedrijke Britse econoom John Maynard Keynes
'niet de eerste van het tijdperk van de rede [maar] de laatste der magiërs,
de laatste van de Babyloniërs en de Soemeriërs' werd genoemd, vroeg zich
af wat de aard van deze kracht was. Hoe kon de invloed van de ene massa
op de andere – van de zon op de aarde, bijvoorbeeld – voelbaar zijn op grote afstand in de ruimte? Toen Richard Bentley, theoloog aan Oxford, hem
vroeg naar de aard van de zwaartekracht, antwoordde Newton:

> Het is onvoorstelbaar dat onbezielde, ruwe materie, zonder tussen-
> komst van iets wat niet materieel is, van kracht kan zijn en invloed
> kan uitoefenen op andere materie zonder onderling contact. ... Dat
> zwaartekracht ingeschapen, inherent en essentieel zou zijn voor ma-
> terie ... zonder de tussenkomst van iets anders ... dat is voor mij zó
> volkomen absurd, dat ik geloof dat geen mens die over een toerei-

kend denkvermogen in filosofische kwesties beschikt, het accepteert.

Aldus draagt volgens Newton de zwaartekracht, de motor die de kosmos voortstuwt in de tijd, ook het mysterie van de dualiteit van materie en geest in zich. De wetenschappelijke uitleg op grond van de inwerking van materie op materie kon niet alles in de natuur verklaren. John Maynard Keynes had het inderdaad bij het rechte eind toen hij Newton de 'laatste der magiërs' noemde, en Brown maakt briljant gebruik van dit gegeven in zijn spannende boek. Newton geloofde in de wijsheid der eeuwen, in het bestaan van geheimen die te kostbaar waren om aan de gewone man te onthullen. 'Als de dingen die vele eeuwen geleden zijn voorspeld uitkomen, zal dat een overtuigend argument zijn dat de wereld door de Voorzienigheid wordt bestuurd,' schreef hij.

De splitsing van wetenschap en religie die de moderne wereld kenmerkt, vond plaats na Newtons tijd en was een onbedoeld gevolg van het succes van zijn natuurkundige theorieën. In de achttiende eeuw werd de rationele benadering van onderzoek van de natuur de énige aanvaarde benadering. 'Verlichting' werd beschouwd als een totale rationalisering van kennis en het wegvagen van alles wat mystiek was. Een 'man van de wetenschap' werd een synoniem voor iemand die alleen materiële verklaringen voor natuurverschijnselen in overweging nam. Het samengaan van natuurlijke en bovennatuurlijke oorzaken, wat voor mannen als Descartes en Newton een gegeven was, werd ondenkbaar voor de verlichte mens. De 'wijsheid uit vroeger tijden' werd een historische curiositeit, belachelijk gemaakt door de nieuwe wetenschappelijke manier van denken. Als gevolg daarvan raakten gelovige mensen gedesoriënteerd en voelden ze zich bedreigd. Sommigen werden lid van geheime genootschappen, waar de oude mystieke praktijken nog in ere werden gehouden. Anderen trokken zich terug in een blinde orthodoxie en loochenden de wetenschappelijke vooruitgang. De wetenschap 'nam God van hen af', zo beschuldigde iemand mij tot mijn afschuw tijdens een live interview in Brazilië. Deze boze houding tegenover de wetenschap is gemakkelijk te begrijpen: als God er niet meer is, verdwijnt ook de belofte van onsterfelijkheid. Wat kan de wetenschap daarvoor teruggeven?

Geen onsterfelijkheid. Natuurlijk hebben we de geneeskunde en de almaar stijgende levensverwachting. We hebben de gemakken en snufjes van de moderne technologie. Er zijn wonderbaarlijke onthullingen over werelden die te klein en te ver weg zijn om ze met het blote oog te zien, atomen en subatomaire deeltjes, zwarte gaten, de oerknal, werkelijkheden waarvan niemand had kunnen dromen. Maar het is eigen aan de koers van de wetenschap om steeds dieper een wig te drijven tussen het natuurlijke en het bovennatuurlijke, waardoor de moderne mens achterblijft in een toestand van diepe verwarring. Is er in dit alles nog plaats voor liefde? Voor verlies? Eindigen we allemaal zoals we begonnen zijn, als sterrenstof, verspreid in de koude, interstellaire leegte? Als dat het geval is, biedt de wetenschap bepaald geen verlossende kijk op het einde van het leven...

Brown komt met een oplossing: de geest, het laatste onontgonnen gebied. We weten zo weinig over hoe het brein werkt, hoe een (enorme) verzameling neuronen in staat is ons bewustzijn, ons besef van zelf, te scheppen en te onderhouden. Er zijn zo veel mystieke tradities die de menselijke geest hebben verkend en daar geweldige krachten hebben ontdekt. Zouden Descartes' en Newtons ideeën over een immateriële substantie juist kunnen zijn? Er zijn zo veel verslagen van visioenen, van wonderen, van het bereiken van nirwana, van geestverruimende drugs, van bijna-doodervaringen die allemaal wijzen op nieuwe bestaansgebieden die nog niet bekend zijn in de wetenschap. Zou het niet geweldig zijn als we inderdaad allemaal veel meer zouden zijn dan nu, in staat tot enorme prestaties? Zou het niet geweldig zijn als we allemaal goden waren?

Deze drang naar goddelijkheid vind je terug in elke cultuur in de loop van de hele geschiedenis, zelfs op individueel niveau. Als voorbeeld vertel ik u een verhaal uit mijn eigen jeugd, een treffende illustratie van hoe het leven de fictie imiteert. Voordat ik afstudeerde in de natuurkunde wilde ik – wetenschappelijk – aantonen dat we een onsterfelijke ziel hebben. Teneinde dat te bereiken bedacht ik een experiment om het gewicht ervan te meten: het was een simpel experiment, een systeem van weegschalen om gewichtsverlies te meten en instrumenten om elektromagnetische activiteit te meten. Tot mijn verbazing doet Katherine Solomon, de wetenschappelijke heldin in het boek van Brown, hetzelfde. Met behulp van fictie slaagt zij daarin. Ik slaagde er niet in, natuurlijk.

De belangrijkste boodschap van *Het Verloren Symbool* is dat wij mensen als goden zijn: wij bezitten onaangeboorde krachten, verborgen in onze geest. Brown schept een hoopvolle visie op de toekomst, waarin God alleen maar 'een symbool is van ons onbeperkte menselijke potentieel' en dit symbool, dat door de tijd heen verloren is gegaan, op het punt staat herontdekt te worden: de wijsheid der eeuwen. Om dit potentieel te realiseren is het een vereiste dat onze geesten uiteindelijk met elkaar in contact komen. Zoals Katherine betoogt heeft elke geest het vermogen om een interactie met materie aan te gaan. Maar de kracht in elk individu is klein en komt pas na veel oefening tevoorschijn. (Lezers die aan yoga doen of een instrument bespelen, weten hoe moeilijk het is die beheersing te bereiken.) Maar zodra dat gebeurt en steeds meer geesten zich bij elkaar aansluiten, zal 'uit velen, één worden' en zou er een positieve verandering in de wereld kunnen plaatsvinden.

Het boek van Brown is zelf een symbool, een symbool van zijn (zeer nobele) geloof in ons vermogen om de loop van de geschiedenis te wijzigen, om de wereld te veranderen. Hopelijk zal het boek miljoenen mensen inspireren om hun best te doen. Ik weet zeker dat dat de bedoeling van Brown was toen hij het schreef, hoewel hij er bij monde van een bezorgde Robert Langdon op wijst dat elke nieuwe wetenschappelijke ontdekking ten goede én ten kwade kan worden aangewend. Zoals in HVS wordt beschreven, had gedurende de Koude Oorlog zowel de CIA als de KGB grote belangstelling voor onderzoek naar de mogelijkheid van interactie tussen de menselijke geest en materie. Persoonlijk hoop ik dat het boek geen opleving betekent van oplichters die beweren dat ze telekinetische krachten bezitten, zoals Uri Geller en talloze anderen in het verleden hebben gedaan. Ik wil er heel duidelijk op wijzen dat er geen greintje geloofwaardig bewijs is dat dergelijke beweringen ondersteunt. Als de menselijke geest fysieke invloed op materie kan uitoefenen, dan is dat via doordachte handelingen tot verbetering (en treurig genoeg tot vernietiging) van ons leven en dat van anderen.

Er is een andere, wat realistischere manier om te beschouwen hoe de moderne wetenschap ons kan inspireren ons best te doen. Hoewel het binnen dezelfde symbolische categorie valt als Browns 'uit velen, één', is het gebaseerd op een concretere stelling, die ik uiteenzet in *A Tear at the Edge of Creation: Searching for the Meaning of Life in an Imperfect Cosmos*. Gedurende de afgelopen decennia hebben we ontzettend veel geleerd over de oorsprong van het leven op aarde en de mogelijkheid van leven elders in de kosmos. We zijn naar naburige werelden in ons zonnestelsel gereisd, gretig op zoek naar gezelschap, en troffen daar slechts onherbergzame, onvriendelijke gebieden aan. Als er leven bestaat onder de oppervlakte van Mars of in de onderzeese oceanen van Jupiters maan Europa, zal het beslist zeer primitief zijn. Hoe meer we de kosmos onderzoeken, hoe meer we gaan begrijpen dat er ergens in die verre werelden simpele levensvormen zouden kunnen bestaan. Maar we komen er ook achter dat de complexiteit van het leven dat we op aarde aantreffen, haar tot een zeldzaam kleinood maken, een oase die kwetsbaar in de lege ruimte zweeft.

Onderzoek naar het verleden van de aarde wijst op een alarmerend feit: wij zijn het product van een reeks ecologische ongelukjes die een grote invloed hebben gehad op de evolutie van het leven. Als deze reeks anders was verlopen, waren wij hier niet geweest. Als gevolg daarvan is het werkelijk mazzel geweest dat we uit simpele eencellige organismen zijn geëvolueerd tot complete meercellige organismen en uiteindelijk tot denkende wezens. Bovendien: zelfs als er andere denkende wezens in de kosmos zijn, zijn ze zo ver weg dat ze in praktische zin net zo goed niet hadden kunnen bestaan. Hoe vaak mensen ook beweren dat ze een ufo hebben gezien, er zijn hier geen buitenaardse wezens geweest en ze zijn zeker niet de oorsprong van de wijsheid der eeuwen; wij hebben de piramides zelf gebouwd, met behulp van onze geweldige inventiviteit. Wij zijn kostbaar omdat we zeldzaam zijn: zo bezien zijn wij, als de enige schepselen met het vermogen tot zelfbewustzijn en in staat tot verbazingwekkende technologische hoogstandjes, inderdaad als goden.

Onze kosmische eenzaamheid legt de mensheid een nieuwe richtlijn op: om het leven te behouden en de wereld die we hebben te beschermen. Ons bewustzijn van leven en dood, van liefde en verlies is ons sterkste wapen tegen collectieve veronachtzaming. De moderne wetenschap bevestigt dat we alleen een kans hebben als we als één geheel strijden om ons planetaire tehuis te redden. Alleen dan zullen de velen één worden en zullen we ons ware menselijke potentieel verwezenlijken, namelijk ons te verheugen in onze kennis van de wereld en daardoor één te worden met de kosmos.

Wetenschap vereist dat je uit je mentale cocon stapt

een interview met George Johnson

Dan Brown opent *Het Verloren Symbool* met de opmerking: 'Alle rituelen, wetenschap, kunstwerken en monumenten in dit boek bestaan echt.' Maar hoe echt is de wetenschap? Mogen de lezers datgene wat Brown hun in dit boek voorschotelt voor waar aannemen?

Om deze kwestie te bespreken wendden wij ons tot George Johnson, de bekende wetenschapsjournalist die schrijft voor *The New York Times* en medegastheer is van *Science Saturday* op www.bloggingheads.tv. Hij heeft boeken op zijn naam staan als *The Ten Most Beautiful Experiments*, over de mensen achter grote wetenschappelijke momenten, *Fire in the Mind: Science, Faith, and the Search for Order* en *Architects of Fear: Conspiracy Theories and Paranoia in American Politics*. Johnsons diepgaande kennis op het gebied van wetenschap, het verband tussen wetenschap en geloof en het ontstaan van complottheorieën maakt hem tot een buitengewoon geschikt persoon om commentaar te leveren op het waarheidsgehalte van wat Dan Brown in *Het Verloren Symbool* over deze thema's te zeggen heeft.

Het Verloren Symbool associeert de vrijmetselaars geregeld met 'esoterische tradities' en het gebruik van symbolen die teruggaan tot de Rozenkruisers, maar hij mijdt de connecties die 'de broeders' al dan niet hebben gehad met verschillende samenzweringen – de Illuminati, bijvoorbeeld – die parallel lopen met hun geschiedenis. Vindt u dat vreemd?

De vrijmetselaars hebben lang de legende in stand gehouden dat hun organisatie afstamt van een oud gilde van steenhouwers – die van alles hebben gebouwd, van de Egyptische piramides tot de kastelen in het middeleeuwse Europa – en dat deze broederschappen in het bezit waren van een soort esoterische kennis. Misschien dat de oorspronkelijke steenhouwers alleen maar beroepsgeheimen beschermden, zoals hoe je een beitel moest vasthouden, maar er is wild gespeculeerd over de aard van hun kennis. De vrijmetselaars nodigen daar zelf toe uit met rituelen die de indruk wekken dat ze veel waardering hebben voor andere oude genootschappen zoals de Rozenkruisers en de tempeliers. Maar de praalvertoningen op zich betekenen niet dat die banden werkelijk bestaan.

In de achttiende eeuw leken de geheimen die in de vrijmetselaarsloges werden beschermd, op iets wat seculier humanisme genoemd wordt – het idee dat waarheden worden ontdekt door het vrije menselijke denken, en niet van bovenaf worden opgelegd door de een of andere kerkelijke autoriteit. De vrijmetselaars en gelijksoortige ondergrondse genootschappen, zoals de Beierse Illuminati, geloofden dat scepsis nobel is, niet ketters. Dat dingen met een reden gebeuren, niet door een bovennatuurlijk besluit. Dat zijn de idealen van de verlichting. Geen wonder dat Jefferson en Franklin zich tot de beweging aangetrokken voelden.

Secularisatie was voor de gevestigde orde even bedreigend als de uitdagingen die eerder in de geschiedenis waren gevormd door afvalligen als de gnostici en de katharen. Door een vreemd soort symbiose ontstond er een interactie tussen de non-conformistische geest van vrijdenkers zoals de vrijmetselaars en de paranoïde angsten van de gevestigde orde, die aanleiding gaf tot de fantasie van een oeroude, voortdurende strijd tussen licht en duisternis. Dit is een thema dat diep in de menselijke psyche zit. Het resoneert met ons brein. En het helpt boeken te verkopen.

Vooral die veronderstelde band tussen de vrijmetselaars en de Rozenkruisers schijnt een rijke bron te zijn voor aanhangers van complottheorieën.
De legende begon in de zeventiende eeuw, toen er in Europa manifesten verschenen waarin werd beweerd dat ze waren geschreven door een geheim genootschap van mystici en filosofen dat de Orde van het Rozenkruis heette. Deze documenten van de Rozenkruisers kunnen best een mystificatie zijn, maar sommige historici denken dat ze een inspiratie hebben gevormd voor het oprichten van het Invisible College, een voorloper van de Royal Society of London – de meest vooraanstaande organisatie in Europa die zich bezighield met wetenschappelijk onderzoek. De vrijmetselaars gaven de Rozenkruisers ook een plek in hun legenden en rituelen – er bestaat een maçonnieke inwijdingsgraad die 'Ridder van het Rozenkruis' heet. Maar nogmaals, dat wil niet zegen dat er een werkelijke link tussen die twee groeperingen bestond – behalve dan in de hoofden van de vrijmetselaars en van aanhangers van complottheorieën.

U hebt geschreven over de 'safe houses' die bescherming boden aan 'heren [vrijmetselaars] die geïnteresseerd waren in nieuwe ideeën'. Deze ideeën vertegenwoordigden 'de toen dunne scheidslijn tussen de harde wetenschap en

datgene wat wij nu afdoen als het occulte'. Het schijnt dat Dan Brown die lijn wil laten vervagen, zelfs laten verdwijnen. Wat vindt u daarvan?
Dat is het meest fascinerende van dit hele onderwerp. In de achttiende en zelfs in de negentiende eeuw was die lijn tussen wat wel en wat niet als wetenschap werd aanvaard, niet zo scherp getrokken. Wetenschappers als Michael Faraday lieten zien dat een elektrische stroom die door een metalen draad liep een kompasnaald kon laten bewegen. Als je een ijzeren spijker met metaaldraad omwikkelt en aan één uiteinde een stuk koper bevestigt en aan het andere een stuk zink, en beide metalen in een mild zure oplossing onderdompelt, wordt de spijker een magneet. Als je twee zulke spoelen bij elkaar houdt zonder dat ze elkaar raken, zal de ene de andere via onzichtbare golven beïnvloeden. Wat kon er magischer zijn? Later wekte William Crookes door middel van elektriciteit geheimzinnige stralen op in een vacuümbuis. Hij dacht dat hij ectoplasma zag. Hij en andere natuurkundigen van die tijd liefhebberden met seances en spiritisme. Maar langzaam scheidde de wetenschappelijke methode zin van onzin. Hoewel, onzin verdwijnt nooit, zoals blijkt uit *Het Verloren Symbool.*

En ook niet het gevoel van wantrouwen rond de vrijmetselaars, zelfs in een boek waarin ze zo respectvol worden behandeld. Tegen het eind van het boek suggereert Brown dat het vertonen van een video met daarop prominente wetgevers tijdens een vrijmetselaarsritueel een rampzalig effect zou hebben op de democratie. Denk u dat dat werkelijk het geval zou zijn?
Het is echt nogal komisch, dat een directeur van het Office of Security van de CIA tegen de wet onschuldige mensen vasthoudt onder bedreiging van vuurwapens, alleen om te voorkomen dat een video uitlekt waarin een paar senatoren en andere hoge regeringsfunctionarissen een toneelstukje opvoeren in de plaatselijke vrijmetselaarsloge. In het echte leven zou Sarah Palin die onthullingen vermoedelijk wel aangrijpen als bewijs van satanisme en gastheren van rechtse radiotalkshows zouden helemaal gek worden. Maar een bedreiging van de democratie? Vast niet.

De andere belangrijke gedachte is dat de geheimen die Katherine Solomon via haar experimenten in de 'noëtische wetenschap' heeft verkregen en op het punt staat te onthullen, de wereld zullen veranderen. Wat is uw standpunt ten aanzien van de 'noëtische wetenschap'?
Al vroeg in het boek (in hoofdstuk 18) doet Katherine een aankondiging die dramatisch bedoeld is: 'Stel dat ik je zou vertellen dat een gedachte een werkelijk bestaand díng is, een meetbare eenheid, met een meetbare massa?' Ja, en wat dan nog? Gedachten zijn patronen van elektrochemische stroomstootjes in het brein. Ze zijn van materie gemaakt: ionen en mole-

culen. Natuurlijk hebben ze massa. En natuurlijk kan een gedachte de wereld veranderen. Je kunt de atoombom uitvinden, Irak de oorlog verklaren, of gewoon in een opwelling besluiten een steen op te pakken en door een raam te gooien.

De noëtische wetenschap, althans, zoals ze in het boek wordt omschreven, beweert iets radicalers: dat de geest op de een of andere manier apart staat van het brein – filosofen noemen dit 'substantiedualisme' – en krachten bezit die de krachten die in de natuurkunde bekend zijn, overstijgen. Als je je heel erg concentreert kun je met gedachten alleen materie verplaatsen. Dat leverde een geweldige plot op in *Carrie* van Stephen King. Maar dat verschijnsel – telekinese – is niet echt en blijft niet overeind bij zorgvuldig wetenschappelijk onderzoek. In het boek krijgen we nooit erg veel te horen over Katherines experimenten. Maar erg ver kan ze niet gekomen zijn, anders had ze zich wel uit de klauwen van die griezelige vent vol illustraties kunnen wegwensen.

Het Verloren Symbool is fictie, dus de auteur kan alles bedenken wat hij wil. Maar aan het begin van het boek schrijft hij: 'Alle rituelen, wetenschap, kunstwerken en monumenten in dit boek bestaan echt.' Op het punt van de wetenschap verbreekt hij dat verbond met de lezer telkens opnieuw. Ons wordt gezegd dat het 'categorisch bewezen is dat doelgericht menselijk denken een fysieke massa kan beïnvloeden en veranderen' (hoofdstuk 15). Brown beweert werkelijk dat psychokinese een gevestigde wetenschap is. In zo'n experiment wordt bijvoorbeeld aan menselijke proefpersonen gevraagd zich heel sterk te concentreren en te proberen de output van een random event generator te beïnvloeden – zoiets als proberen een munt vaker met kop dan met munt naar boven te laten neerkomen. *Orde uit chaos!* Maar in het ene experiment na het andere bleken de afwijkingen van de norm zo gering te zijn, dat alleen mensen die toch al geneigd zijn om in psychische vermogens te geloven, ervan onder de indruk zijn. Zelfs als de afwijkingen van de willekeur meer zijn dan alleen experimentele ruis, is het onmogelijk om andere, alledaagsere verklaringen uit te sluiten. Pure random uitkomsten zijn moeilijk te creëren. De munt of de dobbelsteen zou oneffen kunnen zijn. Een elektronische machine die willekeurige getallen genereert kan op een subtiele manier afwijken.

Brown overdrijft ook de vooruitgang die de supersnaartheorie heeft geboekt om een gevestigde wetenschap te worden. Hij zegt dat het idee dat het universum tien dimensies heeft, is gebaseerd 'op de meest recente wetenschappelijke observaties' (hoofdstuk 15). Maar dat is niet zo. Het is een fascinerende theorie en een indrukwekkende wiskundige prestatie, maar ze is zuiver speculatief en bevindt zich enigszins in een crisis, omdat ze niet experimenteel getoetst kan worden. Elders in het boek worden we er goedgelovig over geïnformeerd dat een newagebijgeloof, Harmonische Convergentie genaamd, een onderwerp van serieuze beschouwing is bij kosmologen (hoofdstuk 111) en dat verschijnselen die door Einstein zijn ontdekt en die op de een of andere manier iets te maken hebben met healing op afstand, kennelijk al profetisch waren aangekondigd in sjamanistische teksten.

Het is kenmerkend voor complottheorieën dat stukjes historische waarheid – er wás een organisatie in Beieren die de Illuminati werd genoemd en ze hébben tot op zekere hoogte banden gehad met de Franse vrijmetselarij – uit hun context worden gerukt en worden verweven met fantasieën. Dat is de manier waarop Brown met wetenschap omgaat. Het is waar wat hij in hoofdstuk 78 schrijft, dat de CIA geld stak in experimenten op het gebied van 'zien op afstand'. Wat hij er niet bij zegt, is dat de experimenten mislukt zijn. Het is waar dat neurowetenschappers de hersenen van yogi's hebben gescand om te zien welke delen van de cortex oplichtten. Maar ze hebben niet ontdekt dat in mediterende breinen 'de pijnappelklier een wasachtige substantie [afscheidt die] beschikt over ongelooflijke helende vermogens' (hoofdstuk 133). 'We hebben het hier over echte wetenschap, Robert,' zegt Katherine. In werkelijkheid is het niet eens goede sciencefiction.

Nogmaals, het is maar een leesboek. Maar bij een heleboel lezers neemt de wetenschappelijke kennis weer een stukje af.

Brown suggereert zelfs dat de verbinding tussen wetenschap en spiritualiteit invloed heeft gehad op de Founding Fathers, en neemt daarvoor Benjamin Franklin als voorbeeld. Heeft het geloof in die verbinding werkelijk het politieke denken van die tijd beïnvloed?
In één woord, nee. Franklin was niet bijzonder religieus of spiritueel. Hij was een rationalist en werd net als andere leiders van de Amerikaanse zaak geïnspireerd door filosofen van de verlichting – Locke, Rousseau, Montesquieu. Zij hadden het niet over het zoeken naar verbanden tussen wetenschap en mystiek, maar over de idealen van de democratie en de rechten van de mens, hoe ze een machtsevenwicht en een solide regering konden opbouwen.

De ondertitel van uw boek Fire in the Mind *luidt* Science, Faith and the Search for Order. *Dit sluit rechtstreeks aan op de thema's waar Dan Brown in* Het Verloren Symbool *mee speelt. Kunt u hier nog iets meer over zeggen wat van toepassing zou kunnen zijn op het boek?*
Wetenschap, theologie en zelfs complottheorieën worden aangedreven door hetzelfde fenomeen: de dwang van de hersenen om orde te schep-

pen – of orde op te leggen, als deze eigenlijk niet voorhanden is. Een belangrijk thema in *Fire in the Mind* is het dilemma waar de mens voor geplaatst wordt, doordat hij nooit weet of de orde die hij ziet echt is of bedacht. De wetenschap is veel beter in staat om dat onderscheid te maken dan religie. Een theologie of een complottheorie wordt als 'correct' aanvaard zolang die intern consequent is. In de wetenschap wordt er van je verlangd dat je uit je mentale cocon stapt en elk idee aan een realiteitstoets onderwerpt – een wetenschappelijk experiment.

Dat is een heel goed punt. Maar hoewel je eenvoudig kunt argumenteren dat de 'noëtische wetenschap' er niet in is geslaagd iets te bewijzen met de 'bewijzen' die ze biedt, wordt in HVS gesuggereerd dat wetenschappelijk bewijsmateriaal voor het bestaan van de ziel en de kracht van de geest over de materie het leven zoals we dat nu kennen, dramatisch zou veranderen. Hoe waar denkt u dat dat is?

Als na alle mislukkingen en gênante resultaten van het parapsychologisch onderzoek ooit aangetoond zal worden dat psychische krachten bestaan, dan zou dat zeker de wetenschap op haar grondvesten doen schudden. Wellicht zou blijken dat de geest iets meer is dan patronen van energie en materie. 'De geest in de machine' zou echt bestaan. En zodra ze de schok verwerkt zouden hebben, zouden de wetenschappers opgewondener zijn dan wie dan ook. Want dan zouden ze nieuwe gebieden hebben om te onderzoeken.

Interview: Lou Aronica

6

Gij zijt goden van de nieuwe tijd

De energie die alles in het universum met elkaar verbindt

een interview met Lynne McTaggart

Katherine Solomon blijkt meer te zijn dan een fictief personage. Eigenlijk is zij een samenraapsel van verschillende, werkelijk bestaande personen. Bij het scheppen van Katherine heeft Dan Brown misschien wel het meest ontleend aan de deskundigheid van schrijfster Lynne McTaggart. In *Het veld* doet zij verslag van de pogingen van een aantal onderzoekers in de grenswetenschappen om te bewijzen dat er een energieveld bestaat dat alles in het universum met elkaar verbindt. In 2007 publiceerde zij *Het intentie-experiment*, waarin ze ons vertelt over haar samenwerking met wetenschappers om onderzoek te doen naar gedachtekracht. Dit onderzoek lijkt erg op het werk dat Katherine Solomon doet. 'Stel dat een groepsgedachte iemand op afstand kan genezen?' schreef Lynne in een recent weblog van *The Huffington Post*. 'Het lijkt een beetje alsof je vraagt: stel dat een gedachte de wereld zou kunnen genezen? Die vraag is extreem, maar het belangrijkste van wetenschappelijk onderzoek is simpelweg de bereidheid zulke vragen te stellen.'

Wij spraken met Lynne McTaggart om haar te vragen hoe het is om een personage in een roman te worden, wat zij ervan vindt dat Dan Brown de aandacht heeft gevestigd op de noëtica, hoe accuraat het is wat hij schrijft, en hoe zij reageert op een weinig ontvankelijke gevestigde wetenschappelijke orde.

Hebt u met Dan Brown gecommuniceerd voordat het boek werd gepubliceerd?
Nee, absoluut niet. Het boek kwam als een volslagen verrassing. Toen ik er voor het eerst over hoorde, was ik verdiept in het schrijven van mijn nieuwe boek. Mijn uitgever stuurde me een e-mail met een boodschap die ongeveer luidde: 'Jij komt voor in *Het Verloren Symbool*.' Ik wist niet wat *Het Verloren Symbool* was. Ik dacht dat iemand een boek had geschreven met commentaren op *Het intentie-experiment*. Ik moest googelen om er-

achter te komen wat *Het Verloren Symbool* was. Toen ik ontdekte dat het het nieuwe boek van Dan Brown was en ik van de verbazing was bekomen, holde ik naar de telefoon om mijn man te bellen en te zeggen dat hij een exemplaar moest kopen. Het was onwerkelijk. Je verwacht wel dat je werk een zekere mate van publiciteit genereert, maar niet dat die publiciteit voortkomt uit een kaskraker. Ik ben een week lang een beetje verbijsterd geweest.

Hoe goed is hij met de feiten omgesprongen?
Het was grappig om te zien hoe hij een soort malle lappendeken had gemaakt van zijn beschrijving van Katherine Solomon en het terrein waarop zij bezig is. Hij is heel trouw gebleven aan de details. Alle instrumenten die Katherine gebruikt zijn gebaseerd op apparatuur die bestaat. Ze gebruikt random event generators: die zijn uitgevonden door de natuurkundige Helmut Schmidt om de invloed van gedachten op elektronische apparatuur uit te testen, en ze zijn onder meer bekend doordat Robert Jahn, de voormalige decaan van de afdeling technische wetenschappen aan de universiteit van Princeton, ze heeft toegepast in zijn PEAR-programma (Princeton Engineering Anomalies Research). Ze gebruikt CCD-camera's om het licht vast te leggen dat uit de handen van healers komt. Psycholoog Gary Schwartz van de universiteit van Arizona, een van mijn partners bij het intentie-experiment, heeft dat ook gedaan. We zijn net klaar met een intentie-experiment met zuiver water, waarbij we gelijksoortige instrumenten gebruiken. Katherine doet experimenten met het laten groeien van zaden. Wij hebben voedselgewassen sneller laten groeien en zaden hoger laten spruiten met gedachtekracht. Ik heb dat experiment samen met professor Schwartz uitgevoerd en het zes keer herhaald. Katherines experimenten met het versterkende effect van groepsintentie is ook voor een groot deel aan ons werk ontleend. Zelfs de Kubus, die Katherine als haar laboratorium gebruikt, lijkt op de speciale experimentele unit die Marilyn Schlitz, voorzitter van het Institute of Noetic Sciences (IONS), en Dean Radin, het hoofd van de onderzoeksafdeling daar, hebben gebruikt.

Je zou slechts van een paar kleine details met betrekking tot de noëtische wetenschap in *Het Verloren Symbool* kunnen zeggen dat ze de grenzen van wat nu mogelijk is oprekken. Van Katherines Kubus-lab wordt bijvoorbeeld gezegd dat het in staat is gedachten te blokkeren. Gedachten blijken ongevoelig te zijn voor de meeste barrières of afstanden. En de afscherming tegen elektrische straling rond de ruimte in het lab van het IONS houdt de effecten van intentie niet buiten. Desalniettemin blijkt er in experimenten met kamers met speciale magnetische afscherming wel invloed te zijn op het vermogen van healers om genezende gedachten naar anderen te sturen.

Wat voor impact heeft deze enorme bestseller op de aandacht voor de noëtische wetenschap?
Een gigantische impact. Als ik afga op mijn eigen ervaring: de verkoop van mijn boeken in de Verenigde Staten is met driehonderd procent toegenomen en het bezoekersaantal aan onze Intention Experiment-website (www.theintentionexperiment.com) is verviervoudigd. Op het moment dat dit geschreven wordt is *Het Verloren Symbool* nog niet eens buiten de Engelstalige wereld gepubliceerd. Zodra dat gebeurt, zal de verkoop van mijn boeken in andere talen ook groeien, neem ik aan. De enige van ons team die niet zo gecharmeerd is van Dan Brown is onze webmaster, omdat we misschien plotseling een veel grotere server nodig zullen hebben om intentie-experimenten uit te voeren.

Is de noëtica legitiem geworden, nu het zo'n groot thema is in Het Verloren Symbool?
Doordat een degelijke grenswetenschap in zo'n grote bestseller is opgenomen, worden deze ideeën zeker bij een groot publiek onder de aandacht gebracht. Als de belangstelling eenmaal is gewekt, kan men via mijn boeken en het werk van vele wetenschappers ontdekken hoeveel ondersteunend bewijs er is voor dingen die op het eerste oog fantasie lijken te zijn. Er is daardoor ook een heleboel aandacht gekomen voor de term 'noëtische wetenschap', die volgens mij is bedacht door de vroegere astronaut Edgar Mitchell, die het Institute of Noetic Sciences heeft opgericht. De meeste wetenschappers die zich bezighouden met het bestuderen van gedachtekracht beschouwen deze wetenschap over het algemeen als onderzoek naar het bewustzijn. Hun werk suggereert dat de geest op een buitenzintuiglijke manier informatie kan ontvangen en dat dat effect kan hebben op de fysieke wereld. Daaronder valt ook *mind over matter*: de kracht van de gedachte – of intentie – om de wereld te beïnvloeden en te veranderen.

Het boek lijkt zeer hoopvol en fijngevoelig te zijn. Komt het op u ook zo over?
Ik vind het heel hoopvol. Dan Brown signaleert een nieuwe tijd die de macht terugbrengt bij het individu. Lange tijd hebben we de opvatting gehuldigd dat het universum bestaat uit een heleboel afgescheiden entiteiten die zich door de ruimte spoeden, en dat menselijke wezens in essentie een eenzaam volkje zijn op een eenzame planeet in een eenzaam universum. Dan Brown komt sterk op voor het idee dat wij onze eigen

wereld creëren en dat we haar ten goede kunnen beïnvloeden. Dat is wat Katherine Solomon doet. Ze is erg idealistisch – een vrouw naar mijn hart – en ze spreekt van een tweede periode van verlichting, waarin we eindelijk inzien dat wij de meesters over ons lot zijn en dat wij onze werkelijkheid scheppen. Katherine gelooft dat de kracht van de gedachte het vermogen bezit de materie te veranderen. Het idee dat wij medescheppers zijn van onze wereld is uiteindelijk een buitengewoon optimistische boodschap.

In het boek beweert Katherine dat ze op het punt staat een aanzienlijke wetenschappelijke doorbraak te bereiken. Hoe dicht zijn we volgens u bij een dergelijke doorbraak?
Tja, ik denk dat zij een stukje verder is dan wij in het intentie-experiment, dat is wel zeker. We zetten op dit moment onze eerste babystapjes in onze pogingen het effect van massale intentie te bewijzen. Ik heb met onze onderzoekers 19 intentie-experimenten uitgevoerd. 16 daarvan hebben significante positieve resultaten laten zien, van het sneller laten groeien van voedselgewassen tot het veranderen van de essentiële eigenschappen van water, en zelfs het verminderen van geweld. Het schenkt voldoening te zien dat de experimenten de verbeelding van het publiek aanspreken, waardoor duizenden deelnemers uit negentig landen op alle continenten behalve Antarctica zich ertoe aangetrokken voelen de website van het intentie-experiment te bezoeken en onze instructies op te volgen om op hetzelfde moment dezelfde gedachte naar een doelpersoon te zenden die duizenden mijlen ver weg in een laboratorium zit.

Ik had het intentie-experiment opgezet uit frustratie. Toen ik voor mijn boek de kracht van de intentie bestudeerde, was ik vooral geïnteresseerd in de kracht van de groepsgedachte en de mogelijkheid dat die het effect van individueel gegenereerde intentie kon versterken. Hiervoor vond ik een heleboel aanlokkelijk bewijsmateriaal, maar niets daarvan was doorslaggevend. Op een avond zei mijn man tegen mij: 'Waarom ga jij die experimenten niet zelf doen?' Dat klonk me belachelijk in de oren; ik ben immers geen wetenschappelijk onderzoeker en had sinds de biologielessen in de vierde klas van de middelbare school geen experimenten meer gedaan. Maar ik besefte dat ik me in een unieke positie bevond, omdat ik wereldwijd een heleboel lezers heb – mijn boeken zijn in twintig talen vertaald – en die lezers konden potentieel een enorme experimentele groep leveren waar de meeste wetenschappers niet over beschikken. Mijn voornaamste rol in het intentie-experiment is wetenschappers aan te trekken die willen meewerken om experimenten te ontwerpen waarin de kracht van de groepsgedachte wordt getoetst bij het genezen van bepaalde aspecten van wereldwijde problematiek. Als schrijfster probeer ik dit belangrijke werk onder de aandacht te brengen en de gecompliceerde ideeën over deze randwetenschap en deze experimenten duidelijk te maken op een manier die voor de leek begrijpelijk is.

Toen we begonnen, wilde ik onmiddellijk uittesten of wij iets konden doen om de hele waslijst van lijden op de planeet te verlichten. Laten we slachtoffers van kanker redden, laten we mensen redden die doodgaan van de honger, dacht ik. Toen professor Schwartz genereus instemde om samen met mij experimenten uit te voeren, zei hij: 'Laten we beginnen met een blaadje.' Ik was echt ontmoedigd. 'Een blaadje?' zei ik. 'Daar zal de wereldgeest niet warm of koud van worden.' Hij zei: 'Wij proberen iets te doen wat nog nooit eerder is gedaan. We moeten eenvoudig beginnen.' Dus begonnen we daarmee en de resultaten zijn verbluffend. Iedereen die aan dit project meedeed, stond versteld. Als je een wetenschappelijk experiment één keer doet is het een demonstratie. Als je het zes keer kunt herhalen wordt het al iets overtuigender. De resultaten van onze verschillende experimenten zijn beschikbaar op de website van het intentie-experiment. De mensen kunnen daar ook informatie vinden over hoe ze aan onze wereldwijde experimenten kunnen deelnemen.

Een van de dingen waar Het Verloren Symbool *op wijst, is dat alles wat we moeten weten er al is, dat men die geheimen lang geleden in de oudheid al heeft ontdekt, maar dat de kennis door de geschiedenis en door andere belangen ondergesneeuwd is geraakt. Bent u het met die waarneming eens?*
Ik denk dat de wetenschap nu bewijst wat de mensen in de oudheid al betoogden. Het geloof in gedachtekracht is niets nieuws; wat nieuw is, is de wetenschappelijke verklaring ervoor. Andere ideeën uit de grenswetenschappen zijn in veel culturen ook niet revolutionair. Alleen in het westen denkt men dat we op zichzelf staande entiteiten zijn, die zich niet verder uitstrekken dan de haartjes op onze huid. Veel andere culturen in het verleden en in het heden zien de wereld niet zo.

Als een wetenschapper – een werkelijk bestaande Katherine Solomon – in staat zou zijn het onweerlegbare bewijs te leveren voor deze ontdekkingen, wat voor impact zou dat dan op de wereld hebben?
Wetenschappers leveren nu al onweerlegbare bewijzen. Er zijn heel veel onderzoeken gedaan die aantonen dat een gedachte effect kan hebben op alles van machines en apparatuur tot cellen en zelfs volledige organismen zoals menselijke wezens. Het probleem is dat de wetenschap op dit moment wordt geregeerd door fundamentalistische wetenschappers, die alles wat buiten de aanvaarde paradigma's valt als wetenschappelijk geknoei

beschouwen. Aan het front van de wetenschap worden altijd onmogelijke vragen gesteld. Kan ik een groot, zwaar voorwerp laten vliegen? Val ik over de rand als ik aan het einde van de wereld kom? Dergelijke vragen stuwen de wetenschap voort; als we geen onmogelijke vragen hadden, zouden we nooit vooruitgang boeken.

Maar op dit moment geloven een heleboel wetenschappers – zoals bijvoorbeeld de neodarwinisten – dat de wetenschappelijke ontdekkingen van een paar eeuwen geleden ons alle antwoorden al hebben geleverd. Ze zijn niet bereid te erkennen dat wetenschap een verhaal is. Iemand schrijft een hoofdstuk en dat heeft een tijdlang zijn waarde. Vervolgens herschrijft iemand die hoofdstukken en voegt hij of zij er nieuwe aan toe. We moeten inzien dat het een voortgaand proces is. De ontdekkingen die door de werkelijk bestaande Katherine Solomons worden gedaan, scheppen een nieuw paradigma. Ze zullen geaccepteerd worden, maar waarschijnlijk pas over een generatie of zo, omdat dat nu eenmaal zo gaat aan de grens van de wetenschap. De meeste ontdekkingen waarover ik in *Het veld* heb geschreven, zijn dertig jaar geleden gedaan en het zal nog twintig jaar duren voor ze geaccepteerd zijn.

Dus de weerstand die we nu zien is niets nieuws?
Grenswetenschappers en werkelijk baanbrekende onderzoekers in allerlei gebieden zijn altijd als ketters behandeld. Ik denk dat wat conventionele wetenschappers het meest bedreigend aan deze ideeën vinden, is dat ze onze aanvaarde modellen van hoe de dingen in elkaar zitten op hun kop zetten. Ons centrale uitgangspunt, dat bewustzijn materie beïnvloedt, vormt precies de kern van een onverzoenlijk verschil tussen het wereldbeeld dat de klassieke natuurkunde, de wetenschap van de grote, zichtbare wereld, ons biedt, en dat van de quantumfysica, de wetenschap van de allerkleinste componenten van de wereld. De ontdekkingen die worden gedaan in het onderzoek naar het bewustzijn leveren het overtuigende bewijs dat alle materie in het universum bestaat binnen een web van onderlinge verbanden en continue beïnvloeding. Dit zet veel van wat de conventionele wetenschap nu als de wetten van het universum beschouwt, opzij. De wereld is een stuk gecompliceerder dan we ooit dachten en verschilt fundamenteel van het ordelijke universum in de traditionele newtoniaanse wetenschap.

Dankzij Het Verloren Symbool *staat de blogosfeer roodgloeiend van allerlei discussies over noëtica. Een deel daarvan is zeer afwijzend. Hoe luidt uw antwoord op critici die zeggen dat de methoden die u en anderen op dit gebied hanteren, niet wetenschappelijk onderbouwd zijn?*

Ik zou tegen hen zeggen dat ze niet hebben gekeken naar de enorme hoeveelheid onderzoek die er op dit gebied is gedaan. Veel critici hebben er een gevestigd belang bij het onderzoek naar het bewustzijn te hekelen, omdat ze zich hebben verbonden aan een zeer comfortabel paradigma, en daar mag niet aan gesleuteld worden. Sommige hebben hun hele carrière aan dit wereldbeeld opgehangen.

Onze intentie-experimenten zijn niet gewoon gecontroleerd. De controles worden ook weer gecontroleerd. De wetenschappers die betrokken zijn bij het onderzoek naar het bewustzijn zijn geen randwetenschappers. Het zijn academici van Princeton, Stanford, van de universiteiten van Californië, van Arizona, van Edinburgh, enzovoort, mensen met prestige dus. Dit zijn topnatuurkundigen, -biologen, -ingenieurs en -psychologen. Het enige verschil tussen hen en de conventionele wetenschappers is dat ze hun geest openstellen.

Het onderzoek naar het bewustzijn is niet alleen maar stof voor fictieve verhalen. Met elke onorthodoxe vraag en met elk onwaarschijnlijk antwoord herscheppen de beoefenaars van de grenswetenschappen, zoals de mensen die in mijn boek – en nu ook in dat van Dan Brown – worden opgevoerd, de wereld.

Interview: Lou Aronica

Noëtica

De schakel tussen de moderne wetenschap en oude mystiek?

door Lou Aronica

In zijn eerste boek over Robert Langdon, *Het Bernini Mysterie*, behandelde Dan Brown de gespannen verhoudingen tussen wetenschap en religie, die in de geschiedenis begonnen met het conflict tussen Galilei en het Vaticaan. Hij suggereerde dat er, om met Stephen Jay Gould te spreken, twee heerschappijen bestaan die elkaar niet overlappen: de kerk van de wetenschap (het geavanceerde natuurkundelaboratorium van CERN in Genève) en de religieuze kerk (de Sint-Pietersbasiliek). Toch waren er aanwijzingen dat Dan Brown nadacht over een grote verzoening. Eén daarvan was een exemplaar van Fritjof Capra's boek *De tao van fysica*, een werkelijk bestaand boek, dat in de boekenkast van het fictieve personage Leonardo Vetra tussen nog vier andere boeken staat die het hele spectrum van het debat tussen wetenschap en religie bestrijken. Capra beargumenteert dat de mensheid zowel de fysica als de oosterse mystiek nodig heeft.

Zeven jaar later is het duidelijk dat Dan Brown in *Het Verloren Symbool* dit standpunt in zijn geheel heeft overgenomen en daarvoor de noëtische wetenschap als voertuig gebruikt. (Hier zet Brown ook zijn traditie voort om werkelijk bestaande boeken en personen op te voeren. In *HVS* wordt onder verwijzing naar *De dansende Woe-li meesters* gemijmerd over de mogelijkheden van de wetenschap om ons denken te veranderen, en is er een huldeblijk aan twee van de bekendste voorstanders van de noëtica, Lynne McTaggart en Marilyn Mandala Schlitz. Van de eerste is een bijdrage in dit hoofdstuk opgenomen.)

De noëtische wetenschap heeft voorvechters, maar ook meer dan genoeg critici, onder wie veel 'harde' natuurwetenschappers. De twijfelaars wijzen op het feit dat er geen onafhankelijke, dubbelblinde experimenten zijn uitgevoerd die de claims ondersteunen dat de geest materie kan laten bewegen en lichamen kan genezen, of dat de ziel zich letterlijk in het lichaam bevindt. Neil deGrasse Tyson, de bekende astrofysicus, schreef ooit een column waarin hij scherpzinnig inging op de heersende opvatting bij al dit soort 'gees-tes'-wetenschap: '... het feit dat het steeds maar niet lukt om in gecontroleer-de, dubbelblinde experimenten de beweringen van de parapsychologie te staven, suggereert dat zij zich bezighouden met *non-sense* in plaats van met *sixth sense*.'

Om dit voor ons uit te zoeken, verzochten wij Lou Aronica eens wat ge-detailleerder te kijken naar die nieuwe favoriete wetenschap van Dan Brown. Aronica is een zeer succesvol auteur en uitgever. Onder de tientallen titels die hij heeft uitgegeven, bevindt zich ook Lynne McTaggarts *Wat artsen je niet vertellen*. Als auteur heeft hij vele boeken op zijn naam staan, waaron-der (samen met Rick Levy) *Miraculous Health: How to Heal Your Body by Unleashing the Power of Your Mind*. Zijn recentste boek is *The Element* (ge-schreven samen met Sir Ken Robinson), dat op de bestsellerlijst van *The New York Times* heeft gestaan. Hij begint met een toepasselijk citaat.

Elke voldoende geavanceerde wetenschap is niet van magie te onder-scheiden.
Arthur C. Clarke

Wijlen de grote Arthur C. Clarke was een 'harde wetenschapper'. Hij heeft het concept van de geosynchrone satelliet ontwikkeld en is de schrijver van talloze bestsellers, sciencefiction en non-fictie, waarvan *2001: A Space Odyssey* het bekendst is. Toch was professor Clarke zich er ook zeer van bewust, zoals het citaat hierboven aangeeft, dat veel van wat wij nu als we-tenschap beschouwen, ooit pure fantasie leek te zijn. Als je een achttien-de-eeuwse wetenschapper zou hebben gevraagd naar reizen in de ruimte, het uitzenden van geluid over de hele aardbol of een doos met enorme re-kencapaciteit, zou hij je hebben weggehoond. Dergelijke begrippen zou-den in die tijd gewoon hocus pocus hebben geleken (of, zoals Dan Brown zou zeggen, *Avrah KaDabra*, de toverspreuk van kinderen 'abracadabra', die kennelijk 'ik schep terwijl ik spreek' betekent in het oud-Aramees). Wat schijnt ons nu magie toe, dat we in de toekomst als 'harde weten-schap' zullen beschouwen? Dit is in zekere zin de vraag die wordt gesteld door degenen die op het gebied van de noëtische wetenschap werkzaam zijn.

De potentiële ontdekkingen van de noëtische wetenschap vormen de bron voor een van de meest diepgaande en meeslepende thema's in *Het Verloren Symbool*, een thema dat het boek voortstuwt vanaf het begin tot aan letterlijk het laatste woord. Katherine Solomon heeft haar leven ge-wijd aan dit onderzoek en haar broer Peter heeft voor haar een lab ge-bouwd in het Smithsonian Mueum Support Center, waar ze ontdekkingen kan staven die volgens haar verandering zullen brengen in de manier van denken van alle mensen op onze planeet. In hoofdstuk 11 zegt de alwetende verteller van HVS:

> Katherines experimenten hadden verbijsterende resultaten opgeleverd, vooral de laatste zes maanden, doorbraken die hele paradigma's in het denken zouden veranderen. Ze had met haar broer afgesproken die resultaten geheim te houden tot ze beter zicht hadden op de implicaties ervan. Maar Katherine wist dat ze binnenkort een van de meest ingrijpende wetenschappelijke onthullingen in de geschiedenis van de mens zou doen.

In latere hoofdstukken denkt Katherine: '... we zijn nog maar net begonnen onze mentale en spirituele vermogens te doorgronden.' Waarna wordt medegedeeld: 'Experimenten in laboratoria als het Institute of Noetic Sciences in Californië en het Princeton Engineering Anomalies Research Lab hadden categorisch bewezen dat doelgericht menselijk denken een fysieke massa kon beïnvloeden en veranderen.' Katherine merkt op hoe random event generators na de terroristische aanslagen van 11 september minder willekeurig werden, doordat veel mensen over de hele wereld samenkwamen in hun reactie op een gedeelde tragedie, en dat ze het boek *Het intentie-experiment* van Lynne McTaggart fascinerend vindt. In hoofdstuk vijftien lezen we verder:

> Het verbazingwekkendste aspect van Katherines werk was echter dat ze had gemerkt dat het vermogen van de geest om de fysieke wereld te beïnvloeden met training kon worden vergroot. Het was iets wat je kon leren. Net als bij meditatie was er oefening voor nodig om de macht van de gedachte ten volle te benutten. En wat nog belangrijker was: sommige mensen waren er van nature beter in dan andere. In de loop van de geschiedenis waren er telkens weer enkelen geweest die er ware meesters in waren geworden.
> *Dit is de ontbrekende schakel tussen de moderne natuurwetenschap en de oude mystiek.*

De zoektocht naar het raakvlak tussen wetenschap en religie gaat ver terug. Pierre Teilhard de Chardin, een jonge Franse jezuïet, vond in de beginjaren van de twintigste eeuw inspiratie in onderzoek naar het verband tussen theologie en evolutie. Hij verbreidde een concept dat hij 'le Tout' noemde (het Al), waarmee hij de onderlinge relaties van alles in het universum en de voortdurende verandering die in dit universum plaatsvond, onderzocht. Hij schreef ooit: 'Het leven van Christus vermengt zich met het levensbloed van de evolutie.' Hij geloofde dat de allegorieën in de Bijbel en de bewijzen die de wetenschap bood met betrekking tot de geschiedenis van de aarde op elkaar aansloten, want hij had waargenomen dat, hoewel de evolutie in zijn opinie onweerlegbaar was, het leven op een té ordelijke wijze evolueerde om simpelweg een kwestie van natuurlijke selectie te zijn. Misschien is Teilhards meest blijvende bijdrage aan deze discussie zijn voorstelling van de 'noösfeer', een collectief bewustzijn, in essentie een denkende planeet die uit de menselijke evolutie en de evolutie van de wereld om ons heen is voortgekomen. Hij stelde zich ook het 'omegapunt' voor, een theorie waarin de evolutie uiteindelijk bij het goddelijke uitkomt.

Rond dezelfde tijd dat Teilhard zijn doorbraken bereikte, probeerde Duncan MacDougall, een Amerikaanse arts, er ook een paar te bewerkstelligen. MacDougall geloofde dat hij op een wetenschappelijke manier het bestaan van de ziel kon bewijzen. Hij stelde dat de ziel fysieke massa had en daarom gemeten kon worden door het gewichtsverlies te noteren dat plaatsvond op het exacte moment van overlijden van een persoon (het moment waarop aangenomen werd dat de ziel het lichaam verliet). In 1907 bouwde hij een speciaal bed in zijn werkkamer, hij zette het op een zeer fijn geijkte weegschaal, legde daar stervende vrijwilligers op en wachtte op het moment dat ze de laatste adem uitbliezen. MacDougall had van tevoren gezorgd voor een correctie van normale fluctuaties in het lichaamsgewicht, zodat hij ervan overtuigd was dat iedere afname die zich voordeed op het moment van de dood, het gewicht van de ziel zou zijn. Hij voerde het experiment zes keer uit en concludeerde dat de ziel ongeveer 21 gram woog. Toen deed hij eenzelfde experiment met vijftien honden (de aanname was dat dieren geen ziel hadden), en hij stelde vast dat zich bij geen van deze honden een meetbaar gewichtsverlies voordeed.

MacDougall publiceerde zijn werk al snel, hoewel de omvang van zijn steekproef erg gering was. De gevestigde wetenschappelijke orde viel hem even snel aan. Ze wezen op de inconsequentie van zijn bevindingen: in feite had maar één lichaam dat MacDougall had gemeten, 21 gram verloren. Een ander lichaam verloor 14 gram, nog een ander 45 en een derde werd in het begin zelfs zwaarder. MacDougall gooide één testresultaat weg omdat hij de weegschaal niet op de juiste manier had afgesteld en nog eentje omdat de proefpersoon op het bed stierf voordat MacDougall en zijn medewerkers alle noodzakelijke aanpassingen hadden voltooid. Ondanks deze inconsequenties handhaafde MacDougall zijn standpunt dat de ziel 21 gram woog. En op de een of andere manier is dit broodjeaapverhaal van rond de voorlaatste eeuwwisseling tot op de dag van vandaag blijven bestaan. Het staat zelfs aan de basis van Alejandro González Iñárritu's film *21 Grams* (met Naomi Watts, Sean Penn en Benicio del Toro in de hoofdrollen) en ook van een recent nummer van de gitarist van Aerosmith, Joe Perry, getiteld 'Oh Lord (21 Grams)'.

In *Het Verloren Symbool* voert Katherine Solomon een hightechversie van dit experiment uit, met een precisiemicrobalans en een luchtdichte plastic capsule waar het stervende lichaam in gelegd wordt. Het is duidelijk dat Dan Brown hiermee eer betoont aan MacDougall, hoewel hij de dokter nergens met name noemt en ook geen gewag maakt van de 21 gram (hoofdstuk 107):

> Enkele ogenblikken nadat de man was overleden, was de waarde die de weegschaal aangaf plotseling lager geworden. Vlak na zijn dood was de man lichter geworden. De gewichtsverandering was miniem, maar niettemin meetbaar... en de implicaties daarvan waren onthutsend.
>
> Katherine herinnerde zich dat ze in haar laboratoriumaantekeningen met trillende hand had genoteerd: 'Er lijkt sprake te zijn van een onzichtbare "stof" die op het moment van overlijden uit het menselijk lichaam verdwijnt. Deze bezit een kwantificeerbare massa die zich niet door fysieke barrières laat weerhouden. Ik moet aannemen dat de stof zich beweegt in een dimensie die ik nog niet kan waarnemen.'
>
> Uit de geschokte blik op het gezicht van haar broer maakte Katherine op dat hij de implicaties had begrepen. 'Katherine...' stamelde hij, knipperend met zijn grijze ogen alsof hij zichzelf ervan wilde overtuigen dat hij niet droomde. 'Volgens mij heb je net de menselijke ziel gewogen.'

De noëtische wetenschap kreeg begin jaren zeventig een enorme impuls – én haar naam – letterlijk uit een kosmische bron. De astronaut Edgar Mitchell was lid van de bemanning van de Apollo 14, die op een negendaagse missie ging, waarvan twee dagen op het oppervlak van de maan. Hoe geïmponeerd hij ook was door deze buitenaardse trip, de terugreis bleek werkelijk zijn leven te veranderen. Een blik op de aarde vanuit de ruimte vervulde hem met een gevoel dat alles met elkaar verbonden was op een manier die hij nooit tevoren had beseft. 'De goddelijke aanwezigheid werd bijna tastbaar,' zou Mitchell gezegd hebben, 'en ik wist dat het leven in het universum niet zomaar toeval was, gebaseerd op willekeurige gebeurtenissen. ... Dit inzicht kwam direct bij me naar boven.'

Vanaf dat moment wijdde Mitchell zich aan het zoeken naar diepere waarheden dan zijn wetenschappelijke opleiding hem tot dan toe had verschaft. Hij vond dat hij de innerlijke ruimte van het bewustzijn met even-veel hartstocht moest gaan verkennen als hij de ruimte had bestudeerd, en dat een nieuwe combinatie van een op waarnemingen en op gissingen gebaseerde benadering (althans, vanuit het perspectief van de 'harde' we-tenschap bezien) zou leiden tot een nieuw begrip van ons universum. Hij streefde ernaar een laboratorium op te zetten om de 'innerlijke wereld van de menselijke ervaring' te bestuderen, met dezelfde aandacht voor details waarmee anderen zich verdiepten in de wetenschappen die hem naar de maan hadden gebracht.

In 1973 droeg Mitchell bij aan de oprichting van het Institute of Noetic Sciences (IONS), het werkelijk bestaande instituut waarnaar in HVS met naam en toenaam wordt verwezen. De term 'noëtisch' verwijst naar het Griekse woord *noesis*, dat meer dan een eeuw geleden door de filosoof Wil-liam James werd gedefinieerd als 'toestanden van inzicht in diepe waarhe-den, die door het logisch redenerende intellect niet worden doorgrond. Het zijn momenten van verlichting, openbaring, vol van betekenis en be-lang, hoewel ze allemaal ongearticuleerd blijven; en in de regel dragen ze een vreemd gevoel van gezaghebbendheid in zich'.

Het IONS, gevestigd in Petaluma in Californië, heeft honderden projec-ten gesponsord. (De website noemt onder meer 'een omvangrijke biblio-grafie over de fysieke en psychologische effecten van meditatie, een uitge-breide bibliografie over spontane remissie en onderzoek naar de doeltreffendheid van meelevende aandacht op de genezing van aidspatiën-ten'.) Het instituut heeft bijna dertigduizend leden en driehonderd aange-sloten gemeenschappen over de hele wereld. Voormalig directeur van IONS Willis Harman zegt:

Voor de eerste keer is er de hoop dat deze kennis geen geheim wordt dat herhaaldelijk verloren gaat door dogmatisering en institutiona-lisering, of degenereert tot een veelvoud aan cultussen en occultis-me, maar in plaats daarvan de levende erfenis van de hele mensheid kan worden. Voor een deel hebben we hier te maken met een heront-dekking van waarheden die in zekere zin steeds opnieuw zijn ontdekt en die sneller hun sporen achterlaten in de cultuur dan in de weten-schappelijke gemeenschap.

Dit loopt natuurlijk parallel met het fictieve werk dat Katherine Solomon doet in unit vijf in het Smithsonian Museum Support Center. Aangemoe-digd door haar broer is Katherine een expert geworden in zowel de grens-wetenschappen (de verstrengelingstheorie, de supersnaartheorie, enzo-voort) als de oude wijsheid (onder meer de *Zohar*, de *Kybalion* en de vertaling van de Soemerische kleitabletten uit het British Museum). Haar denkwijze komt heel erg overeen met die van de leden van het IONS en ze noemt deze organisatie op verscheidene plaatsen met name.

En ook noemt ze Lynne McTaggart. Uit alles blijkt dat Dan Brown McTaggart niet persoonlijk kende toen hij *Het Verloren Symbool* schreef, maar toch heeft hij Katherine Solomon – in ieder geval deels – naar haar beeld gemodelleerd. McTaggart, die in dit hoofdstuk wordt geïnterviewd, is ongeveer van dezelfde leeftijd als Katherine Solomon, ze heeft dezelfde kleur haar en heeft twee bestsellers over de noëtische wetenschap gepubliceerd. Solomon heeft verscheidene experimenten uitgevoerd waarvan McTaggart in haar boeken *Het veld* en *Het intentie-experiment* verslag doet. En ze is zeer actief betrokken bij het intentiewerk dat de basis vormt voor McTaggarts huidige activiteiten. Op een manier die alleen in een bepaald type fictie mogelijk is (het lijkt erop dat schrijvers van thrillers en van literaire strips er bijzonder goed in zijn), lijkt Katherine Solomon Lynne McTaggart zélf te zijn en tegelijk haar opvolgster. Ze verwijst naar McTaggart, maar verkondigt tegelijkertijd dat ze dingen doet die McTaggart heeft gedaan, en beweert ook nog dat ze haar werk naar totaal andere niveaus heeft getild.

Lynne McTaggart had haar naam al gevestigd als onderzoeksjournaliste en prijzen gewonnen met haar boeken *The Baby Brokers* en *Wat artsen je niet vertellen*. Tot mijn grote genoegen heb ik als uitgever bij Avon Books het laatste boek mogen publiceren. Tegen het einde van de jaren negentig begon ze zich te verdiepen in het werk van wetenschappers die onderzoek doen naar het bestaan van het Zero Point Field (een theoretisch energieveld dat alles in het universum met elkaar verbindt). Dat was aanleiding tot het schrijven van *Het veld*, waarvan de beginalinea iedereen die *Het Verloren Symbool* heeft gelezen, heel bekend in de oren zal klinken:

Wij staan op de drempel van een revolutie – een omwenteling die even grondig en stoutmoedig zal zijn als Einsteins ontdekking van de relativiteitstheorie. Aan het front van de wetenschap tekenen zich nieuwe denkbeelden af die spotten met alles wat wij geloven over het functioneren van onze wereld en onze kijk op onszelf. Er zijn ontdekkingen gedaan die iets bewijzen wat de wereldreligies altijd al hebben betoogd, namelijk dat mensen veel complexer zijn dan alleen een samenstelsel van vlees en botten. Op het fundamenteelste niveau beantwoordt deze nieuwe wetenschap vragen waarover wetenschappers zich al honderden jaren het hoofd hebben gebroken. Op haar diepste niveau betreft het in feite een wetenschap van het wonderbaarlijke.

Na *Het veld* kwam McTaggart met een boek dat nóg ambitieuzer en uitzonderlijker van opzet was. In *Het intentie-experiment* probeerde ze door het werk van onderzoekers aan vooraantstaande instituten te bestuderen, te bewijzen dat gedachten werkelijk invloed op de wereld konden hebben. In dit boek nodigt ze de lezers uit haar website te bezoeken (sinds de publicatie van *Het Verloren Symbool* is het bezoek aan haar website exponentieel toegenomen) en deel te nemen aan het lopende onderzoek op dat gebied. Via haar website brengt McTaggart grote groepen mensen van over de hele wereld bijeen om hun gedachten te concentreren op diverse heilzame activiteiten. Zij laat wekelijks 'intenties' sturen naar individuen die hulp nodig hebben, en wat minder frequent op wereldschaal naar grote probleemgebieden, zoals milieuvervuiling, alzheimer en ADHD. Zij gelooft dat het intentie-experiment voor de vrede rechtstreeks van invloed is geweest op het brengen van vrede in gebieden op Sri Lanka. McTaggart voert deze experimenten uit onder gecontroleerde laboratoriumomstandigheden en heeft daarbij natuurkundigen en psychologen van onder meer de universiteiten van Princeton, Arizona, Cambridge en het International Institute of Biophysics ingeschakeld.

Lynne McTaggart is niet de enige die zichzelf terugziet in Katherine Solomon. Marilyn Schlitz, de huidige voorzitter van het IONS, schreef recentelijk op haar weblog: 'Afgezien van de olijfkleurige huid, het lange haar, een rijke familie en een halvegare sociopaat die haar achternazit, zijn er een paar bijzondere overeenkomsten in onze biografieën.' Schlitz merkt op dat een essay dat zij had gepubliceerd over zien op afstand de aandacht van de CIA heeft getrokken (waar in het boek ook naar wordt verwezen) en dat ze ook intentie-experimenten heeft uitgevoerd – experimenten met betrekking tot de invloed van intentie op random number generators en op water – en uitgebreid onderzoek heeft gedaan naar de verstrengelingtheorie, de snaartheorie, complexiteit en nog andere gebieden waar Katherine Solomon zich mee bezighoudt. Haar lab in het IONS is een elektromagnetisch afgeschermde ruimte die erg veel weg heeft van de Kubus van Katherine, en de ruimte en het instrumentarium erin zijn gedoneerd door twee rijke mecenassen. 'Ik heb dit werk zelfs aan het Smithsonian Institute voorgelegd, samen met een uiteenzetting over oude kennis over biovelden en subtiele energieën,' aldus Schlitz. 'Net als Katherine wijd ik me in mijn werk aan het slaan van een brug tussen de wetenschap en de oude wijsheid. Wij geloven dat de grote doorbraken liggen in het tussengebied van deze twee manieren van naar de werkelijkheid kijken.'

Een andere onderzoeker op het gebied van de noëtica, die in deze subplot een prominente rol speelt maar niet met name genoemd wordt, is Masaru Emoto. Op verscheidene plaatsen in *Het Verloren Symbool* wordt verwezen naar experimenten die laten zien dat gedachteconcentratie invloed heeft op watermoleculen. De beroemdste experimenten buiten de fictie van Dan Browns boek zijn die van Emoto. De verslagen ervan zijn opgenomen in zijn waanzinnig populaire boeken, onder meer *De boodschap van water* en *Water weet het antwoord*. Emoto fotografeerde net gevormde waterkristallen die waren blootgesteld aan geconcentreerde gedachten aan liefdevolle woorden (bijvoorbeeld 'liefde' en 'dankbaarheid'), boze gedachten ('Adolf Hitler', 'demon') of mooie muziek (Beethovens *Pastorale* en 'Amazing Grace'). Het water dat was blootgesteld aan positieve boodschappen vormde op juwelen gelijkende, goed geproportioneerde kristallen, terwijl het water dat aan negatieve boodschappen was blootgesteld scherpe, beschadigde kristallen vormde. Emoto, wiens boeken bestsellers zijn geworden en die overal ter wereld lezingen houdt, gelooft dat dit het bewijs levert dat onze gedachten een spectaculaire invloed hebben op de fysieke wereld om ons heen.

Nog iemand die in *Het Verloren Symbool* niet wordt vermeld, maar naar wie wel wordt verwezen, is professor Gary Schwartz, psycholoog aan de universiteit van Arizona. In het boek merkt Katherine op dat ze CCD-camera's (*charge-coupled device*-camera's) heeft gebruikt om de energie zichtbaar te maken die uit de handen van een healer komt. De CCD-camera's worden gekoeld tot -100 °C om beelden vast te leggen van biofotonische emissies. In zijn artikel uit 2006 'Research Findings at the University of Arizona Center for Frontier Medicine in Biofield Science: A Summary Report' laat professor Schwartz, directeur van dat centrum, exact zulke CCD-foto's zien.

Veel mensen zijn de concepten van de noëtica voor de eerste keer tegengekomen in de film *What the #$*! Do We (K)now!* (Ook uitgebracht als *What the Bleep Do We Know!?*) uit 2004, die in een uitgebreidere versie in 2006 opnieuw werd uitgebracht onder de title *What the Bleep!?: Down the Rabbit Hole*. De film, waarin Emoto en – in de uitgebreidere versie – McTaggart voorkomen, was deels een verhaal, deels een documentaire, waarin een vrouw, Amanda genaamd (gespeeld door Marlee Matlin), wordt gevolgd op een onverwachte zoektocht naar verlichting. Haar queeste confronteert haar met grote geheimen en verandert haar leven voor altijd. Om Amanda's ontdekkingen te onderstrepen, doen veertien deskundigen op allerlei gebied, van quantummechanica en snaartheorie tot paranormale verschijnselen, mee in wat de filmmakers een 'Grieks koor' noemen om de boodschap over te brengen dat wetenschap en religie in dezelfde richting wijzen en dat er in het universum veel meer mogelijk is dan de meesten van ons erkennen.

What the Bleep was verrassend genoeg een hit naar documentaire maatstaven (hoewel het naar documentaire maatstaven ook een verrassende *documentaire* was, aangezien er nogal wat verhalende gedeelten in zitten). De film deed het goed in de bioscoop en fenomenaal goed in de verkoop en verhuur van dvd's.

What the Bleep verplaatste de gesprekken over noëtica van de randgebieden van new age naar de normale maatschappij. Overal in het land werden groepsvertoningen van *What the Bleep* gehouden en de film verkreeg zo'n status dat hij een geliefd gespreksonderwerp op cocktailparty's werd, wat andere werken over dit onderwerp nooit was gelukt. Hij circuleerde in dezelfde periode (2004-2005) toen *De Da Vinci Code* van Dan Brown de bestsellerlijsten domineerde. Het publiek van *De Da Vinci Code* en dat van *What the Bleep* overlapten elkaar voor een groot deel. De wetenschappelijke gemeenschap is voornamelijk afwijzend geweest ten opzichte van de noëtische wetenschap; zó afwijzend zelfs dat het moeilijk is om wetenschappers te vinden die zichzelf als pure wetenschappers beschouwen, die zelfs maar willen erkennen dat de noëtica een legitiem wetenschapsgebied is. De overweldigende kritiek op noëtische experimenten is dat ze niet voldoen aan de strenge eisen van de wetenschappelijke methode. Omdat dat zo is, baseren de meeste noëtische onderzoekers zich op waarnemingen en trekken zij hun conclusies op basis van de selectie van een bepaalde gebeurtenis binnen een onderzoek, in plaats van het zich herhaaldelijk voordoen van die gebeurtenis. Masaru Emoto is bijvoorbeeld meermalen niet bereid gevonden de details van zijn methode te delen met de gemeenschap van wetenschappers. Het is bekend dat hij bepaalde foto's selecteert omdat ze zijn hypothese bevestigen, en hij weigert in te gaan op de oproep zijn experimenten aan dubbelblinde toetsing te onderwerpen. Instituten als de U.S. National Academy of Sciences hebben ook commentaar geleverd op het ontbreken van wetenschappelijk bewijs voor de beweringen van de parapsychologie (een gebied dat analoog is aan de noëtica).

Misschien is het stopzetten van het Princeton Engineering Anomalies Research-programma (PEAR) nog wel de grootste klap voor de legitimiteit van de noëtische wetenschap. In HVS horen we van Dan Brown dat experimenten van PEAR 'categorisch hadden bewezen' dat de menselijke gedachte, indien op de juiste wijze gericht, fysieke massa kan beïnvloeden en veranderen, een bewering die de meeste sceptische wetenschappers belachelijk zouden vinden. Het werk van PEAR wordt in HVS met respect behandeld, terwijl Brown, Langdon en de Solomons zich er klaarblijkelijk niet van bewust zijn dat het PEAR-project van Princeton in 2007 is gestopt. Volgens een persbericht van de universiteit was de 'experimentele agenda' van PEAR 'het bestuderen van de interactie tussen het menselijk bewustzijn en daarvoor ontvankelijke fysieke instrumenten, systemen en processen, en het ontwikkelen van complementaire theoretische modellen, om een beter begrip van de rol van het bewustzijn in het vestigen van een fysieke realiteit mogelijk te maken'. Maar het werd regelmatig bekritiseerd door academici. Uiteindelijk leed het project vooral onder de beperkte impact van de resultaten waar het aanspraak op maakte. Na miljoenen onderzoeken met betrekking tot intentie, was de conclusie dat intentie invloed kon uitoefenen op twee of drie gebeurtenissen op de *tienduizend*. Robert L. Park, voormalig directeur van de American Physical Society, zei van PEAR: 'Het was een schande voor de wetenschap, en ik denk ook een schande voor Princeton. De wetenschap beschikt over een aanzienlijke hoeveelheid geloofwaardigheid, maar dit is iets waarmee ze die verspeelt.'

Uiteindelijk komen we toch weer terug op de opmerking van Arthur Clarke. Als de noëtica een 'voldoende geavanceerde technologie' is, hebben de tegensprekers het misschien wel mis met hun afwijzing. Over een aantal eeuwen beschouwen de mensen deze onwilligheid van de gemeenschap van wetenschappers om de bevindingen van de noëtische wetenschap te aanvaarden, wellicht als een kolossaal geval van bekrompenheid.

7

De mysterieuze stad op de heuvel

Een maçonnieke bedevaart door Washington D.C.

door David A. Shugarts

Zoals *De Da Vinci Code* kan worden gelezen als een rondleiding door Parijs en *Het Bernini Mysterie* als een rondleiding door Rome, is *Het Verloren Symbool* onder meer een rondleiding door Washington D.C. De locaties die door de personages in het boek worden bezocht – de Rotunda van het Capitool, de Library of Congress, het House of the Temple, de National Cathedral en het Washington Monument – hebben allemaal een toename geconstateerd van bezoekers die hun eigen *Verloren Symbool*-bedevaart maken. David Shugarts, die in 2005 in zijn boek *Secrets of the Widow's Son* correct voorspelde dat Dan Brown al deze locaties zou gebruiken, legt uit wat Brown ons al dan niet vertelt over deze bezienswaardigheden, die stuk voor stuk rijk zijn aan hun eigen geheimen, symbolen en maçonnieke connecties.

Hé, kijk: de architectuur van Washington!

In *Het Verloren Symbool* neemt Dan Brown ons mee op een zeer korte rondleiding door Washington. In het plotgedreven verhaal wordt de held Robert Langdon slechts enkele seconden de tijd gegund om stil te staan bij het belang van een willekeurig schilderij, beeldhouwwerk of enorm gebouw. Gelukkig herkent Langdon altijd de betekenis en geschiedenis van alles wat hij ziet. Of toch niet?

In een stad vol kunstwerken en architecturale schatten is het een bijzonder korte lijst met culturele tussenstops. Als we het Smithsonian Museum Support Center in Maryland buiten beschouwing laten, dat niet voor publieksrondleidingen geopend is, beperkt de actie in *Het Verloren Symbool* zich tot slechts een handvol filmische decors in openbare gebouwen in het District Columbia: het Capitool, het Washington Monument, de Library of Congress, de U.S. Botanic Garden en de National Cathedral. En er is één gebouw bij dat aan de vrijmetselaars toebehoort: het House of the Temple.

Van het Lincoln Memorial, het Jefferson Memorial en het 'kasteel' waarin het Smithsonian Institution oorspronkelijk gevestigd was, worden
slechts terloops beschrijvingen vanuit de verte gegeven. In feite bezichtigen Langdon en de vrouwelijke hoofdpersoon, Katherine Solomon, deze
bezienswaardigheden niet eens. Verder zijn er nog talloze andere boeiende locaties die Dan Brown had kunnen gebruiken maar niet heeft gebruikt.
Het beeld van Albert Pike, ter ere van een van de grote voormannen van
de vrijmetselarij uit de negentiende eeuw, in Judiciary Square is daarvan
een opvallend voorbeeld.

De meeste gebouwen die ze wél bezoeken hebben een band met de vrijmetselarij. In 1793 liep George Washington aan het hoofd van een stoet
naar het terrein van het nieuwe Capitool, waar hij de eerste hoeksteen legde. Getooid met zijn maçonnieke schootsvel leidde hij de plechtigheid.
Daarbij bracht hij de maçonnieke plengoffers, bestaande uit mais, wijn en
olie, en gebruikte hij een bijzondere troffel om de specie aan te brengen.
Het was een zilveren troffel met een ivoren handvat, die de vrijmetselaars
speciaal voor de gelegenheid hadden laten maken.

In de twee eeuwen daarna zou diezelfde zilveren troffel nog heel vaak
bij soortgelijke gelegenheden dienstdoen. Zo werd hij ingezet voor het leggen van de hoeksteen van het Washington Monument, de National Cathedral, de Library of Congress en het House of the Temple, maar ook van
het George Washington National Masonic Memorial in Alexandria, Virginia. Die locatie gebruikt Robert Langdon in het verhaal slechts als afleiding; hij gaat er niet naartoe. Tegenwoordig bevindt de troffel zich daar
nog steeds, waar hij wordt bewaard door Washingtons oude loge, Alexandria Lodge 22. (Een gids gaf toe dat de museummedewerkers het jammer vonden dat Langdon het gebouw in het verhaal niet daadwerkelijk
bezichtigt maar het slechts terloops noemt, hoewel ze aanvankelijk bang
waren dat hun 333 voet hoge toren misschien als het toneel voor een moord
zou worden gebruikt.)

Washingtons troffel werd ook gebruikt voor het Jefferson Memorial,
het hooggerechtshof, het ministerie van Economische Zaken, het National Education Building, het U.S. Post Office Building en het ministerie van
Buitenlandse Zaken, om slechts de hoogtepunten te noemen. (In 1790
vond er ook een maçonnieke plechtigheid plaats voor de hoeksteen van
het Witte Huis, dat destijds het President's House werd genoemd, maar
daar was Washington niet bij en toen was de troffel nog niet gemaakt.)
Blijkbaar zijn de vrijmetselaars steeds nauw betrokken geweest bij de
bouw van de Amerikaanse hoofdstad, zij het wellicht alleen in ceremo-
niële zin.

De vraag waar het werkelijk om draait is echter: in welke opzichten is de architectuur maçonniek? Omdat veel maçonnieke vormen en symbolen uit andere tradities afkomstig zijn, is moeilijk te zeggen welke ervan uitsluitend maçonniek zijn. Er zijn talloze grote architecten die vrijmetselaar bleken te zijn. De functie van geometrische principes, het gebruik van licht en toespelingen op klassieke Griekse, Romeinse en Egyptische beschavingen in de vrijmetselarij hebben ongetwijfeld een rol gespeeld bij hun zienswijze.

Vrijmetselaars maken bijvoorbeeld graag gebruik van patronen met vierkanten en cirkels, en een van de meest voorkomende kenmerken van een vrijmetselaarsloge is de schaakbordvloer. In de vloeren van de imposante gebouwen in Washington komen veel vierkanten, cirkels en zwartwitte tegelpatronen voor. Vrijmetselaars zijn dol op vormen als de driehoek (zowel rechthoekig als gelijkzijdig) en de ster, vooral sterren met vijf of zes punten (maar ook zeven, acht of negen). Ze houden van bollen en kubussen en van vrijwel elke geometrische vorm, waaronder piramides, die in veel maçonnieke gebouwen te zien zijn. Maar ze bewonderen ook de klassieke orden van zuilen, zoals de Dorische, Ionische en Korinthische, die men door heel Washington aantreft. Symbolen van licht, van verhelderende kennis en van verlichting zijn zeer geliefd bij de vrijmetselaars, maar een goed gebruik van licht is tevens een techniek die door de meeste architecten wordt toegepast.

In de architectuur van Washington treft men veel symbolen en symbolische verwijzingen aan. Dergelijke symbolen zijn heel oud, en in de meeste gevallen zijn ze niet door de vrijmetselaars gecreëerd, maar alleen door hen overgenomen of geaccentueerd. De tekens van de dierenriem, evenals afbeeldingen van Griekse en Romeinse goden, zijn in Washington overal in de architectuur en de kunst te vinden, maar daarbij gaat het niet uitsluitend om werk van maçonnieke architecten en kunstenaars.

Een van de archetypische klassieke bouwwerken om in gedachten te houden is het Pantheon in Rome, dat gebouwd is als een tempel waar mensen niet slechts één god, maar meerdere goden konden aanbidden. Typerend voor het Pantheon is een ronde opening in de koepel, een zogenoemde oculus, die licht van boven doorlaat. Letterlijk vertegenwoordigt hij het alziend oog van de hemel. In *Het Bernini Mysterie* speelde het Pantheon in Rome een rol als tussenstop tijdens de rondleiding in de plot. En in HVS verwijst Dan Brown (vaak op feitelijk niet geheel juiste wijze) elf keer naar oculi en tien keer naar pantheons.

Een van de thema's die de vrijmetselarij en de architectuur van Washington gemeen hebben is het streven de verschillen tussen de godsdiensten te overschrijden door alle godsdiensten toe te laten. Vrijmetselaars laten iedereen toe die in een opperwezen gelooft, terwijl ze een discussie over specifieke goden mijden. Door het mijden van openlijk godsdiensti-ge symbolen (zoals het kruisbeeld) en het accepteren van klassieke Griek-se en Romeinse goden wordt in de architecturale traditie van Washington hetzelfde doel nagestreefd. De scheiding tussen kerk en staat is een Ame-rikaanse erfenis van de deïsten die de Founding Fathers waren in de tijd van de verlichting. Niet alle deïsten zijn vrijmetselaars en niet alle vrijmet-selaars zijn deïsten, maar er bestaat een sterk verband tussen de twee groe-pen en vaak overlappen ze elkaar.

Terwijl Langdon zich in HVS van de ene naar de andere bezienswaar-digheid haast, pelt hij langzaam de schillen van deze ui af.

In HVS krijgt Langdon eerst te horen dat hij zich in het Capitool moet melden. Hij komt binnen via het pas opgeleverde, ondergrondse bezoe-kerscentrum, zodat hij de tientallen beelden en reliëfs aan de oostzijde van het gebouw niet te zien krijgt. Wel vangt hij een glimp op van de koe-pel hoog boven hem en maakt hij een opmerking over het beeld van de vrijheidsgodin dat de koepel siert. In het Capitool bevindt zich een schat aan kunstwerken, maar omdat Langdon haast heeft om zich in de Na-tional Statuary Hall te vervoegen, blijft hij niet staan om zijn omgeving in zich op te nemen. 'Normaal gesproken zou Langdon hier minstens een uur zijn gebleven om de architectuur te bewonderen,' schrijft Dan Brown in HVS.

Langdon herinnert zich correct dat de National Statuary Hall ooit als de zaal van het Huis van Afgevaardigden heeft gediend, maar gaat niet in op de details van de vele beelden die daar staan. Ze vormen een verzame-ling die in de loop der jaren bijeen is gebracht vanaf 1864, toen elke staat werd verzocht twee beelden van favoriete inwoners te sturen. Er werden beelden gestuurd van de politicus William Jennings Bryan, de gouverneur Sam Houston en zelfs de entertainer Will Rogers. Voor zo veel beelden was de zaal echter niet groot genoeg. Zodoende werden ze in 1933, toen het vertrek met 65 exemplaren al overvol was en het gewicht ervan structu-reel gevaar opleverde, over diverse andere vertrekken en gangen verspreid. Tegenwoordig staan er van de complete collectie van 100 beelden nog on-geveer 35 in de zaal zelf. Het is interessant om te vermelden dat de staten hun exemplaren mogen vervangen. Zo stuurde Kansas in 2003 president Dwight Eisenhower als vervanger van de gouverneur George Washington Glick en liet Californië in 2009 de politicus Thomas Starr King plaatsma-ken voor president Ronald Reagan. Er zijn ook al een paar favoriete vrou-wenfiguren verschenen.

Maar Langdon kan niet in de Statuary Hall blijven hangen; hij moet ij-lings naar de volgende scène, in de Rotunda van het Capitool.

Dan Brown geeft een beknopte beschrijving van de Rotunda om de hoogte en diepte ervan te benadrukken. In wezen richt hij de aandacht van de lezer alleen op de vloer en het plafond en slaat hij de rest van de met kunstwerken gevulde zaal over. Hij onthult dat er ooit een gat in de vloer is geweest en concentreert zich op het fresco boven Langdons hoofd, *De apotheose van Washington* van Constantino Brumidi, bestaande uit een aantal Romeinse godinnen in eigenaardige situaties, die George Washington vergezellen wanneer hij opstijgt om een god te worden.

'Overal in deze zaal bevinden zich symbolen waaruit een geloof in de Oude Mysteriën blijkt,' legt Langdon in het begin van het boek uit aan Sato en Anderson. Prompt reageert Sato met de opmerking dat hetgeen waar Langdon hen op wijst 'beslist niet [strookt] met de christelijke grondbeginselen van dit land'. (Zie 'Verborgen aanwijzingen in cirkels en vierkanten' in hoofdstuk 8 voor nadere bijzonderheden over *De apotheose van Washington*.)

Brown gaat bijzonder selectief te werk bij wat hij de lezers over de Rotunda wil vertellen. Waaraan gaat hij voorbij? Welnu, de muren zijn behangen met acht enorme schilderijen, waaronder *De Onafhankelijkheidsverklaring* van John Trumbull en andere voorstellingen uit de Amerikaanse geschiedenis. Elk schilderij is vijf meter breed en vier meter hoog. Er staan veel beelden van Washington, Lincoln en Jefferson, om nog maar te zwijgen van James Garfield en Ulysses S. Grant; er is een borstbeeld van Martin Luther King jr. Een bezoeker die geïnteresseerd is in een uitgebreide maçonnieke rondleiding door het Capitool zal graag willen weten dat Vinnie Ream het beeld van Lincoln heeft gemaakt. Ream was een vriendin en volgelinge van Albert Pike. Ze was de eerste vrouw die van het Amerikaanse Congres een opdracht kreeg voor het maken van een beeld.

Boven de schilderijen en ingangen bevinden zich gebeeldhouwde reliëfs die vroege ontdekkingsreizigers en historische Amerikaanse gebeurtenissen voorstellen. In een strook op zeventien meter boven de vloer loopt een tweeënhalve meter hoge fries onder de koepelramen. De fries heeft een omtrek van bijna negentig meter en omvat negentien taferelen, zoals 'de landing van Columbus', 'William Penn en de indianen' en 'het ontstaan van de luchtvaart'.

Hoewel Dan Brown de Rotunda dus uitsluitend gebruikt om bepaalde heidense zinspelingen te benadrukken, zoals de godinnen op het plafond en het begrip apotheose – de verandering van een mens in een god – is de zaal eigenlijk bedoeld om de ontwikkeling van de Amerikaanse geschiedenis af te beelden.

Brown is ook vindingrijk ten aanzien van de geschiedenis van de zaal zelf. Hij zegt dat de Rotunda is ontworpen als eerbetoon aan de Vestatempel in Rome. (In de tempel van Vesta, de godin van het haardvuur, brandde een eeuwige vlam.) Er zou volgens Brown een gat in het midden van de vloer van de Rotunda zijn geweest, zodat de bezoekers in de crypte eronder een eeuwige vlam konden zien, waarvan hij suggereert dat die vijftig jaar lang brandend was gehouden.

De meeste deskundigen zeggen echter dat de Rotunda in feite is ontworpen naar het voorbeeld van het Pantheon in Rome, niet de Vestatempel. Op grond van de verkeerde verwijzing naar Vesta kan Brown een zinspeling verwerken naar de vestaalse maagden, belangrijke priesteressen in het oude Rome, wat terugverwijst naar de nadruk op de rol van het heilig vrouwelijke in De Da Vinci Code. Ook de details over de bouwfasen van de Rotunda kunnen het idee van het gat en de vijftig jaar brandende vlam niet bevestigen. In het beginstadium van de bouw van het Capitool was het de bedoeling dat het lichaam van George Washington in de crypte begraven zou blijven. Er werd een gat gemaakt toen de Rotunda in 1827 werd opgeleverd, zodat de bezoekers (ooit) naar zijn graf zouden kunnen kijken. Maar de familie Washington weigerde toestemming te geven om zijn lichaam daarnaartoe te brengen, waarna men van het plan afzag.

Omstreeks 1832 werd het gat opgevuld in verband met een nieuw plan om in het midden van de Rotunda een standbeeld van Washington op te richten. Het beeld, Horatio Greenoughs verbazingwekkende sculptuur van Washington als Zeus, werd uiteindelijk in 1841 geplaatst. Maar het viel niet in de smaak, en omdat er onder het gewicht van tienduizend kilo barsten in de vloer verschenen, werd het naar het gazon van het Capitool verplaatst, waar het stond te verkommeren. Ten slotte kreeg het zijn huidige onderkomen in het National Museum of American History.

Langdon neemt even de tijd om over het beeld van Washington/Zeus te vertellen. Daarna daalt hij via de crypte af naar de wirwar van gangen in het souterrain van het Capitool. In het voorbijgaan wordt in het boek melding gemaakt van de beelden die daar staan en van het kompas dat in de vloer is aangebracht, dat het midden vormt van het genummerde stratenplan van het District Columbia.

Vervolgens snelt Langdon door de ondergrondse gangen en tunnels naar de Library of Congress.

De Library of Congress (LOC) was oorspronkelijk gevestigd in een gedeelte van het Capitool. De bibliotheek werd in 1800 bekostigd door een toewijzing van vijfduizend dollar voor de aankoop van boeken die het Congres kon gebruiken. Tijdens de Oorlog van 1812 werd het Capitool, dus ook de bibliotheek, door de Engelsen in de as gelegd. Oud-president

Thomas Jefferson trad op als redder door zijn eigen, zeer uitgebreide bibliotheek van 6487 boeken aan te bieden om de Library of Congress opnieuw op te zetten. Hoewel de LOC in de periode na 1870 duidelijk te groot werd voor de beschikbare ruimte in het Capitool, duurde het nog tot 1897 voordat het magnifieke nieuwe LOC-gebouw voor het publiek werd geopend. Tegenwoordig heet dat het Thomas Jefferson Building, want er zijn nog twee gebouwen aan het LOC-terrein toegevoegd: het John Adams Building aan de oostkant en het James Madison Building ten zuiden ervan.

Dan Brown geeft een vrij goede beschrijving van de grote zaal en de leeszaal van de Library of Congress. Het zijn uitbundig geornamenteerde ruimtes, met een rijke schakering aan beelden, schilderijen en architecturale details. Brown steekt een beetje de draak met een paar gebeeldhouwde engeltjes, of putti, in de trapleuningen van de grote zaal. Een ervan is een elektricien die een telefoon vasthoudt en een andere een entomoloog die vlinders vangt. Fantasievolle cherubijnen waren de specialiteit van de beeldhouwer, Philip Martiny, en zijn engeltjes maken deel uit van een thema 'diverse beroepen'. Maar van de veertig of vijftig kunstenaars die opdracht kregen om de LOC met honderden kunstwerken te vullen, was Martiny slechts een minder belangrijke.

Boven de leeszaal staan op de balustrade van de galerij zestien bronzen figuren opgesteld, die paarsgewijs acht categorieën van kennis vertegenwoordigen, van Plato en Francis Bacon ('filosofie') tot Beethoven en Michelangelo ('kunst'). Omdat Langdon uiteraard haast heeft, kan hij alleen een snelle blik op de beelden werpen, zonder dat hij ook maar iets zegt over wat ze vertegenwoordigen. (Zie 'Verscholen in Jeffersons boekenpaleis' verderop in dit hoofdstuk voor bijzonderheden over de Library of Congress.)

In HVS wordt terloops de Folger Shakespeare Library genoemd, iets ten noorden van het Adams Building. Langdon beseft dat zich daar een exemplaar bevindt van Francis Bacons Nova Atlantis. De Folger Library beschikt over meer dan 250.000 boeken, talloze exemplaren van toneelstukken van Shakespeare, manuscripten die teruggaan tot de elizabethaanse periode en zelfs een elizabethaans theater. Zoals Dan Brown weet, wordt de bibliotheek in trust beheerd door Amherst College, de universiteit waar hij zelf heeft gestudeerd. Het was een legaat van Henry Clay Folger, een directeur van Standard Oil en ook een afgestudeerde van Amherst.

Er wordt ook melding gemaakt van het George Washington Masonic National Memorial, aan de overkant van de rivier in Alexandria, Virginia. Het Memorial werd in de twintigste eeuw door vrijmetselaars opgericht om George Washington te eren als de meest vooraanstaande vrijmetselaar in de Amerikaanse geschiedenis. Dan Brown geeft een uitgebreide beschrijving van het bouwwerk, hoewel het niet van belang is voor de plot. De 333 voet hoog oprijzende toren, die gedeeltelijk op de legendarische vuurtoren in Alexandrië in Egypte is gebaseerd, wordt bekroond door een piramide met een vlamvormige pinakel. De zuilen van de drie belangrijkste delen van de toren verwijzen naar de Dorische, Ionische en Korinthische orden die door de vrijmetselaars worden bewonderd. In het Memorial bevinden zich tien verdiepingen, die veel gespecialiseerde kamers bevatten met allegorische taferelen die de vrijmetselaars dierbaar zijn, waaronder de tempel van Salomo en de Ark des Verbonds. Op de benedenverdieping staat in de Memorial Hall een vijf meter hoog bronzen beeld van Washington met zijn vrijmetselaarsregalia.

Maar Langdon en Katherine Solomon komen niet eens bij het Memorial aan, want ze zijn stiekem op weg naar de Washington National Cathedral, in het noordwesten van de stad.

De National Cathedral wordt in HVS grotendeels teruggebracht tot slechts drie speciale voorwerpen, die een rol spelen in een raadsel dat Langdon moet oplossen om een plek te vinden met 'tien stenen van de berg Sinaï', 'één uit de hemel zelf' en 'één met het gezicht van de donkere vader van Luke'. Voor Langdon is dat kinderspel. Hij lost het raadsel direct op, want hij herinnert zich dat er in de vloer van de National Cathedral bij het altaar tien stenen van de berg Sinaï zijn verwerkt, dat er aan de noordwestelijke toren een groteske van Darth Vader bevestigd zit en dat er in een van de gebrandschilderde ramen, dat het 'Space Window' wordt genoemd, om de astronauten te gedenken een stukje steen van de maan is verwerkt.

Die verwijzingen zijn slechts symbolisch, want er zijn in de enorme neogotische kathedraal – de op vijf na grootste ter wereld – ruim tweehonderd gebrandschilderde ramen, tientallen grotesken en waterspuwers en talloze speciale stenen. Van de altaarstenen zijn er bijvoorbeeld enkele afkomstig uit de steengroeve van Salomo, bij Jeruzalem, waar naar verluidt de stenen voor de tempel van Salomo zijn gedolven, en de preekstoel is gehouwen uit stenen die uit de kathedraal van Canterbury in Engeland zijn gehaald. Naast talloze godsdienstige taferelen zijn er ook gebrandschilderde ramen met afbeeldingen van de expeditie van Lewis en Clark en van het planten van de Amerikaanse vlag op Iwo Jima.

De kathedraal neemt in het Amerikaanse leven een zorgvuldig gekoesterde plaats in als 'het nationale gebedshuis'. Het is een anglicaanse kathedraal, die echter door allerlei verschillende congregaties wordt gebruikt. Er hebben tal van staatsbegrafenissen en herdenkingsplechtigheden

Het George Washington National Masonic Memorial (voltooid in 1932).
Foto: Julie O'Connor

plaatsgevonden, waaronder de begrafenis van president Ronald Reagan in 2004 en van president Gerald Ford in 2007. Hoewel de kerk een officiële kathedraal lijkt, worden het bouwfonds en de exploitatiekosten niet door de regering gefinancierd. En hoewel de kathedraal onmiskenbaar christelijk georiënteerd is, is er tegelijkertijd duidelijk het streven naar de vervulling van een nationale oecumenische rol. Er zijn beelden van Washington en Lincoln, zegels en vlaggen van de vijftig staten en talloze kunstwerken die te maken hebben met bepaalde wereldlijke historische gebeurtenissen. In de boekwinkel worden allerlei boeken verkocht die goed zouden aansluiten bij de spirituele wereld omspannende visie van Galloway en de Solomons, variërend van geschriften van de dalai lama tot de Koran en van gnostiek tot noëtica. In het najaar van 2009 was er een groot aantal exemplaren van *Het Verloren Symbool* te koop.

Uiteindelijk begeeft Langdon zich haastig naar het House of the Temple, de hoofdzetel van de Opperraad van de Drieëndertigste Graad, het bestuursorgaan van de Aloude en Aangenomen Schotse Ritus in Amerika, Zuidelijke Jurisdictie. Dit bouwwerk, gebaseerd op het Mausoleum van Halicarnassus, is een ware schatkamer van maçonnieke symboliek en architectuur. De Schotse Ritus is de orde die de drieëndertigste graad van de vrijmetselarij verleent, dus is het geen toeval dat het House of the Temple drieëndertig zuilen heeft van ieder drieëndertig voet – zo'n tien meter – hoog. Bij de hoofdingang bewaken twee enorme sfinxen de trappen, die opgebouwd zijn uit combinaties van drie, vijf, zeven en negen treden – belangrijke getallen voor vrijmetselaars – naar twee enorme bronzen deuren van ieder duizend kilo. (Hoewel de bronzen deuren er afschrikwekkend uitzien, ontvangen de vrijmetselaars van de Schotse Ritus bezoekers en geven ze regelmatig rondleidingen.)

De deuren bieden toegang tot een groot atrium met zwartmarmeren zuilen aan weerszijden en een trap naar de tempelzaal, waar een groot deel van de actie van HVS zich afspeelt. Het dak van het House of the Temple is gebouwd als een piramide bestaande uit dertien lagen, met een vierkant dakraam bovenop. Uit dramatisch oogpunt schildert Dan Brown het dakraam af als een oculus, een opening naar de hemel. Eronder ligt de tempelzaal, met een altaar in het midden. In HVS dient het als offeraltaar, maar voor de vrijmetselaars is het de plek voor de heilige boeken van de voornaamste godsdiensten, zoals de Bijbel, het Oude Testament en de Koran.

Het House of the Temple beschikt ook over een grote bibliotheek met talloze zeldzame boeken en een speciale nis waarin het lichaam van Al-

Detail van de sfinx voor het House of the Temple van de vrijmetselaars van de
Schotse Ritus (voltooid in 1915).
Foto: Julie O'Connor

bert Pike begraven ligt. Pike was advocaat, generaal in de Amerikaanse Burgeroorlog, dichter en geleerde en stond aan het einde van de negentiende eeuw aan het hoofd van de Schotse Ritus. Er zijn speciale vertrekken gewijd aan beroemde vrijmetselaars, zoals de Founding Fathers, Burl Ives, J. Edgar Hoover en verschillende Amerikaanse astronauten die vrijmetselaar waren.

In HVS laat Peter Solomon aan het einde van de avond Robert Langdon het uitzicht zien vanaf de top van het Washington Monument. Dit is geënsceneerd zodat hij de volle betekenis kan onthullen van de 'Maçonnieke Piramide' en de gouden deksteen die Langdon al de hele avond meezeult.

Dankzij een zeer vrije opvatting van de structurele vormen van het Washington Monument komen Solomon en Langdon aan het einde van hun allegorische reis. Ze bevinden zich, zoals de puzzels, raadsels en codes in het verhaal voorschrijven, onder een piramidevormige steen met eronder 'een wenteltrap die tientallen meters afdaalt in de aarde, waar het verloren symbool begraven ligt'.

De top van het monument bestaat inderdaad uit een piramide of piramidion van dertien lagen, waarvan de bovenste steen eveneens piramidevormig is en vijftienhonderd kilo weegt. Daarbovenop ligt een bijna drie kilo zware gegraveerde piramide van aluminium, met de door Brown vaak genoemde inscriptie 'Laus Deo' op de oostkant. Ook is er inderdaad een trap, hoewel die niet 'in de aarde' afdaalt, maar via 897 treden slechts tot op de begane grond. Ergens in de voet van het monument ligt de originele hoeksteen, waarvan de precieze locatie niet meer bekend is. In een holte van de hoeksteen, zo leert HVS ons, ligt het 'Verloren Woord'.

Op die manier spant Dan Brown zich in om de piramidevorm symbolische kracht te verlenen. Men moet naar de top van een 170 meter hoge obelisk klimmen om de mystieke uitstraling ervan te ervaren, die op de een of andere manier naar de voet van het monument moet worden overgebracht, in navolging van de hermetische zienswijze 'zo boven, zo beneden'.

Bij zijn poging om van de obelisk van het Washington Monument een conceptuele piramide te maken, verzuimt Dan Brown te vermelden dat er van meet af aan serieuze plannen bestonden voor een piramide voor de graftombe van George Washington.

In de periode na 1790, toen Washington nog leefde, werd aangenomen dat er een groot ruiterstandbeeld in zijn nagedachtenis zou worden opge-

Het Washington Monument (voltooid in 1884).
Foto: Julie O'Connor

richt op ongeveer dezelfde plek van het huidige monument. Dat plan liet men echter varen nadat hij eind 1799 overleed.

In 1800 besloot het Congres een mausoleum voor hem te bouwen 'van Amerikaans graniet en marmer in de vorm van een piramide'. Als het Congres zijn zin had gekregen, zou George Washington dus als een Egyptische god-koning zijn begraven.

Aangezien het Congres dat plan nooit heeft kunnen uitvoeren (deels door een gebrek aan geld en deels omdat de familie Washington geen toestemming wilde geven om zijn lichaam van Mount Vernon te laten verwijderen), volgde er een lange en grillige geboorte van wat ooit de machtige obelisk zou worden die er tegenwoordig staat.

In de loop daarvan werden er talloze ontwerpen ingediend en afgewezen, waaronder een reusachtige piramide, aangeboden door Peter Force in 1837. De piramide die het Congres voor ogen stond, had een zijde van dertig meter moeten hebben, maar die van Force zou de afmeting hebben gehad van de piramides van Gizeh, met zijden van zo'n honderd meter.

Het zou echter geen piramide worden. In de periode vanaf 1830, toen er een serieuze poging werd ondernomen om eindelijk het veelbesproken monument op te richten, was het winnende ontwerp een combinatie van een 180 meter hoge obelisk met een vrijwel platte top, omringd door een zuilengalerij waarin de beelden van de Founding Fathers moesten worden ondergebracht. De ontwerper, Robert Mills, noemde het een 'nationaal pantheon'. In de loop der jaren werd het ontwerp echter gewijzigd, waarbij de zuilengalerij werd weggelaten en er een typisch Egyptische obelisk overbleef met een piramidevormige top.

De hoeksteen werd op 4 juli 1848 gelegd tijdens een grootse maçonnieke ceremonie. De bouw ging van start, maar werd in 1856 stopgezet, toen nog slechts de eerste vijftig meter was gebouwd. Vervolgens bleef het monument bijna dertig jaar lang als een wangedrocht staan, totdat het in 1884 ten slotte werd voltooid. Het was destijds het grootste bouwwerk ter wereld, en zelfs tegenwoordig is het nog het grootste vrijstaande stenen bouwwerk.

Het monument werd door giften gefinancierd. Burgers uit het hele land en talloze burgerorganisaties werden uitgenodigd om sierstenen te doneren die op de binnenmuren zouden worden aangebracht. Uiteindelijk werden er in totaal zo'n 193 stenen geplaatst, die te zien zijn op tussenbordessen langs de trappen. Veel stenen werden door vrijmetselaarsgroeperingen geschonken, maar ook waren er schenkingen door tal van andere organisaties, zoals de geheelonthoudersbeweging Sons of Temperance en de op de vrijmetselaars lijkende verenigingen Odd Fellows en de

Improved Order of Red Men. Tegenwoordig krijgen de meeste bezoekers niet alle stenen te zien, omdat de trappen alleen incidenteel toegankelijk zijn. Wel kunnen de bezoekers vanuit een raam in de liftcabine een paar stenen zien.

Een van de stenen wordt de 'paussteen' genoemd, omdat hij door het Vaticaan onder paus Pius IX was gestuurd. In 1854 werd de steen op geheimzinnige wijze gestolen, toen hij de vijandigheid had opgewekt van de American Party, ook wel bekend als de 'Know-Nothings'. De Know-Nothings, die tegen immigranten en katholieken waren, beschouwden de steen als een bruggenhoofd voor een uiteindelijke invasie door het Vaticaan. Ze zwoeren dat hij nooit deel zou uitmaken van het monument. De gestolen steen is nooit teruggevonden en is misschien aan gruzelementen geslagen of in de Potomac gegooid. Maar in 1982 werd er op 130 meter hoogte stilletjes een nieuwe steen van het Vaticaan aangebracht. Brown vermeldt deze fascinerende geschiedenis niet, al sluimert die wel in de schaduw van zijn historische thema's.

Een groot mysterie is de plaats van de hoeksteen van het Washington Monument. Hoewel hij tijdens een zeer publieke ceremonie werd gelegd, is hij in de loop van de verschillende bouwstadia uit het zicht verdwenen. Zodoende weet niemand tegenwoordig precies waar hij zich bevindt.

In HVS wekt Dan Brown de indruk alsof de vrijmetselaars in het geheim een bijbel in de hoeksteen hadden verstopt, die het 'Verloren Woord' is. In werkelijkheid waren er minstens vijftienduizend ooggetuigen van het leggen van de hoeksteen, onder wie de toenmalige president James Polk (een vrijmetselaar) en talloze hoogwaardigheidsbekleders. In een zinken kist die in een holte in de elfduizend kilo zware steen werd gezet, werd een zeer eclectische verzameling geplaatst van tientallen voorwerpen die uiteenlopende groepen hadden bijgedragen. Daar was inderdaad een bijbel bij, maar die was geschonken door het Bijbelgenootschap, niet door de vrijmetselaars.

Maar er waren ook bijna tweehonderd andere voorwerpen, waaronder een exemplaar van de grondwet en de Onafhankelijkheidsverklaring, een portret van Washington, alle Amerikaanse munten die op dat moment in omloop waren van de gouden adelaar van tien dollar tot het zilveren vijfcentstuk, een Amerikaanse vlag, de resultaten van de Amerikaanse volkstelling van 1790 tot 1848, een beschrijving van een telegraaftoestel, een munt van 1 cent die was geslagen in 1783, een paar almanakken en diverse zeeatlassen en -kaarten, om nog maar te zwijgen van zeventig verschillende kranten uit veertien staten. Er waren nog tal van andere eigenaardige voorwerpen bij, die allemaal door uiteenlopende groepen en individuen waren geschonken. De complete lijst voorwerpen was helemaal niet geheim, maar werd tijdens de inwijding van het monument gepubliceerd. Als de Bijbel dus moet worden beschouwd als het 'Verloren Woord' – zoekgeraakt in het mysterie van de verdwenen hoeksteen van het Washington Monument – moeten we dan ook aannemen dat het 'Jaarverslag van de thesaurier van de staat New York betreffende tolgelden, handel en tonnage van het New Yorkse kanalenstelsel' – zomaar een van de tweehonderd documenten die in deze tijdcapsule zijn begraven – eveneens een bron van mystieke kennis is?

Tot slot het grote overzicht: Langdon gunt zich uiteindelijk even de tijd om na te denken over de algemene indeling van Washington. In één fragment verwerpt hij de theorie dat het stratenplan duivelse pentagrammen en andere maçonnieke of mysterieuze symbolen bevat. Dat moet op zichzelf al een grote teleurstelling zijn voor de aanhangers van complottheorieën, die hun ideeën al zo lang vlak onder de oppervlakte van het publieke bewustzijn hebben laten borrelen, wachtend op het moment waarop Dan Brown die thema's uit de taboesfeer zou halen.

Toch ziet Langdon aan het eind van HVS een diepere betekenis in het ontwerp van de stad. Zorgvuldig overweegt hij de kruisvormige indeling van de belangrijkste vergezichten, van het Capitool naar het Lincoln Memorial op de oost-westas en van het Witte Huis naar het Jefferson Memorial op de noord-zuidas, met de reusachtige obelisk op de kruising. Hij beschouwt dit als 'het kruispunt van Amerika' en vergelijkt het ook met een kruis van de Rozenkruisers.

Dat strookt niet helemaal met het oorspronkelijke stadsontwerp, waarin geen plaats was voor zo'n kruis. Het werd voor het eerst opgesteld door Pierre Charles L'Enfant (die ofwel een vrijmetselaar was of goed was ingevoerd in het maçonnieke denken) rond 1791, toen de oever van de Potomac nog iets ten westen lag van de huidige locatie van het Washington Monument. Ongeveer honderd jaar lang nadat het plan was opgesteld lagen de gebieden waar zich nu de Jefferson en Lincoln Memorials bevinden, onder water. De belangrijkste vergezichten van Washington zouden toen geen kruis hebben gevormd, maar een grote 'L' of een grote rechthoekige driehoek, die voor de pythagoreeërs onder ons misschien van mystieke interesse zou zijn geweest. Welk monument er voor George Washington ook zou zijn opgericht – en er werden veel ideeën overwogen – het zou aan de oever van de Potomac hebben gestaan.

Het stadsontwerp ontwikkelde zich uiteraard, en nadat de Potomac aan het einde van de negentiende eeuw was gedempt werd het land bebouwd, wat tot de magnifieke kruisvormige indeling leidde die we vandaag de dag kennen. Over de vraag of die werd bepaald door een groter, maçonniek plan of enkel voortvloeide uit het feit dat goede ontwerpers in de loop der jaren een breed klassiek concept aanhielden, kan men eindeloos van mening verschillen. In ieder geval waren er veel vrijmetselaars betrokken bij de aanleg van de stad tijdens de talloze stadia, maar ook veel niet-vrijmetselaars. Langdons idee van 'het kruispunt van Amerika' is op verschillende manieren toepasselijk. Om te beginnen kunnen de kracht, grootsheid en onderlinge verbondenheid tussen de Founding Fathers en het moderne Amerika en tussen de zetel van het Congres en het Witte Huis en nog meer thema's die essentieel zijn voor de Amerikaanse democratie, geen enkele bezoeker van deze locatie ontgaan. Maar de zinspeling op het 'kruispunt' is ook nog op een andere wijze toepasselijk, ook al zit die er technisch gesproken zo'n vijftig meter naast.

In *De Da Vinci Code* richtte Dan Brown zich op verschillende concurrerende pogingen aan het einde van de achttiende en het begin van de negentiende eeuw om de nulmeridiaan, ook wel de eerste lengtecirkel, vast te stellen, waaronder een '*rose ligne*' die recht door het hart van Parijs liep. Toen de nieuwe Amerikaanse natie zich ontplooide, lanceerde Thomas Jefferson in 1804 een initiatief om een nulmeridiaan te creëren met als middelpunt de plek waar het Washington Monument zou worden gebouwd.

Vanwege de zachte aarde werd het middelpunt van het monument echter tientallen meters naar het zuiden en oosten verplaatst. Het gedenkteken op het ware middelpunt van het kruis is een kniehoge steen die de Jefferson Pier Stone wordt genoemd. Die bepaalde lange tijd de nulmeridiaan op Amerikaanse kaarten, maar werd uiteindelijk vervangen nadat op een internationale conferentie in 1884 was besloten Greenwich in Engeland als universele nulmeridiaan aan te houden.

Al mag de huidige locatie van het Washington Monument formeel geen bijzonder kruispunt zijn, er zullen slechts weinig bezoekers van de top zijn die niet minstens een klein beetje onder de indruk raken wanneer ze de visie van de grondleggers van de Amerikaanse democratie voor zich zien liggen. En dat is het mooie van fictie. Ook al slaat Dan Brown bij veel van zijn feiten de plank mis, in de laatste hoofdstukken van HVS schildert hij een goed beeld van de algemene spirituele kwaliteit van tenminste één belangrijke draad die door het Amerikaanse web van ervaringen loopt.

Gevaar in de natte unit

Feiten en fictie over het Smithsonian

door de redactie

De kans is groot dat u in Amerika als toerist wel eens naar een van de musea bent geweest waaruit het Smithsonian Institution bestaat. Het is tenslotte het grootste museum en onderzoeksinstituut ter wereld en wordt jaarlijks door ruim vijfentwintig miljoen mensen bezocht. Naast het bekende Air and Space Museum, het Museum of Natural History en de National Portrait Gallery in Washington en het Cooper-Hewitt National Design Museum en het Heye Center van het National Museum of the American Indian in New York zijn er nog 156 andere filialen van het Smithsonian door het hele land. Maar zelfs als u een regelmatige museumbezoeker bent, is het heel goed mogelijk dat u voor het eerst met het Smithsonian Museum Support Center (SMSC) hebt kennisgemaakt in *Het Verloren Symbool*.

Het SMSC vormt de achtergrond voor de angstaanjagendste scènes in het boek, onder andere het fragment waarin Trish Dunne jammerlijk aan haar eind komt als slapie van een reuzeninktvis tot in de eeuwigheid (of in ieder geval totdat haar met ethanol doordrenkte lijk wordt opgevist) en de bloedstollende confrontatie in volstrekte duisternis tussen Katherine Solomon en Mal'akh, iemand die ze in een veel eerder stadium van hun leven waarschijnlijk had laten paardjerijden op haar schoot, toen ze nog geen weet had van zijn voorliefde voor inkt en haatgevoelens.

Dan Brown stelt het SMSC voor als een reusachtig pakhuis waarin de omvangrijke collectie niet in musea tentoongestelde schatten ligt opgeslagen. Hij noemt het een 'geheim museum' en 'het grootste en in technisch opzicht geavanceerdste museum ter wereld'. Unit vijf, waarin Katherines lab gevestigd is, beschrijft hij als een enorme ruimte, groter dan een voetbalveld, die nog niet op het elektriciteitsnet is aangesloten. Daardoor is Katherine genoodzaakt dagelijks blindelings naar haar werkruimte te wandelen met enkel een dunne strook tapijt om haar de weg te wijzen. Kath-

erine heeft haar lab 'de Kubus' gedoopt. Het loopt op waterstofbrandstofcellen en is geheel van de wereld afgesloten door een met lood beklede
deur. In de Kubus zoekt ze naar de geheimen van de noëtische wetenschap,
waarbij ze haar kennelijk enorme hoeveelheid experimentele gegevens op-
slaat op twee redundante holografische reserveapparaten.

Het smsc uit *Het Verloren Symbool* is een vreemd en mysterieus gebouw,
maar het echte smsc is bijna even fascinerend – ook al is de werkelijkheid
anders dan de fantasieversie die Dan Brown beschrijft. Hoewel het grote
publiek niet eens weet dat het bestaat, is het allesbehalve een geheim museum. Je kunt er niet zomaar door de hoofdingang naar binnen lopen, zoals bij het National Air and Space Museum of de National Portrait Gallery, maar elke woensdag worden er rondleidingen gegeven, en iedereen
die met een van de Smithsonian musea contact opneemt met het verzoek
een bepaalde collectie te zien die op dat moment niet tentoongesteld
wordt, kan een afspraak maken. Het Smithsonian geeft grif toe dat de
schatten die in het smsc worden bewaard het eigendom zijn van de Amerikaanse belastingbetalers, die daarom het recht hebben om het gebouw
te bezichtigen. Het enige geheimzinnige aan het Museum Support Center
is dat om de voorwerpen in de collectie voor toekomstige generaties te behouden, ze niet zo gemakkelijk toegankelijk zijn voor het publiek als in de
musea op de National Mall.

Het smsc ligt op een terrein van bijna twee hectare in Suitland, Maryland, ongeveer tien kilometer van het centrum van Washington D.C. Het
lange, lage gebouw heeft een opvallende zigzagvorm en werd in 1983 geopend om dienst te doen als opslag- en researchfaciliteit voor het overgrote deel van de voorwerpen in het bezit van het Smithsonian (slechts
twee procent van de collectie wordt tegelijkertijd in de musea getoond).
Er is van alles bij: Venezolaanse reuzenratten, bijvoorbeeld, naast de foto's
van het pioniersleven van Edward Curtis, meteorieten en de olifantensche-
dels die Theodore Roosevelt had meegebracht van safari (de olifanten die
te zien zijn in het Museum of Natural History blijken hun schedel trouwens niet meer te hebben). Zelfs de hersenen van John Wesley Powell, de
ontdekkingsreiziger in het wilde Westen, die door een weddenschap in het
Smithsonian zijn terechtgekomen. Alles bij elkaar gaat het om ongeveer
vierenvijftig miljoen objecten, en het Smithsonian weet precies wat alles
is en waar het zich bevindt, dankzij een gepatenteerd coderings- en cata-
logiseringssysteem. Een bijzonder relativerend idee voor ieder van ons die
vaak vergeet waar hij zijn autosleutels heeft gelaten.

Door de zigzagvorm van het gebouw kunnen de opslagruimtes gescheiden worden gehouden van de kantoren en laboratoria op het smsc-ter-
rein en kan er worden uitgebreid zonder het oorspronkelijke ontwerp te

doorbreken. Tussen de units (die geheel verzegeld zijn met het oog op conservering en veiligheid) en de kantoren loopt een lange gang, die door de SMSC-medewerkers 'de straat' wordt genoemd. De units zijn alleen bereikbaar via deze gang, die slechts twee ingangen heeft: een voor bezoekers en een voor voorwerpen in de collectie. De beveiliging is bijzonder streng en bestaat uit een combinatie van controleposten, beveiligingsbeambten en elektronische controleapparatuur.

De temperatuur van de faciliteit is ingesteld op 21 graden (met een afwijking van twee graden in beide richtingen) en een relatieve vochtigheid van 45 procent (met een afwijking van acht procent naar boven of beneden). In het belang van de conservering van de collectie is het op sommige afdelingen van het SMSC uiteraard aanzienlijk kouder: daar worden monsters bewaard bij 130 graden onder nul. Enorme industriële filters maken overuren om de lucht in het hele complex te zuiveren. Het voordeel voor het personeel is dat er vrijwel geen allergenen zijn. Het nadeel is dat je op een lentedag niet eens je raam kunt opendoen of zelfs maar een boterham achter je bureau kunt eten, omdat daardoor de vrijwel perfecte atmosfeer zou worden aangetast.

Net als bij Katherine Solomon wordt er veel wetenschappelijk onderzoek verricht in het SMSC. Omdat de collectie zo uitgebreid en zo goed gearchiveerd is, komen er vanuit de hele wereld wetenschappers en geleerden om de objecten te onderzoeken. Het is niet ongebruikelijk dat buitenlanders naar het SMSC komen en daar belangrijke details ontdekken over hun eigen inheemse flora en fauna, omdat de collectie van het Smithsonian uitgebreider is dan die in hun eigen land.

Het is merkwaardig dat Brown unit vijf als een donkere, lege ruimte beschrijft, want de unit is al sinds 2007 in bedrijf – voorzien van de nieuwste snufjes op het gebied van opslagtechnologie, maar ook van elektriciteit. Er zijn verslagen van zijn bezoek aan het SMSC in 2008, dus moet hij daarvan op de hoogte zijn geweest. Wellicht vond hij het te laat om een essentieel onderdeel van zijn boek nog te veranderen. Het is begrijpelijk dat hij omwille van zijn verhaal van de feiten afwijkt. Als hij unit vijf had afgeschilderd zoals die nu is, zou dat afbreuk hebben gedaan aan de dramatische en mysterieuze sfeer van de scènes die zich daar afspelen. Toch kun je je afvragen waarom Katherine en haar vrienden voortdurend die lange wandeling naar de ingang van de Kubus maken zonder draagbare verlichting. Een zaklamp zou uitkomst hebben geboden. Zelfs een aansteker zou een verbetering zijn geweest ten opzichte van het volgen van de tapijtloper. Zou je trouwens niet een verlengsnoer of iets dergelijks kunnen gebruiken om er een lamp op aan te sluiten, als je al de moeite neemt om de Kubus met waterstofbrandstofcellen uit te rusten? De achtervolgingsscène met Katherine en Mal'akh is geweldig, maar je moet er wel erg veel ongeloof voor opzijzetten.

Ofschoon de Kubus zelf niet bestaat (althans, niemand wil het bestaan ervan toegeven), is de technologie wel grotendeels werkelijkheid. Waterstofbrandstofcellen bestaan inderdaad. Ze leveren heel wat meer energie en behouden hun kracht veel langer dan traditionele accu's. Als unit vijf echt van elektriciteit verstoken zou zijn, zouden ze moeiteloos in de energiebehoefte van de Kubus kunnen voorzien.

Holografische geheugens worden al op beperkte schaal gebruikt, hoewel ze voor de meeste toepassingen op dit moment nog veel te duur zijn en over het algemeen als onnodig worden beschouwd, zelfs in geval van behoefte aan extreem grote gegevensopslag. Gezien Peter Solomons rijkdom zouden de kosten uiteraard geen enkel bezwaar zijn. Ook de voorzorgsmaatregelen tegen verontreiniging zijn geloofwaardig, hoewel alleen noëtische wetenschappers lijken te geloven dat de 'gedachte-emissies' die zouden worden opgewekt door mensen die in de buurt van de echte unit vijf werken, kunnen worden uitgefilterd.

De echte unit vijf is de nieuwe 'natte unit', een ruimte van twaalfduizend vierkante meter die onderdak biedt aan collecties gewervelde en ongewervelde dieren en planten die in alcohol, ethanol en andere conserveervloeistoffen worden bewaard. Hier bevindt zich daadwerkelijk een meer dan twaalf meter lange inktvis, precies zoals afgeschilderd in het fragment in HVS waarin Trish Mal'akh, die zich uitgeeft voor dokter Abaddon, een rondleiding geeft door unit drie (die Brown de natte unit noemt). Daarnaast zijn er nog vijfentwintig miljoen andere specimens die samen de biologische collecties van het National Museum of Natural History vormen, waaronder enkele die zelfs door Charles Darwin zijn verzameld. Momenteel is unit vijf technologisch de modernste van de vijf afdelingen, hoewel unit drie, de vroegere natte unit, een opknapbeurt krijgt die begin 2010 moet zijn afgerond.

In een blogpost berichtte Megan Gambino, een redactie-assistente van het tijdschrift *Smithsonian*, over Dan Brown: 'Deze bestsellerauteur is berucht wegens het doen vervagen van de grens tussen feit en fictie, en zijn nieuwste boek vormt daarop geen uitzondering. Het Smithsonian speelt een overheersende rol in de plot. Een belangrijk personage werkt in het Smithsonian Museum Support Center. [...] Zelfs het werkelijke adres van de instelling wordt onthuld.' Over de units merkt ze op dat Brown het nummeringssysteem en een deel van de beschrijving weliswaar correct heeft vastgelegd, maar dat hij 'het met het gebruik ervan niet zo nauw heeft genomen'.

Naast het SMSC, dat een belangrijk decor vormt in *Het Verloren Sym-*

bool, speelt ook het Smithsonian als geheel zowel direct als figuurlijk een belangrijke rol in het boek. Peter Solomon wordt voorgesteld als de secretaris van het Smithsonian, een functie die boven aan de organisatieladder van de instelling staat. In het echte leven bekleedt G. Wayne Clough die functie. Terwijl Peter Solomon een vrijmetselaar van de drieëndertigste graad is met een gigantisch vermogen, groeide Clough op in bescheiden omstandigheden in Georgia en wijst niets erop dat hij een band heeft met de vrijmetselaars. Wel hebben de vrijmetselaars veel gebouwen van het Smithsonian opgericht, waaronder het zogenoemde kasteel waarin de administratiekantoren van de instelling zijn gevestigd en waar ook de crypte van James Smithson zich bevindt. Smithson, de grote inspirator van het Smithsonian, was volgens verschillende bronnen een vrijmetselaar.

Het Smithsonian speelt nog een andere belangrijke rol in *Het Verloren Symbool,* al is dat zeer indirect. Aan het eind van het boek probeert Mal'akh een video in omloop te brengen van 'een bijeenkomst van de meest onderscheiden en volleerde vrijmetselaars in de machtigste stad ter wereld'. Onder de mensen die op de video te zien zijn, bevinden zich twee rechters van het hooggerechtshof, de voorzitter van het Huis van Afgevaardigden en drie prominente senatoren. Brown impliceert dat het uitbrengen van de video, waarin vooraanstaande wetgevers in verband worden gebracht met een ceremonie waarbij uit een menselijke schedel wordt gedronken, de regering op haar grondvesten zou doen schudden en misschien zelfs in één klap de Amerikaanse democratie en de vrijmetselaarstraditie zou vernietigen. Of dergelijke video-onthullingen werkelijk zulke rampzalige gevolgen zouden hebben gehad, staat nog ter discussie. Wel is het denkbaar dat Dan Brown zich bij zijn keuze van hoge vrijmetselaars liet inspireren door de bestuursleden van het Smithsonian Institution. Het bestuur omvat, uit hoofde van hun beroep, de opperrechter van het hooggerechtshof en de vicepresident van de Verenigde Staten, evenals drie senatoren, drie afgevaardigden van het Congres en een groep vooraanstaande burgers, onder wie momenteel ten minste drie echte biljonairs.

James Smithson zelf is met een waas van geheimzinnigheid omgeven. Toen de Britse wetenschapper zijn testament opmaakte, liet hij vastleggen dat zijn aanzienlijke fortuin aan zijn neef moest worden vermaakt. Als zijn neef echter zonder erfgenaam zou sterven (wat in 1835, zes jaar na de dood van Smithson, het geval was), zou het resterende bedrag ten goede komen aan 'de Verenigde Staten van Amerika, om in Washington onder de naam Smithsonian Institution een instelling op te richten voor de uitbreiding en verspreiding van kennis onder de mensen'. Er is vrijwel niets bekend over de drijfveer van Smithson om zo'n gulle bijdrage te leveren aan de oprichting van een dergelijke instelling in een land waar hij nooit was geweest. Veel van wat we over James Smithson hadden kunnen achterhalen, is op een ijzige januaridag in 1865 in de as gelegd toen er in het kasteel brand uitbrak, waarbij alle persoonlijke bezittingen van Smithson die naar Amerika waren verscheept werden vernietigd.

Het is jammer dat het SMSC in die eerdere periode nog niet bestond. Als dat wel zo was geweest, zouden Smithsons eigendommen tegenwoordig waarschijnlijk nog in ongerepte staat zijn en zouden we allemaal een beter beeld hebben van de man die de naar hem genoemde instelling mogelijk heeft gemaakt.

Verscholen in Jeffersons boekenpaleis

Waarom Robert Langdons avontuur hem naar de Library of Congress voert

door de redactie

Het Verloren Symbool is verschillende dingen tegelijk: een thriller, een ingewikkelde puzzel, een uitgebreide rondleiding door het 'geheime' Washington D.C. en nog veel meer. Maar misschien is het vooral een liefdeslied over boeken, het geschreven woord en het vergaren van kennis en wijsheid. Een boek vormt het hart van het raadsel, het 'Verloren Woord' is het diepste geheim en de overheersende boodschap is een oproep om je geest open te stellen. In HVS worden tientallen specifieke boeken en auteurs bij naam genoemd en talloze spreekwoorden en aforismen in verband met boeken geciteerd, zoals: 'De tijd is als een rivier... boeken zijn als schepen...' In feite kan het hele boek worden gelezen als een argument voor de buitengewone kracht van woorden en boeken.

Als je eer wilt bewijzen aan boeken en woorden in een verhaal dat zich in Amerika afspeelt – en helemaal in een verhaal dat in Washington D.C. speelt – dan zullen je personages vanzelf terechtkomen bij de Library of Congress, het uitgebreidste en omvangrijkste onderkomen voor boeken van het land. 'Het is mijn favoriete plek in Washington,' heeft Dan Brown gezegd over de leeszaal. Hij stuurt zijn personages ernaartoe op een bijzonder vernuftige wijze, die de centrale rol van boeken in zijn verhaal benadrukt: hij laat zijn personages letterlijk deel uitmaken van het uitgiftesysteem van de bibliotheek.

In hoofdstuk 59 dringen Robert Langdon, Katherine Solomon en Warren Bellamy diep in het depot van de bibliotheek door om aan hun achtervolgers te ontkomen. Wanneer Langdon beseft dat hij zich in het doolhof van het depot bevindt, merkt hij op dat 'hij keek naar iets wat weinig mensen ooit zagen'. Even neemt hij afstand van de spanning van het moment om de vereiste mate van ontzag en bewondering te uiten omdat hij in de nabijheid van zo'n overweldigende verzameling boeken is. Bellamy overtuigt

De leeszaal van de Library of Congress.
Met toestemming van de Library of Congress

Langdon ervan dat hij alleen kan ontsnappen via een van de transportbanden die gebruikt worden om een boek van zijn plek in het depot te vervoeren naar een van de drie gebouwen waaruit de bibliotheek bestaat. Langdon stelt vast dat de transportband 'een klein stukje door[liep] om vervolgens in een donker gat in de muur te verdwijnen', waarop hij onmiddellijk wordt gegrepen door claustrofobische beelden en alternatieven probeert te bedenken. Algauw ontdekt hij echter dat hij alleen kan ontkomen aan de CIA-agenten die achter hem aan zitten door als boek te reizen. Tegen hoofdstuk 62 is hij over zijn fobieën heen (of liever gezegd, Bellamy overtuigt hem ervan dat hij geen andere keus heeft) en glijdt hij op de transportband zijn verlossing in het Adams Building van de bibliotheek en zijn tijdelijke vrijheid tegemoet. Brown schildert de Library of Congress af als ontzagwekkend en tegelijkertijd een beetje onheilspellend, waarbij hij zeer effectief gebruikmaakt van de unieke eigenschappen ervan.

De Library of Congress vervult verschillende functies, maar een symboliekdeskundige helpen uit handen te blijven van misleide overheidsfunctionarissen hoort daar eigenlijk niet bij. Het is de voornaamste onderzoeksinstelling voor het Congres, het gebouw van het U.S. Copyright Office en de zetel van Amerika's nationale dichter. Maar het is in de eerste plaats een bibliotheek, zoals je die in je eigen buurt kunt aantreffen... aangenomen dat de plaatselijke bibliotheek over honderddertig miljoen documenten beschikt... en over ruim duizend kilometer boekenplanken... en bijna vierduizend medewerkers.

De bibliotheek, die in 1800 op grond van een congreswet werd opgericht, was oorspronkelijk gevestigd in het Capitool en uitsluitend bedoeld voor gebruik door leden van de wetgevende macht. Bij een invasie in 1814 tijdens de Oorlog van 1812 werd de hele collectie – die destijds uit ongeveer drieduizend boeken bestond – in brand gestoken door de Engelsen, die wellicht voorzagen dat hun eigen British Library ooit met de Library of Congress zou wedijveren om de titel van de grootste ter wereld. Thomas Jefferson had dringend geld nodig (en voelde er volgens sommige berichten weinig voor afstand te doen van zijn uitgebreide wijnvoorraad) en was bereid zijn hele collectie van 6487 boeken – op dat moment de grootste collectie van Amerika – voor 23.950 dollar aan de Library of Congress te verkopen.

De bibliotheek van Jefferson, die bekendstond als een belezen en intellectueel nieuwsgierig man, omvatte een grote verscheidenheid van boeken, waaronder veel over onderwerpen die in de oorspronkelijke bibliotheek niet aanwezig waren geweest. Sommigen binnen de wetgevende macht spraken hun bezorgdheid uit over de breedte van het materiaal, omdat ze vonden dat enkele thema's buiten het bereik van de oorspronkelijke statuten van de bibliotheek vielen. Jefferson hekelde zijn collegapolitici om die suggestie. 'Ik ben me er niet van bewust dat ze een tak van wetenschap bevat die het Congres van zijn collectie zou willen uitsluiten; voor Congresleden die iets willen opzoeken is in feite geen enkel onderwerp taboe.' Met andere woorden: hij spoorde de wetgevers van zijn land aan om hun geest te verruimen, net zoals Peter Solomon aan het eind van *Het Verloren Symbool* suggereert dat we dat allemaal zouden moeten doen.

Hoewel Thomas Jefferson zelf geen vrijmetselaar was, waren velen van zijn tijdgenoten dat wel. Hun eerbied voor boeken was op dezelfde intellectuele en morele leest geschoeid als hun nadruk op de wetenschap, vooruitgang, tolerantie, ruimdenkendheid en zelfverbetering. James Billington, de huidige hoofdbibliothecaris van de Library of Congress en een bekende historicus, heeft erop gewezen dat het niet verwonderlijk is dat de vrijmetselaars een wezenlijk deel uitmaakten van de Amerikaanse Revolutie. De vrijmetselarij, zo heeft hij ooit gezegd, was 'een morele meritocratie – impliciet ontwrichtend binnen elke stabiele maatschappij die gebaseerd is op een traditionalistische hiërarchie'. De impuls om het morele kompas van achttiende-eeuwse vrijmetselaars, deïsten en Founding Fathers te zoeken en erin te geloven, kwam vooral voort uit de grote rationaliteit, rijkdom en betekenis van boeken in de vroege Amerikaanse ervaring.

Jeffersons invloed op de Library of Congress was enorm en ging veel verder dan de boeken die hij heeft verkocht om de bibliotheek nieuw leven in te blazen. Hij beweerde dat hij niet zonder boeken kon leven, en de Library of Congress groeide uit tot de ultieme verwezenlijking van de droom van iedere boekenliefhebber. De bibliotheek bevat lang niet elk boek dat ooit in de Verenigde Staten is gedrukt (een wijdverbreide mythe), maar de collectie is niettemin de uitgebreidste verzameling Amerikaanse geschriften die ooit bijeen is gebracht. Jefferson geloofde dat er een direct verband bestond tussen de waarden van de democratie en het zoeken naar kennis. In die zin wil de bibliotheek zo veelomvattend en toegankelijk mogelijk zijn, aangezien het idee dat die uitsluitend voor de wetgevers van het land diende te bestaan, reeds lang geleden door de bibliothecarissen is verworpen.

De collectie op basis van Jeffersons verzameling groeide snel en explosief. Tot het einde van de negentiende eeuw bleef de bibliotheek gevestigd in het Capitool, waarna een gebrek aan ruimte de noodzaak van een eigen onderkomen voor de Library of Congress duidelijk maakte. En wat voor een onderkomen! Het gebouw van de architecten John L. Smithmeyer en Paul J. Pelz is ontworpen in Florentijnse renaissancestijl. Daardoor is het op zichzelf al karakteristiek in een stad waar de meeste gebouwen op de Grieken en Romeinen zijn geïnspireerd. Van meet af aan was het de bedoeling een bibliotheek te ontwerpen die alle andere in de wereld in pracht en praal zou overtreffen. De opzet was om niets minder dan een paleis voor boeken te creëren. Het oorspronkelijke gebouw (dat tegenwoordig bekendstaat als het Jefferson Building) is een kolossaal complex van marmer, met een ingang vol zuilen die leidt naar imposante trappen, sierlijk besneden pilaren, enorme gewelven vol ruimte en, het indrukwekkendste, een reusachtige 23-karaats vergulde koepel die zich zestig meter boven de leeszaal verheft. Gedenkplaten met de namen van tien vooraanstaande scheppers van het geschreven woord omcirkelen de koepel – Dante, Homerus, Milton, Bacon, Aristoteles, Goethe, Shakespeare, Molière, Mozes en Herodotus. Voor Cervantes, Hugo, Scott, Cooper, Longfellow, Tennyson, Gibbon en Bancroft zijn elders gedenkplaten aangebracht. Als je onder de koepel staat, krijg je de indruk dat je je in een kathedraal bevindt. En in veel opzichten is dat ook zo.

Er zijn nog twee gebouwen die de uitgestrekte Library of Congress compleet maken. Het Adams Building, geopend in 1938, is minder barok van architectuur. Het Madison Building, eveneens veel soberder, werd in 1981 voltooid en biedt onderdak aan het kantoor van de bibliothecaris, het Copyright Office, de Congressional Research Service en de juridische bibliotheek, maar is ook het officiële nationale monument voor de 'vader van de grondwet', James Madison, een van de belangrijkste auteurs van de Amerikaanse grondwet.

In de Library of Congress, op zichzelf al een kunstwerk, bevinden zich ook tal van fraaie sculpturen en schilderijen. Meer dan veertig kunstenaars hebben opdracht gekregen om een groot kunstwerk voor de bibliotheek te creëren. Buiten staat de enorme Neptunusfontein van de beeldhouwer Roland Hinton Perry, die kan bogen op zeenimfen, zeemonsters, de zeegod Triton (vereeuwigd voordat hij ettelijke kilo's aankwam voor zijn machtige bijrol in de Disneyfilm De kleine zeemeermin) en een majestueuze, vier meter hoge sculptuur van Tritons vader Neptunus. Langs de buitenkant van het gebouw zijn de ramen van de eerste verdieping met etnologische koppen versierd, toonbeelden in graniet van drieëndertig volkeren uit de hele wereld gemaakt door William Boyd en Henry Jackson Ellicott. Aan de ingang zien de bezoekers drie reusachtige bronzen deuren, die vijf meter hoog en samen drieduizend kilo zwaar zijn. Ze zijn bedoeld als eerbetoon aan de schrijfkunst, de boekdrukkunst en de traditie, volgens de interpretatie van drie verschillende beeldhouwers.

Tot de artistieke hoogtepunten binnen in de bibliotheek behoren de acht beelden in de leeszaal die de filosofie, de kunst, de geschiedenis, de handel, de godsdienst, de wetenschap, de wetgeving en de dichtkunst voorstellen.

Er zijn bronzen figuren bij de trappen, mozaïeken die dertien takken van wetenschap uitbeelden en Edwin Howland Blashfields muurschildering *Menselijk begrip*, die aan de binnenkant van de lantaarn van de koepel is aangebracht. In de zuidelijke gang is Henry Oliver Walkers muurschildering *Lyrische poëzie* te zien, waarmee het werk van Amerikaanse en Europese dichters wordt gehuldigd, in de zuidwestelijke gang hangen Walter McEwens schilderijen van Griekse helden en langs de trap naar de bezoekersgalerij prijkt een marmeren mozaïek van Minerva, gemaakt door Elihu Vedder. In het Adams Building is de geschiedenis van het geschreven woord te bewonderen in de vorm van een bronzen sculptuur van Lee Lawrie, en in het Madison Building domineert Frank Eliscu's vier verdiepingen hoge bronzen reliëf *Vallende boeken* de hoofdingang. Terwijl Langdon afwacht tot Bellamy uitlegt wat er met Peter en de Maçonnieke Piramide aan de hand is, lopen ze langs de Gutenbergbijbel. Boven hun hoofd hangt John White Alexanders *De Evolutie van het Boek*, een schildering in zes panelen, waarin de geschiedenis van het woord wordt uitgebeeld, van grotschilderingen via hiërogliefen en geïllumineerde manuscripten tot de drukpers.

Bijna alle negenentwintig miljoen boeken waarover de bibliotheek beschikt zijn ondergebracht in een depot van zestien verdiepingen dat niet voor het publiek toegankelijk is – vandaar Langdons opmerking dat hij ergens is geweest waar weinig mensen komen. In de Library of Congress kun je niet zomaar in het depot grasduinen om wetenschappelijk onderzoek te verrichten, de werken te lezen van een van de schrijvers die op de gedenkplaten van de bibliotheek zijn vereeuwigd of iets mee naar huis te nemen om aan de kinderen voor te lezen. Om een boek uit de bibliotheek te halen, moet je een verzoek indienen en eventueel een uur of nog langer wachten voordat je het krijgt. De vertraging wordt veroorzaakt doordat het gewenste boek misschien wel heel ver vanuit de krochten van het depot moet worden vervoerd, wellicht met dezelfde transportband waarop Robert Langdon tijdens zijn claustrofobische tocht de vrijheid tegemoet ging. (Ofschoon er inderdaad sprake is van een transportbandsysteem, dat momenteel wordt verbeterd, zou Langdons ritje een grotere uitdaging vormen dan Dan Brown suggereert. Een woordvoerder voor de bibliotheek legt uit: 'Omdat het is bedoeld voor kisten waarin boeken worden vervoerd en er een flink aantal horizontale en verticale wisselpunten zijn [bijvoorbeeld om in het Jefferson Building van het souterrain naar de kelder te gaan], is het niet mogelijk dat iemand erop kan meerijden van het depot in het Jefferson Building naar het Adams Building.')

Het is interessant dat deze barokke 'boekentempel' waarschijnlijk niet in verhouding staat tot het algemene beeld van de plaats van boeken in het leven van de gemiddelde hedendaagse Amerikaan. In een artikel uit 2009 in *Times* zei Charles McGrath, oud-redacteur van de *New York Times Book Review*, over de Library of Congress: 'Het is prettig dat iemand ooit vond dat boeken zo'n indrukwekkend onderkomen verdienen.' Daarmee impliceert hij uiteraard dat de meesten van ons niet meer regelmatig een boek lezen en boeken en bibliotheken niet meer waarderen, dat niemand nog tijd heeft om een heel boek te lezen en dat het boek als informatiebron door het internet wordt verdrongen. Film en televisie trekken een veel groter publiek. Er zullen veel meer mensen zijn die het nieuwste album van Jay-Z op hun iPod downloaden (vooral als illegale downloads daarbij worden inbegrepen) dan die de gemiddelde nummer één op de bestsellerlijst van *The New York Times* zullen kopen. Zelfs de nieuwste manifestatie van het boek, het elektronische boek, is een soort verwerping van het boek als een fysiek werk dat een imposant fysiek verblijf waard is.

In HVS staan talloze verwijzingen naar verloren woorden, verloren boeken en de verloren wijsheid uit de oudheid. We kennen allemaal het verontrustende verhaal over de brand in de bibliotheek van Alexandrië, waarbij een groot deel van de fysieke opslagplaats van kennis voor de wereld verloren is gegaan, die pas in de renaissance weer werd teruggewonnen. (Een groot deel van Thomas Jeffersons oorspronkelijke collectie in de Library of Congress is door brand verwoest; hetzelfde geldt voor de papieren van James Smithson in de beginjaren van het Smithsonian.) HVS is vervuld van een gevoel van verlies en terugverlangen naar een gouden, wijzere tijd – en ook van de aanmoediging om die verdwenen tradities te doen herleven.

Maar laten we nu dit in overweging nemen: drie van de grootste en duurzaamste cultuurverschijnselen van de afgelopen tien jaar zijn uit de boekenwereld voortgekomen via Dan Brown, J.K. Rowling en Stephenie Meyer. Heeft de filmwereld de afgelopen tien jaar iets voortgebracht wat zelfs maar in de buurt komt van de invloed van deze drie auteurs? Het is zelfs zo dat in de bioscopen de vijf grootste kassuccessen aller tijden en de vijf grootste kassuccessen van het jaar in de afgelopen tien jaar op boeken zijn gebaseerd. In de muziekwereld is er niets wat zelfs maar in de buurt komt. Vreemd genoeg werd in de nasleep van de dood van de zanger Michael Jackson, de King of Pop, zijn cd *Thriller* vaak genoemd vanwege het fenomenale aantal van zestig miljoen verkochte exemplaren wereldwijd. Maar van Dan Browns *De Da Vinci Code* zijn er minstens twintig miljoen exemplaren meer verkocht.

Natuurlijk zijn er televisieprogramma's die regelmatig een groter publiek trekken dan er mensen boeken van die auteurs kopen. Stephenie Meyers *Twilight*-serie heeft ongeveer hetzelfde aantal lezers (hoewel dat aantal nog steeds spectaculair stijgt) als een programma als *America's Got Talent* kijkers heeft. Er zijn trouwens meer mensen die *G.I. Joe: The Rise of Cobra* hebben gezien dan die het nieuwste Harry Potter-boek hebben gekocht. Maar hoeveel van hen hadden het een week later (of zelfs een uur later) nog over die andere vormen van vermaak? We weten dat lezers willen blijven praten over Bella en Edward of Harry en Voldemort, of Robert Langdon en welke slimme vrouwelijke partner hem op zijn avontuur ook vergezelt. Men zou dus kunnen aanvoeren dat boeken in de afgelopen tien jaar een grotere invloed op de volkscultuur hebben gehad dan elke andere creatieve kunstvorm.

De toekomst ziet er voor boeken dus misschien niet zo somber uit als sommigen vrezen, al is die ongetwijfeld onzeker. Om die reden is het waarschijnlijk gunstig dat Dan Brown, afgezien van alle andere ideeën in HVS, op goede grond eer bewijst aan het geschreven woord. En tot dat eerbetoon behoort het afschilderen van het weelderigste heiligdom van het boek: de Library of Congress.

8

Kryptische tekens...

Kunst, symbolen en codes

Verborgen aanwijzingen in cirkels en vierkanten
Kunst en symbolen in Het Verloren Symbool

door Diane Apostolos-Cappadona

In zijn twee eerdere bockcn over Robert Langdon gaf Dan Brown niet alleen blijk van zijn kennis van de alternatieve geschiedenis, esoterische codes en symbolen, complotten en het schrijven van thrillers, maar wilde hij zijn lezers ook duidelijk laten merken dat hij ambities heeft als innovatief kunsthistoricus. Kunst vervult onmiskenbaar een belangrijke taak in *Het Verloren Symbool*. Brumidi's *De apotheose van Washington* speelt met het thema van de heilige band tussen de mens beneden en god boven en met de inventieve kracht van de geest op aarde die door de godheden is gezegend. Dürers *Melencolia I*, op zichzelf al sterk symbolisch, speelt in het boek een wat minder verheven rol. De bijdrage ervan wordt min of meer gereduceerd tot het magische vierkant in de ets, dat onze held op weg helpt naar de volgende uitdaging die hem te wachten staat. Maar volgens Diane Apostolos-Cappadona verschilt dit boek van de vorige. Brown lijkt er in HVS voor terug te schrikken zijn eigen interpretatie van de kunst te geven – door zelfs feiten te verzwijgen die deze keer duidelijk te zien zijn.

Diane Apostolos-Cappadona is adjunct-professor religieuze kunst- en cultuurgeschiedenis aan de universiteit van Georgetown. Er is wel beweerd dat zij degene is die in de academische wereld het dichtst in de buurt komt bij een echte 'symboliekdeskundige', althans wat betreft de verbanden tussen kunst en de mythen en tradities die erdoor tot uiting worden gebracht. We vroegen haar mening over de kunst in *Het Verloren Symbool*, waaronder de Brumidi, de Dürer en een derde kunstwerk dat eveneens in het boek aan de orde komt: het beeld van George Washington, gemaakt door Horatio Greenough. Een vierde werk, *De drie gratiën*, geschilderd door Michael Parkes, wordt door de kunstenaar zelf besproken in het vraaggesprek erna.

Het gebruik van kunst voor zijn verhaal is een handelsmerk van Dan Brown. Zijn interpretaties mogen controversieel zijn geweest, maar hij heeft ons wel met een frisse blik en met heel andere ogen laten kijken naar Leonardo da Vinci's *Het Laatste Avondmaal* in *De Da Vinci Code* en Gianlorenzo Bernini's *De extase van Teresa* in *Het Bernini Mysterie*. Ook in *Het Verloren Symbool* speelt kunst een rol, zij het een wezenlijk andere, die het waard is om over na te denken. In de eerdere boeken heeft Brown zijn plots georganiseerd rond 'geheime codes' die in de kunstwerken van één enkele meester waren verwerkt. In HVS is geen sprake van een centraal kunstwerk of slechts één kunstenaar wiens symbolen moeten worden ontcijferd om het raadsel op te lossen, de heldin te redden of de wereld voor een dreigende ramp te behoeden. Deze keer maakt Brown gebruik van het werk van vier verschillende kunstenaars met uiteenlopende achtergronden: Constantino Brumidi, Horatio Greenough, Albrecht Dürer en Michael Parkes. Ieder van hen drukt zich uit in een ander medium en ieder speelt een rol in het verhaal, hoewel de een belangrijker is dan de ander. Wat zou het verband tussen hen kunnen zijn? Gezien Browns slimme gewoonte om betekenislagen aan te brengen, ligt het voor de hand dat dit een manier is om zijn thema *E pluribus unum*, 'uit velen, een', te benadrukken.

Brumidi en Greenough: symbolische gebaren

Constantino Brumidi's *De apotheose van Washington*, het koepelfresco in het Capitool, is het enige kunstwerk waarvan men zou kunnen zeggen dat het bij *Het Verloren Symbool* een centrale rol speelt, aangezien het de alfa en de omega van esthetische en inspirerende waarde is (hoofdstuk 21 en de epiloog). Net als het beeld *Washington op de troon* van Horatio Greenough, dat ook in het boek ter sprake komt, zijn Brumidi's fresco's sterk beïnvloed door de neoklassieke stijl, een mengeling van Griekse, Romeinse en renaissancistische elementen, afgestemd op de Amerikaanse verlichtingsidealen van rechtvaardigheid en democratie, het gemoderniseerde antropocentrische universum van Athene, Rome en het renaissancistische Florence, de vereniging van godsdienst en wetenschap, en het heroïsche kaliber van de leiders – in dit geval George Washington, die werd geëerd als eerste president en als 'vader van de natie'.

Constantino Brumidi, die wel eens 'de Michelangelo van het Capitool' is genoemd, was geschoold in fresco's, tempera en olieverf. Voordat hij naar Amerika emigreerde, had hij naam gemaakt door een deel van de loggia van Rafaël in het Vaticaan te restaureren – een reeks magnifieke

De apotheose van Washington *van Constantino Brumidi (1865)*.
Foto: Julie O'Connor

fresco's voor het publieke gedeelte van de diplomatieke vertrekken van de pauselijke appartementen, waaronder de beroemde *School van Athene* (die de rede en de wetenschappen symboliseert) en het *Dispuut over het Heilig Sacrament* (dat het geloof en de godsdienst voorstelt). Brumidi had ook kunstwerken voor Romeinse paleizen gemaakt, waarbij hij een gedegen kennis van de grote meesters van de renaissance had opgedaan.

Na een werkbezoek aan Mexico in 1854 onderbrak Brumidi zijn terugreis in Washington, waar hij vernam dat er een kunstenaar werd gezocht om voor de uitbreiding van het Capitool en de koepel fresco's te ontwerpen en ze aan te brengen. Wat er toen volgde is een verhaal van politieke intriges, samenzweringen, onderlinge strijd en bureaucratische rompslomp, dat werd geaccentueerd door de vrijwel dagelijkse drama's van het werken aan een overheidsopdracht tijdens de Burgeroorlog.

De bouwopzichter van het Capitool, kapitein Montgomery C. Meigs, had te kennen gegeven dat hij voor het interieur van het gebouw de glorie van de loggia van Rafaël wilde herscheppen. Meigs had Brumidi al eerder een paar kleine opdrachten gegund en wist dat de kunstenaar goed geschoold was in de klassieke en renaissancistische frescotechnieken en beeldtaal die door Rafaël waren gebruikt. Zodoende kreeg Brumidi in 1862 officieel de opdracht om het 433 vierkante meter grote gewelf in het oog van de koepel van het Capitool te bedekken met een fresco ter ere van George Washington.

De eerste uitdaging voor Brumidi was het ontwerpen van een tafereel dat harmonisch aansloot bij de bestaande historische schilderingen op de omringende muren. De tweede was de dubbele taak om een ontwerp samen te stellen met beelden en thema's die vanuit alle ingangen en standpunten onder de Rotunda duidelijk zichtbaar waren en die zowel vanaf de vloer, 55 meter lager, als vanaf de dichterbij gelegen omloop konden worden bekeken.

Brumidi was een bewonderaar van Horatio Greenough, wiens neoklassieke sculptuur *Washington op de troon* in het midden van de vloer van de Rotunda werd geplaatst toen ze in 1849 was voltooid. Ongeacht de waarde ervan als inspirerend kunstwerk werd Greenoughs gebeeldhouwde voorstelling van Amerika's nationale held in een klassieke naakte pose – met ontbloot bovenlijf en zijn onderlichaam en benen bedekt met een klassiek gewaad – door het publiek niet goed ontvangen. In 1853 werd het beeld verbannen naar het gazon van de oostvleugel van het Capitool, en later naar een nog onopvallender plek in het National Museum of American History, waar het zich nog steeds bevindt.

Brumidi sloeg een andere artistieke richting in. Hij beeldde Washington uit als Zeus, maar gekleed in militair uniform als aanvoerder van het

Revolutionaire Leger, wat vooral veelbetekenend was vanwege de Burgeroorlog die destijds woedde. Hij bracht de Amerikaanse nationale held en eerste president in verband met de helden van het klassieke Griekenland en Rome door een lavendelkleurige doek over Washingtons onderlichaam en benen te laten rusten bij wijze van klassiek gewaad. Bovendien beeldde Brumidi een in de schede gestoken zwaard af in Washingtons opgestoken linkerhand, als gebaar van gezag in plaats van de suggestie van overgave die het beeld van Greenough wekte.

Zoals ook in zijn eerdere Langdon-boeken speelt Brown net zozeer met de discrete symboliek van gebaren als met de openlijke symboliek van getallen, kleuren en voorwerpen. Greenoughs *Washington op de troon* stond oorspronkelijk op de vloer van de Rotunda, direct onder de koepel waarop Brumidi zijn fresco zou schilderen. De beeldhouwer had Washington laten poseren met zijn rechterarm opgestoken in het gebaar van de wijzende hand, zoals Brown het noemt. Brumidi was hiervan op de hoogte en stelde zijn Washington op in een neerwaarts gerichte pose vlak boven dezelfde plek, als blijk van verering en ter verwelkoming van het eerdere beeld.

Het resultaat is dat de figuur op het plafond door de schilder zorgvuldig zodanig is opgesteld dat er een vorm van communicatie ontstond met het beeld dat ooit op de vloer eronder heeft gestaan en, intrigerend genoeg, met de vloer dááronder, een ruimte die aanvankelijk was bestemd als de plek voor Washingtons graf.

Brown maakt dit alles nog pikanter door Peter Solomons afgehakte rechterhand met hetzelfde omhoog wijzende gebaar op bijna precies dezelfde plek op de vloer van de Rotunda te plaatsen als waar Greenoughs beeld had gestaan (hoofdstuk 10). Dat leidt tot een enigszins bizarre samenloop van omstandigheden, want Solomons afgehakte hand wijst omhoog naar Brumidi's Washington, die op zijn beurt omlaag wijst naar Greenoughs Washington en nog lager naar Washingtons lege graf daaronder.

Of de omhoog wijzende vinger nu van Greenough of van Solomon is, de aandacht wordt gevestigd op een koepelfresco dat lijkt op het beroemde *De apotheose van Sint-Geneviève* op de koepel van het Panthéon in Parijs, een kunstwerk dat tegelijkertijd religieus en historisch van aard is. Brumidi was zeer goed bekend met klassieke en christelijke voorstellingen van de apotheose, waarbij de belangrijkste visuele aanwijzing was dat de figuren langs de omtrek moesten worden opgesteld alsof ze aan de grond waren 'verankerd', terwijl de persoon die werd verheerlijkt naar de hemel opsteeg.

In onze eenentwintigste-eeuwse ogen doet Brumidi's ontwerp misschien iconografisch verwarrend aan. Net als Langdons leerlingen of CIA-directeur Inoue Sato en Trent Anderson, het hoofd van de politie-eenheid van het Capitool, worden we wellicht van ons stuk gebracht door de combinatie van historische personages en goden, vooral met het etiket 'apotheose', dat Brown simplistisch categoriseert als een proces van vergoddelijking. De traditie van apotheose, die in de koepel van het Capitool bijzonder goed wordt geïllustreerd, geeft aan dat een individu wordt verheerlijkt als een ideaal van patriottisme, waarheid en plichtsbesef. In het algemene visuele en culturele vocabulaire van het midden van de negentiende eeuw was het heel gebruikelijk om abstracte ideeën zoals morele moed af te beelden als een herkenbare persoon of mythologische god, en ook om ze stevig te verankeren in de echte wereld die ze hadden achtergelaten – in dit geval met een selecte groep Amerikaanse uitvinders, financiers, filosofen en leiders, die tevens waren uitgekozen om de toekomst te vertegenwoordigen.

In Brumidi's fresco wordt een gouden hemel in het midden omgeven door een enigszins driehoekige kring van figuren waartoe ook Washington zelf behoort. Aan de omtrek van de koepel zijn in de buitenste kring zes scènes of segmenten afgebeeld – *Oorlog, Wetenschap, Scheepvaart, Handel, Techniek* en *Landbouw* – waarin de idealen uit de klassieke oudheid en de renaissance in verband worden gebracht met Amerika in een visueel samenspel van de creatieve wetenschappen en pragmatisme.

In de binnenste kring wordt Washington door vrouwenfiguren omringd. Bij zijn uitgestrekte hand zit Vrijheid, met haar rode 'vrijheidsmuts' op en in haar hand de *fasces*, een bundel roeden waaruit het blad van een bijl steekt, een oud symbool waarmee werd aangegeven dat de Romeinse magistraten het recht hadden een vonnis uit te spreken. Naast Washingtons opgestoken linkerhand zit Overwinning/Roem, met een lauwerkrans op haar hoofd en een palmtak in haar hand (het teken van vrede dat te vergelijken is met Washingtons zwaard in de schede). Ze verkondigt zijn apotheose met haar trompet. Het Bijbelse teken van Gods vrede, een regenboog, bevindt zich onder zijn voet. Zo, gezeten tussen Vrijheid en Roem, is Washington onmiddellijk herkenbaar als militair leider en vredestichter tegelijk. De overige figuren in deze binnenkring zijn dertien maagden, ieder met een ster boven haar hoofd, die de dertien oorspronkelijke koloniën vertegenwoordigen. Zes van deze dames hebben hun rug naar Washington gekeerd, om de staten te symboliseren die zich tijdens de Amerikaanse Burgeroorlog van de Unie van Noordelijke Staten hadden afgescheiden. Helemaal in het midden van de binnenkring prijken een grote zonneschijf en een vlag met de tekst *E pluribus unum* – nog een aanwijzing dat dit fresco met Dan Browns thema te maken heeft.

Van de zes segmenten aan de onderste buitenrand ligt *Oorlog* vlak onder Washingtons voeten. Hierin is een figuur afgebeeld met een getrokken zwaard in haar opgestoken rechterhand geklemd en een rood-wit gestreept schild in haar linkerhand. Ze draagt een helm die bezaaid is met witte sterren. Ze wordt vaak met Columbia vereenzelvigd en is een voorloopster van Lady Liberty. Ze wordt vergezeld door de adelaar, de mythologische metgezel van Zeus en symbool voor de nieuwe natie, en vertrapt de symbolische figuren van de Tirannie en Koninklijke Macht. Ook hier houdt Brumidi zich aan de renaissancistische conventie door eigentijdse figuren herkenbaar af te beelden, in dit geval Jefferson Davis en Alexander H. Stephens, de pas verslagen leiders van de Confederatie. Daarna volgt *Wetenschap*, afgebeeld als Minerva, de godin van de wijsheid, oorlog en kunsten, met haar helm en speer. Ze wordt omringd door Amerikaanse uitvinders, onder wie Benjamin Franklin, Samuel F.B. Morse en Robert Fulton, en door uitvindingen zoals de elektrische generator en de drukpers.

Dan komt *Scheepvaart*, waarin de figuur in het midden, Neptunus, de god van de zee, te herkennen is aan zijn drietand en zijn schelpvormige wagen, voortgetrokken door zeepaarden. Hij wordt vergezeld door Venus, de godin van de liefde, die uit zeeschuim is geboren en die hier is afgebeeld tijdens het leggen van de trans-Atlantische kabel (een verwijzing naar een historische gebeurtenis uit de tijd van dit fresco). Bij *Handel* zien we Mercurius, de god van de handel, herkenbaar aan zijn gevleugelde sandalen en hoed. Met zijn rechterhand dirigeert hij mannen die een kist op een karretje aan het sjorren zijn en met zijn linkerhand biedt hij Robert Morris, een financier van de Amerikaanse Revolutie, een zak geld aan.

Een zeeman en een anker voeren ons naar *Techniek*. Daar staat Vulcanus, de god van de smidse, met zijn rechterhand op zijn aambeeld. Om hem heen zijn een stoommachine en oorlogstuig te zien. Het zesde en laatste segment, dat symbolisch 'aan het eind van de regenboog' ligt, is *Landbouw*, gepersonifieerd als Ceres, de godin van de landbouw, gezeten op een McCormick-maaier, een nieuwe uitvinding. 'Jong Amerika' staat bij het eind van de regenboog en houdt de teugels van vurige paarden vast.

Zoals de kunstenaars en filosofen uit de renaissance zichzelf beschouwden als de leiders van een nieuwe wereldorde van een herboren Athene en Rome, zo wierpen de politici en filosofen van de Amerikaanse verlichting zich op als de 'ware opvolgers' van de klassieke en renaissancistische tradities in hun nieuwste en edelste verschijning: Amerika en zijn voornaamste onsterfelijke, George Washington. Hun motto werd *E pluribus unum*, dat gewoonlijk wordt vertaald als 'uit velen, een' of 'een uit velen', waarmee de eenheid van de Verenigde Staten wordt bedoeld.

Gezien de ongelijksoortige aard van de kunstwerken waarvan Brown gebruikmaakt in *Het Verloren Symbool*, zijn toenemende belangstelling voor de vrijmetselaars en zijn streven om godsdienst en wetenschap weer met elkaar in evenwicht te brengen, stuurt hij misschien aan op een herleving van wat door filosofen, theologen en historici *philosophia perennis* wordt genoemd. Vrij vertaald is dat 'eeuwige filosofie', een begrip dat in de zestiende eeuw is ontstaan en dat aan het begin van de twintigste eeuw opgang maakte. Volgens de eeuwige filosofie zijn er weliswaar veel godsdiensten, maar worden ze allemaal geschraagd door één constante heilige waarheid, namelijk de ene God. Het idee is eenvoudig en houdt zowel verband met de verscheidenheid aan visuele symboliek die moet worden 'gedecodeerd' in *Het Verloren Symbool* als met de ontknoping van het boek, wanneer Katherine Langdon eraan herinnert dat God meervoud is 'omdat de geesten van de mensheid meervoud zijn' (hoofdstuk 133). 'Uit velen, een.'

Dürers *Melencolia i*: deze keer is het wél een vrouw

In hoofdstuk 66 tot en met 70 verwijst Dan Brown in zijn verhaal naar een van de meer ondoorgrondelijke gravures van de Duitse renaissancemeester Albrecht Dürer (1471–1528). In *Melencolia i* onderzoekt de kunstenaar de relatie tussen artistieke creativiteit, wetenschappelijk onderzoek en ambachtskunst. Naast de 'spirituele' inspiratie die Langdon uit het fresco van Brumidi put, vindt hij hierin de aanwijzing die hem fysiek in beweging houdt op jacht naar het Verloren Woord.

Het is echter merkwaardig dat Brown, ondanks de kennis die hij claimt te hebben van de kunstgeschiedenis, ervoor kiest enkel de 'verhulde' alchemistische en wiskundige symbolen in Dürers gravure te benadrukken, terwijl eigenlijk de betekenis van de hele figuur en de omgeving sterk symbolisch is. Nog verbazender is het dat Dan Brown, die in *Het Laatste Avondmaal* ontdekte dat Maria Magdalena aan de rechterhand van Jezus verscholen zat en die zo'n voorvechter van het heilig vrouwelijke is geweest, Melencolia verkeerd interpreteert als een mánnenfiguur.

In Dürers *Melencolia i* zijn in een gravure van bijna miniatuurformaat (de afmeting van de plaatafdruk is slechts 31 bij 26 cm) verschillende klassieke en renaissancistische tradities verwerkt. Hij omringt Melencolia bijvoorbeeld met de destijds bekende gereedschappen van de meetkunde en de architectuur, waaronder het magisch vierkant dat door Langdon en Katherine Solomon wordt gedecodeerd, een afgeknot rhombohedron waarop heel vaag een menselijke schedel is afgebeeld, een zandloper waarvan de tijd bijna is verstreken, een lege weegschaal, een geldbuidel en sleutels, een komeet en een regenboog in de lucht, een zwaarmoedig genie in het gezelschap van een putto, en links onderaan op de voorgrond een liggende hond. Deze details zijn door talloze mensen op verschillende manieren geïnterpreteerd, onder anderen door de grote meester van de verborgen symboliek, Erwin Panofsky. Door de rijke symboliek werd de gravure in 2006 ook gekozen als de belangrijkste afbeelding van een internationale expositie over het thema melancholie, waaronder werken van grote meesters, van Breughel via Picasso tot Edward Hopper.

De aanwezigheid van de zelden besproken vleermuis in de gravure suggereert een contrast tussen 'donkere' en 'edele' melancholie (gesymboliseerd door de hond en de putto) – een contrast dat de waarnemer eraan herinnert dat symbolen interpreteren vaak verraderlijk werk is. Melencolia houdt immers het meest betekenisvolle werktuig in de gravure – een passer – precies in het midden van de compositie vast. Hoewel dit instrument door alle architecten en meetkundigen wordt gebruikt, verwijst het voor iedereen die bekend is met de middeleeuwse kunst en theologie, zoals Dürer dat was, naar de ultieme scheppingsdaad: de vorming van het universum door God.

Vanwege de verschillende manieren waarop deze gravure kan worden geïnterpreteerd, heeft ze andere kunstenaars en denkers altijd bijzonder geïntrigeerd en beïnvloed. Een andere beroemde Duitse renaissancekunstenaar, Lucas Cranach de Oude, heeft in 1553 zijn eigen versie van *De Melancholie* geschilderd. Het is duidelijk herkenbaar als een visueel citaat uit Dürers gravure, van haar houding en kleding tot haar haren en van haar vleugels tot de passer die ze met beide handen vasthoudt. Bijna 65 jaar later schilderde de Italiaanse barokkunstenaar Domenico Fetti zijn eigen raadselachtige variatie op Dürers thema, *Melancholie* (ca. 1618), waarin zijn knielende vrouwenfiguur vaak verkeerd wordt geïnterpreteerd als een boetvaardige Maria Magdalena – een figuur met wie Brown niet onbekend was.

In Dürers gravure neemt Melencolia de klassieke houding van bespiegeling en het gebaar van droefheid aan, piekerend over de 'ongelijksoortige en bizarre verzameling voorwerpen' om háár heen. Er is geen twijfel aan dat dit een vrouwenfiguur is, maar het is mogelijk dat Brown Melencolia verkeerd identificeert als een mannelijke figuur omdat hij, net als in *De Da Vinci Code*, kennelijk gender met geslacht verwart. Gender is cultureel bepaald, dus wat in de zestiende eeuw als mannelijk of vrouwelijk werd beschouwd, wordt in de eenentwintigste eeuw misschien niet op dezelfde manier opgevat. Sekse, daarentegen, is eenvoudiger vast te stellen, omdat die lichamelijk en biologisch is en geen veranderingen in mode, gewoonten en haardracht weerspiegelt. Kijk naar de welving van haar schouders en de mildheid van haar gezicht, en bedenk dat de Gratiën, de Muzen en de ziel in het klassieke Grieks en Latijn allemaal vrouwelijk waren. Overweeg bovendien het feit dat in de klassieke wereld – waarover Dürer veel wist – de nacht, met zijn duistere vermogen tot het opwekken van dromen, beelden en gevaar, als vrouwelijk en verlossend werd beschouwd.

Melancholia, de legendarische dochter van Saturnus (Cronus), stond bekend om haar introspectieve aard. Ze was de vrouwelijke belichaming van sombere overdenking in de klassieke mythologie. Dürers Melencolia zit erbij als een kunstenaar tijdens het dieptepunt van het scheppingsproces, wanneer alles somber, ontmoedigend en onmogelijk lijkt, maar er elk ogenblik actie kan losbarsten, zoals het kind uit de moederschoot wordt uitgedreven, wanneer de blokkade wordt opgeheven. Dan Brown suggereert dat Dürers figuur wanhopig is omdat ze niet in staat is de verlichting te bereiken en geheime kennis te verkrijgen, zoals de alchemist die de steen der wijzen maar niet kan vinden. Anderen hebben in de voorwerpen om haar heen maçonnieke, alchemistische en psychologische symbolen gezien.

Over de vraag of deze verborgen betekenissen juist zijn, kan men blijven speculeren en discussiëren, en deze kwestie zal de geleerden voorlopig nog wel bezighouden. Ook Melancholie zelf blijft altijd boeiend; zoals de Deense filosoof Søren Kierkegaard opmerkte: 'Mijn zwaarmoedigheid is de trouwste minnares die ik heb gekend. Geen wonder dat ik ook haar bemin.'

Venus, de drie gratiën en een toegangspoort naar een goddelijke wereld

een interview met Michael Parkes

Op een gegeven moment wordt Katherine Solomon in *Het Verloren Symbool* geconfronteerd met 'een groot doek met de drie gratiën, wier naakte lichamen op spectaculaire wijze in heldere kleuren waren afgebeeld'. Mal'akh – die zich voordoet als Peter Solomons psychiater, dokter Abaddon – vertelt haar dat dit 'het originele olieverfschilderij van Michael Parkes' is. Hoewel we het op dat moment nog niet weten, blijkt later dat achter het schilderij de geheime toegang schuilgaat naar Mal'akhs mystieke – en snode – laboratorium. Wat we op dat ogenblik evenmin beseffen en zonder enig speurwerk nooit zouden kunnen weten, is dat Michael Parkes een bestaande, levende Amerikaanse kunstenaar is. Hij wordt wel de beste vertegenwoordiger van het magisch realisme in de hedendaagse schilderkunst genoemd en is door de kunstcriticus van de *London Times* vergeleken met een moderne combinatie van Botticelli, Tiepolo, Dalí en Magritte.

Parkes woont in Spanje en schildert vaak beelden met mystieke, esoterische, droomachtige en surrealistische thema's. Hij hoort duidelijk bij een groeiende beweging van kunstenaars die de kracht en mystieke uitstraling van de vrouwelijke creativiteit, intuïtie en spiritualiteit willen vastleggen. In 2007 was Parkes de eregast bij de internationale tentoonstelling 'Venus and the Female Intuition', die zowel in Denemarken als in Nederland te zien is geweest.

Dan Burstein nam contact op met Michael Parkes in Spanje en sprak met hem over zijn ongewone schilderij *De drie gratiën* en de rol die het in *Het Verloren Symbool* speelt. De afbeelding is hier gereproduceerd met toestemming van Michael Parkes en zijn uitgeverij Swan King Editions, LLC.

Dan Brown heeft in de jaren tachtig van de vorige eeuw als student kunstgeschiedenis in Spanje gewoond, en later in de jaren negentig opnieuw met zijn vrouw Blythe, die kunstenares is. U hebt de afgelopen veertig jaar de he-

le tijd in Spanje gewoond en gewerkt... Hebt u Dan en Blythe destijds ont-
moet?

Nee. Ik heb Dan en Blythe nooit ontmoet.

Er zijn enkele onmiskenbare overeenkomsten tussen uw werk en dat van Dan
Brown: in uw schilderijen legt u veel nadruk op symbolen, er zijn tal van vi-
suele en psychologische toespelingen op oude mystieke thema's in uw werk; u
bent duidelijk geïnteresseerd in mystieke verwijzingen naar Venus en het hei-
lig vrouwelijke, net als Brown... Het ligt dus voor de hand dat hij in uw werk
geïnteresseerd is. Maar dan komt u op een dag in september 2009 tot de ont-
dekking dat er in de nieuwe thriller van Dan Brown rechtstreeks naar De
drie gratiën *wordt verwezen als 'het originele olieverfschilderij van Michael*
Parkes'. Uw schilderij is slechts een van een handvol specifieke kunstwerken
die bij naam worden genoemd. Een van de andere is Dürers Melencolia 1.
Hoe vond u dat?

Het was best intrigerend om te ontdekken dat de Dürer er ook in staat. Ik
heb een achtergrond in de druktechniek. Met schilderen ben ik pas na
mijn studie begonnen. De afbeelding die op mij als student de grootste
indruk heeft gemaakt, was *Melencolia 1* van Albrecht Dürer. Ik vond het
een schitterende, surrealistische prent, vol emotie. Overal op de gravure
wordt de suggestie gewekt dat er nog veel meer achter zit... Dus ja, ik vond
het bijzonder interessant om mijn werk naast dat van Dürer aan te treffen.

Uw schilderij wordt in het huis van dokter Abaddon in de wijk Kalorama
Heights van Washington voor een bepaald doel gebruikt. Dokter Abaddon
blijkt de schurk Mal'akh in vermomming te zijn. Hij bewondert het schilde-
rij en het is duidelijk een van zijn favoriete bezittingen. Maar hij gebruikt
het ook als de verborgen ingang naar de martelkamer, het vertrek van dood
en verderf dat erachter ligt. (Overigens is Abaddon afgeleid van een He-
breeuwse verwijzing die 'plaats van vernietiging' betekent.) Ziet u een spe-
ciale symbolische betekenis in uw afbeelding voor de ideeënwereld die in Het
Verloren Symbool *aan de orde komt?*

Ik heb geen idee waarom het juist in het huis van de schurk wordt genoemd in plaats van op een andere plek in het verhaal. Maar wat betreft
de aanwezigheid van het schilderij in het boek als geheel vind ik het persoonlijk wel logisch, omdat het zonder meer een soort 'poort'-schilderij
is, en er in het boek vaak gesproken wordt over toegangspoorten en doorgangen naar een bovennatuurlijke wereld.

De drie gratiën *(2004) van Michael Parkes.*
Copyright 2004 Michael Parkes

Kunt u ons iets vertellen over uw denkproces toen u De drie gratiën *schilderde?*
De drie gratiën worden altijd in verband gebracht met Venus (of Aphrodite, als je de Griekse naam wilt gebruiken). Door de hele kunstgeschiedenis heen neemt Venus verschillende niveaus of lagen van betekenis aan. In de renaissance heb je schilderijen met Venus als sensueel naakt. In zulke beelden worden de drie gratiën voorgesteld als dienaressen van een hedonistische Venus, waarmee de thema's begeerte en bevrediging worden benadrukt.
Op het volgende niveau wordt Venus een iets nobelere figuur. Dan vertegenwoordigt ze menselijke liefde, liefde voor de mensheid, harmonie, eenheid en dergelijke. Ze wordt niet langer als sensueel afgebeeld, maar als een meer humanitaire figuur. De drie gratiën worden dan vaak in verband gebracht met kuisheid, schoonheid en harmonie of platonische liefde.
Plato suggereerde dat het verband van Venus met seksuele aantrekkingskracht irrelevant is. Waar het bij Venus om draait, is dat ze iets symboliseert wat hij 'humanitas' noemde, met andere woorden: de Venus die de mensheid orde, harmonie en schoonheid schenkt. En dan heb je nog het andere niveau, namelijk Venus de spirituele gids, die goddelijke liefde biedt.
Wat mij vooral interesseerde was het gebied tussen de humanitaire Venus en de Venus van de goddelijke liefde. In die rol lijkt Venus op een intuïtieve raadsvrouw die hoge idealen en de schoonheid van de kunsten koestert. Op die manier worden de drie gratiën de muzen van de kunst, de literatuur en de muziek, waarmee je weer een trapje hoger komt. Als je dat stijgende pad blijft volgen, kom je uit bij wat Plato de Venus Urania noemde, dat wil zeggen: 'hemelse Venus', goddelijke liefde.
Daar komt het idee van de toegangspoort in mijn schilderij *De drie gratiën* vandaan. Alles waar ik het tot nu toe over heb gehad – de drie verschillende stadia van interpretatie van Venus en de drie gratiën – is een normale filosofische discussie. Maar dan bereik je het punt van goddelijke liefde en gaat de deur dicht, omdat je dan op het niveau van esoterische kennis bent beland. En daarom moet je in de esoterische legende van Venus duiken om te kunnen vastleggen wat er achter de sluier aan de hand is.

En wat treffen we aan als we door die toegangspoort gaan?
In verschillende esoterische teksten wordt Venus in verband gebracht met de energie van de goddelijke schepping of de vrouwelijke actieve schepping. Dus dan heb je een godheid die een energie symboliseert die vanaf

het hoogste niveau door de subtiele fysieke niveaus heen afdaalt en bij de meest compacte materie op het aardse niveau uitkomt. En ze brengt schoonheid en orde met zich mee naar een aards niveau waar totale chaos heerste. Ze schept dus orde uit chaos.

Of zoals Dan Brown het omschrijft in Het Verloren Symbool: *een van de belangrijkste maçonnieke grondregels is* 'ordo ab chao' – *orde uit chaos in het Latijn.*

Ja. En naarmate Venus door de niveaus afdaalt, kun je je voorstellen dat die subtiele, goddelijke energie afdaalt in de compacte materie die almaar compacter en zwaarder en donkerder wordt. In de esoterische teksten die ik heb gelezen zijn de drie gratiën in feite bewaaksters van de drie laatste poorten die voor Venus worden geopend om naar de aarde af te dalen.

Nogmaals, het is niet zo vreemd na De Da Vinci Code, *waarin het heilig vrouwelijke en de rol van de godin in de prehistorie worden benadrukt, dat Dan Brown uw visie op Venus en de drie gratiën van belang vindt... Wat vindt u meer in het algemeen van* Het Verloren Symbool? *Wat vindt u er interessant aan, afgezien van het feit dat uw eigen werk erin wordt genoemd?*

Dan Browns nieuwe boek is verschenen op een cruciaal moment van de geschiedenis. Er is inmiddels sprake van een lange geschiedenis van lichamelijke evolutie van de mensheid, maar nu kunnen we ook praten over onze geestelijke evolutie. Zijn basisaanname is dat wij als mensen ook als goden zijn. En dan denk ik: oké, dat is een geweldig idee. Het hele punt is de overgang van de dierlijke naar de goddelijke mens. Dat is de essentie. We hebben in onze evolutie een crisispunt bereikt waarbij we ons spiritueel moeten ontwikkelen om te kunnen overleven. Maar dat kunnen we niet zomaar, zoals een grote boeddhistische meester dat misschien zou kunnen. Onze eigen spirituele verheffing is niet waar het om gaat. Wat nu van belang is, is onze collectieve spirituele ontwikkeling.

Dan wordt het pas echt interessant, angstaanjagend, spannend – allemaal tegelijk, omdat het iets is wat op het lichamelijke vlak nog nooit is gebeurd. Dan Brown zegt zoiets als: jawel, hier en nu. Het geheim is dat het er al is, het gebeurt nu al, dus moet je weten dat er geen terugweg meer mogelijk is. Je moet zeggen: oké, ik moet dit aanvaarden, want er zit echt niets anders op.

Kunst, codering en het bewaren van geheimen

een interview met Jim Sanborn

Cryptische boodschappen die in duurzame materialen zijn gegraveerd, gemaakt om lang bewaard te blijven, dateren van eeuwen geleden. Vele van dergelijke boodschappen zijn ook nu nog leesbaar, zoals de Egyptische hiërogliefen, die pas na de ontdekking en analyse van de Steen van Rosetta in de negentiende eeuw uiteindelijk hun geheimen hebben prijsgegeven. Andere boodschappen zijn nog onopgelost. Tot de beroemdste daarvan behoort de Schijf van Phaistos, een rond kleitablet uit het tweede millennium v.Chr. dat op Kreta is ontdekt. Er staat een 'alfabet' op van 45 verschillende symbolen en 241 tekens die spiraalsgewijs op beide kanten zijn gestempeld. Ook van duizenden oudere voorwerpen uit de bronstijd, waarin het pictografische Indus-schrift uit het Indiase subcontinent is gegraveerd, is de code nog niet gekraakt. Veel andere voorbeelden uit de oudheid stellen zelfs de beste taalkundigen en codebrekers die met moderne software werken nog altijd voor een raadsel.

De beroemdste boodschap uit onze eigen tijd is in het beeld *Kryptos* gegraveerd. Het kunstwerk is gemaakt door de beeldhouwer Jim Sanborn en bestaat uit koperen panelen, rode en groene leisteen, witte kwarts en versteend hout. *Kryptos* is in opdracht gemaakt voor het terrein van het CIA-hoofdkantoor in Langley, Virginia. De verteller van *Het Verloren Symbool* beschrijft het als 'een enorm S-vormig koperen paneel dat op zijn kant stond als een gewelfde metalen muur. In het uitgestrekte oppervlak waren bijna tweeduizend letters gegraveerd... die samen een verbijsterende code vormden' (zie afbeeldingen). Zoals we aan het eind van dit hoofdstuk in het artikel van Elonka Dunin zullen lezen, kan ook *Kryptos* tot die lang bewaarde geheimen uit de geschiedenis worden gerekend. Hoewel de code van drie fragmenten is gekraakt, is het vierde raadsel nog onopgelost, ondanks talloze pogingen door de beste cryptografische koppen ter wereld en hun geavanceerde computerprogramma's.

Jim Sanborn is bekend om zijn wetenschappelijk onderbouwde installaties die de aandacht richten op verborgen krachten. Hij heeft kunstwerken gecreëerd voor grote Amerikaanse musea, de National Oceanic and Atmospheric Administration en het Massachusetts Institute of Technology. Ook heeft hij het op spionage gebaseerde interieur ontworpen voor het restaurant Zola in Washington, dat ironisch genoeg naast het International Spy Museum ligt.

Hier is Sanborn in gesprek met Elonka Dunin, die net als Jim Gillogly en een handjevol andere cryptografen dichter in de buurt is gekomen dan wie dan ook – althans, voor zover bekend – van een oplossing voor een reeks symbolen en codes die zelfs Robert Langdon niet kon ontraadselen. Intrigerend en prikkelend is Sanborns opmerking dat zelfs als het vierde paneel van *Kryptos* wordt gedecodeerd, er misschien nog een 'raadsel binnen een raadsel' overblijft. Hm. Dat klinkt een beetje als *Het Verloren Symbool* zelf.

Hoe bent u op het idee gekomen voor Kryptos?
Toen de Central Intelligence Agency in 1988 een nieuw hoofdkantoor ging bouwen heeft de verantwoordelijke overheidsinstantie, de General Services Administration, voor het CIA-project kunstenaars uitgekozen in het kader van een programma 'kunst in de architectuur'. Het panel heeft het werk van een heleboel kunstenaars beoordeeld en toen mij uitgekozen voor het buitenwerk, deels omdat ik al een reputatie had als maker van openbare kunstwerken en deels omdat mijn werk vaak gaat over verborgen natuurkrachten, zoals het aardmagnetisch veld en de corioliskracht. Het panel vond dat mijn werk met de onzichtbare krachten van de natuur ook kon worden toegepast op de onzichtbare krachten van de mensheid. Dat is misschien wat overdreven, maar het lijkt te zijn geslaagd. Ik heb een halfjaar lang onderzoek gedaan naar de CIA en besloot toen een kunstwerk te maken dat gecodeerd was. Mijn eerste presentatie van *Kryptos* aan het panel werd goedgekeurd.

Is er iemand van de CIA *rechtstreeks betrokken geweest bij de versleuteling voor de sculptuur?*
In de ontwikkelingsfase, toen ik koortsachtig op zoek was naar hulp bij de code, heeft de CIA Ed Scheidt voorgesteld, het vroegere hoofd van het Cryptographic Center van de CIA.

Tijdens de planningsfase van Kryptos *zei u dat u zou samenwerken met een 'prominente fictieauteur'. Wie had u in gedachten?*
Dat was een idee dat bij me opkwam toen ik zat te bedenken hoe ik de

Het beeld Kryptos (1990) bij het hoofdkantoor van de CIA *in Langley, Virginia.*

klare tekst zou gaan schrijven. Ik heb overwogen om iemand in te schakelen, maar van dat idee ben ik al snel afgestapt. Waarom zou ik iemand anders het geheim toevertrouwen? In plaats daarvan besloot ik mijn project in stukken te verdelen, zodat zo min mogelijk mensen de code zouden weten.

Hebt u ook puzzels en versleuteling gebruikt in andere kunstwerken die u hebt gemaakt?
Kryptos was het eerste werk waarvoor ik echte versleuteling heb gebruikt. Een jaar nadat het was onthuld, had ik een tentoonstelling in de Corcoran Gallery in Washington genaamd 'Covert Obsolescence', waar versleutelde werken bij zaten. Enkele andere versleutelde kunstwerken zijn *Binary Systems* bij het IRS Computing Center in West Virginia, *Circulating Capital* bij de Central Connecticut State University, de *Cyrillic Projector* bij de University of North Carolina in Charlotte en nog talloze kleinere werken voor galerieën.

In deel 2 van Kryptos *luidt een gedeelte van de oplossing: 'Wie weet precies waar? Alleen ww.' Sindsdien hebt u gezegd dat dit op William Webster slaat. Kunt u toelichten waarom u zijn initialen in de oplossing hebt verwerkt?*
Hij was de inspirator van het project om voor de CIA kunst in opdracht te laten maken, als een manier om de 'openheid' van de CIA te vergroten.

Is Webster, tevens oud-directeur van de FBI, nodig om het raadsel op te lossen? Heeft hij informatie die daarvoor nodig is?
Alleen in de zin dat hij de aanstichter van Kryptos is geweest.

In deel 2 worden ook lengte- en breedtecoördinaten genoemd. Waar verwijzen die naar?
De coördinaten zijn gebaseerd op een referentiepunt van de United States Geologic Survey, het wetenschappelijke bureau dat tijdens de bouw (1988–1990) ter plekke was. Toen ik dit jaar, 2009, weer naar het beeld ben geweest, zag ik dat de markeerpaal er niet meer was. Ik zag ook dat de omgeving van het gebouw flink is veranderd sinds de installatie in 1990. Sommige gebieden zijn uitgegraven die dat eerst niet waren en de topografie is veranderd.

In deel 2 komt ook de zin voor: 'Het ligt daar ergens begraven.' Hebt u iets op het terrein van de CIA begraven?
Misschien wel, maar misschien ook niet.

Voor de hoofdingang van het nieuwe hoofdkantoor hebt u ook enkele kunstwerken gemaakt met grote granieten platen en boodschappen in morse, zoals 'SCHADUWKRACHTEN', 'T IS UW POSITIE' en dergelijke.
Misschien wel, maar misschien ook niet. Ik kan me bar weinig herinneren van het gedeelte dat ik in morse heb geschreven. Het woord 'schaduwkrachten' kan ik me niet herinneren.

Lopen de morseberichten onder de granieten platen door?
Ja, gedeeltelijk.

Hoe moeten onderzoekers erachter komen wat er in de verborgen delen van de boodschap staat?
Ik heb geen flauw idee.

Hebt u voorzieningen getroffen om de volledige klare tekst op een gegeven moment bekend te maken, bijvoorbeeld op een datum nadat u er niet meer bent?
Een datum om het bekend te laten maken? Nee.

Wanneer hebt u voor het eerst gehoord dat Dan Brown gebruik zou maken van Kryptos?
Ik kwam er voor het eerst achter dankzij een journaliste van Wired.com, Kim Zetter, die een artikel over *Kryptos* schreef dat begin 2005 werd gepubliceerd. In haar artikel las ik dat er op het omslag van *De Da Vinci Code* twee verborgen verwijzingen naar *Kryptos* stonden. De ene bestond uit de breedte- en lengtecoördinaten van deel 2, die er één graad naast zaten. De andere was de boodschap 'Dat weet alleen *ww*.'

Hoe vond u dat?
Alle kunstwerken dienen voor interpretatie vatbaar te zijn. Dat is bijna een definitie van kunst. Iedereen kijkt naar een kunstwerk en heeft er zijn eigen mening over. Maar eerlijk gezegd was ik wel een beetje geërgerd toen ik hoorde dat *Kryptos* voorkwam op het omslag van *De Da Vinci Code*, gewoon omdat ik er niet over benaderd ben.

Hebt u wel eens een boek van Dan Brown gelezen?
Normaal gesproken lees ik liever non-fictie. Maar inderdaad, zodra ik hoorde dat er op het omslag van *De Da Vinci Code* naar *Kryptos* werd verwezen, vond ik dat nodig en het werd me ook aangeraden.

Wat vindt u van Het Verloren Symbool*?*
Ik heb het nog niet uit, maar diverse mensen hebben me gebeld om me
erover te vertellen. Voor zover het over *Kryptos* gaat, lijkt het op een proces van goedmaken.

In het boek wordt gesuggereerd dat Kryptos *maçonnieke boodschappen zou
kunnen bevatten. Bent u vrijmetselaar?*
Nee, ik ben nooit lid geweest van welke broederschap dan ook. Ik sluit me
gewoon niet zo snel aan. Maar vroeger heb ik mezelf wel als een soort
steenhouwer beschouwd, in de oorspronkelijke en oude betekenis van het
woord, dat teruggaat op de steenhouwers die aan archaïsche bouwwerken
zoals de piramides werkten. Ik ben twee keer in Egypte geweest en ben
sterk beïnvloed door wat ik daar zag. Ik heb ook enkele grote sculpturen
van steen gemaakt, waaronder een paar in de vorm van een piramide of
een afgeknotte piramide, zoals *Elk Delta* in Charleston, West Virginia en
Patapsco Delta in Baltimore, Maryland.

*Wat vindt u als steenhouwer van de maçonnieke kunst en architectuur in
Washington D.C.?*
Ik ben uiteraard bekend met de architectuur van Washington D.C. en ge-
niet van de monumentale schaal en de Egyptische elementen. De vrijmetselaars hebben zonder meer een aantal interessante architecturale keuzes
gemaakt. Het café waar ik graag kom, ligt vlak bij het House of the Temple in Sixteenth Street. Ik ben er vaak langsgelopen en heb de sfinxen bewonderd.

Wat is uw volgende project?
Drie jaar lang heb ik gewerkt aan een installatie die *Terrestrial Physics* heet,
een werkende replica van de eerste deeltjesversneller voor uraniumsplij-
ting. Dat experiment was bijzonder belangrijk voor de geschiedenis van
de mensheid, en bovendien vond het in 1939 plaats in mijn geboortestad
Washington D.C. De deeltjesversneller zal in de zomer van 2010 te zien
zijn op de Biennial of the Americas in Denver.

Wat heeft u het meest verrast aan het maken van Kryptos*?*
Dat het zo lang aandacht blijft krijgen in de populaire cultuur. Ik dacht
echt dat het intussen allang afgelopen zou zijn, dus ik ben blij dat het zo
lang aanhoudt. Wel vraag ik me af of de ware betekenis duidelijk zal zijn
als de code eenmaal is ontcijferd. Er is namelijk nog een groter mysterie,
een raadsel binnen een raadsel, en ik weet niet of het ooit helemaal zal
worden begrepen. Dat is prima. Ik denk dat het belangrijk is dat elk kunst-

werk de aandacht van een toeschouwer zo lang mogelijk weet vast te houden.

Kryptos: het onopgeloste raadsel

door Elonka Dunin

Lang voordat Jim Sanborns raadselachtige beeld *Kryptos* buiten het hoofd-kantoor van de CIA in Langley, Virginia, zo bekend was geworden bij het grote publiek, was Elonka Dunin al op het toneel verschenen als de erken-de deskundige ervan. Nog voordat er op het omslag van *De Da Vinci Code* aanwijzingen werden gegeven dat *Kryptos* Dan Browns belangstelling had gewekt, had Dunin op haar website, elonka.com – populair bij codebrekers – al een indrukwekkend aantal feiten verzameld over het beeld en de we-reldwijde pogingen om het te ontcijferen. Ze is ook de auteur van *The Mam-moth Book of Secret Codes and Cryptograms*.

Dan Brown is zelf een bewonderaar van Dunins werk en heeft haar een enorme eer bewezen door haar in *Het Verloren Symbool* op te voeren als No-la Kaye, de hoofdanalist van het Security Office, die de zestien letters tellen-de vrijmetselaarscode oplost voor CIA-directeur Inoue Sato en die aan het eind van HVS geconfronteerd wordt met de tot dusver onbreekbare code die op de *Kryptos*-sculptuur is aangebracht. Dan Brown heeft Dunin zelfs een hint gegeven over zijn keuze van namen, toen hij haar twee weken voor de verschijning van *Het Verloren Symbool* een e-mail stuurde. Daarin stond al-leen een cryptische boodschap die gedecodeerd luidde: NOLA KAYE SAVES DAY (NOLA KAYE BIEDT UITKOMST).

Hier vertelt onze eigen Nola Kaye, Elonka Dunin, onze lezers over de ja-ren die echte cryptografen hebben besteed aan het analyseren van *Kryptos* en waarom slechts drie van de vier lagen codes zijn gekraakt. Ze geeft ook haar mening over Dan Browns fictionele gebruik van *Kryptos* in HVS.

Het Verloren Symbool begint, net als *De Da Vinci Code*, met een pagina 'Feiten':

FEITEN

In 1991 is een document weggesloten in de kluis van de directeur van de CIA. Het document bevindt zich daar nog steeds. De cryptische tekst refereert onder andere aan een oeroude toegangspoort en een onbekende ondergrondse locatie. In het document staat ook de zin: '*Het ligt daar ergens begraven.*'

Kloppen die feiten? Nou, min of meer, in echte Dan Brown-stijl...

Het bedoelde document zit (althans, zat) in een verzegelde enveloppe die de kunstenaar Jim Sanborn op 5 november 1990 aan de toenmalige CIA-directeur William Webster gaf. Dat was ter gelegenheid van de onthulling van de sculptuur *Kryptos*, een kunstwerk met gecodeerde inscripties op het terrein van het CIA-hoofdkantoor in Langley, Virginia, iets ten westen van Washington.

Sanborns kunstwerk voor de CIA bestaat uit verschillende delen, waarvan het bekendste een sculptuur van 3,5 bij 6 meter is op de centrale binnenplaats, met vier grote koperen panelen die in de vorm van een s uit een versteende boomstronk lijken te komen, alsof ze zich ontrollen. Aan de ene kant van het beeld is op twee panelen een versleutelingstabel te zien, een zogeheten Vigenèretableau. Op de twee andere panelen staat een cijfertekst (geheimschrift) van enkele honderden tekens. De enveloppe die Sanborn tijdens de plechtigheid overhandigde, zou de oplossingen van de versleutelde boodschappen bevatten, hoewel hij sindsdien weinig heeft losgelaten over de vraag of de enveloppe daadwerkelijk de hele oplossing bevat. Het is niet bekend waar de enveloppe nu is. Toen Webster er in 1999 naar werd gevraagd, zei hij dat hij zich 'totaal niets' van de oplossing kon herinneren, behalve dat die 'filosofisch en onduidelijk' was.

De opdracht tot het maken van *Kryptos* werd gegeven door de Central Intelligence Agency toen het oorspronkelijke hoofdkantoor van de inlichtingendienst in de jaren tachtig van de vorige eeuw te klein begon te worden. Jim Sanborn, destijds al een bekende kunstenaar in de regio, was een van de kunstenaars die door de General Services Administration werden gekozen om een kunstwerk voor het nieuwe gebouw te maken. Sanborn heeft zich enkele maanden lang verdiept in de geschiedenis van de CIA, waarna hij besloot een sculptuur te maken rond het thema spionage en cryptografie. Hij noemde zijn werk *Kryptos*, het Griekse woord voor 'verborgen'.

Hij werd ook voorgesteld aan Ed Scheidt, een gepensioneerde CIA-medewerker en het voormalige hoofd van het Cryptographic Center van de CIA, die Sanborn diverse historische coderingsmethoden leerde. Vervolgens koos Sanborn persoonlijk de boodschappen in klare tekst uit om te versleutelen en graveerde hij de codes in de sculptuur.

Daarnaast heeft Sanborn nog enkele andere kunstwerken ontworpen voor het CIA-terrein, die zich op twee plekken bevinden: enkele staan op een nieuw aangelegde binnenplaats tussen het oorspronkelijke en het nieuwe hoofdkantoor en andere staan bij de hoofdingang tegenover het nieuwe kantoorgebouw. Tegelijk met het *Kryptos*-beeld heeft hij ook een aantal granieten platen van enkele tientallen centimeters dik geplaatst die schuin uit de grond lijken op te rijzen. Tussen sommige platen zijn boodschappen in morse op koperen platen aangebracht, die Sanborn omschreef als de pagina's van een document. Op een andere plaat is een kompasroos gegraveerd die naar een magneetijzersteen wijst.

Begin 1992 werd in het maart/aprilnummer van het tijdschrift *Cryptogram* een deel van de code van het beeld afgedrukt, waarna de hele versleutelde tekst op internet werd gepubliceerd. De eerstvolgende belangrijke mededeling kwam in 1999, toen informaticus Jim Gillogly uit Californië verklaarde dat hij de eerste drie delen van de sculptuur had opgelost met behulp van een door hem geschreven computerprogramma. Toen de CIA over zijn oplossing werd ingelicht, bleek dat een CIA-analist, David Stein, diezelfde drie delen in 1998 ook al had opgelost met behulp van technieken die slechts pen en papier vereisten, maar dat was alleen intern bekendgemaakt. Een andere Amerikaanse inlichtingendienst, de National Security Agency (NSA, het bureau nationale veiligheid), meldde dat een team van medewerkers eind 1992 de eerste drie delen eveneens stilletjes had opgelost. Maar niemand, noch binnen de overheidsinstellingen, noch daarbuiten, heeft ooit een oplossing voor deel 4 gemeld, dat nog altijd een van de beroemdste onopgeloste codes ter wereld is. (De recentste informatie over het *Kryptos*-raadsel is te vinden op http://www.elonka.com/kryptos.)

In 2003, ruim tien jaar na de onthulling van het standbeeld, ontstond er nog meer publieke belangstelling door de publicatie van *De Da Vinci Code*. In de illustraties op het Amerikaanse stofomslag waren diverse raadsels verborgen die aanwijzingen gaven over Browns volgende boek. Twee daarvan verwezen naar *Kryptos*, namelijk de lengte- en breedtecoördinaten en de zin: 'Dat weet alleen ww.'

De codes

Deel 1 van Kryptos

Het eerste deel van *Kryptos* (door mensen die zich ermee bezighouden aangeduid als K1, d.w.z. K-één) bestaat uit de bovenste twee regels aan de kant van de sculptuur met de cijfertekst:

EMUFPHZLRFAXYUSDJKZLDKRNSHGNFIVJ

YQTQUXQBQVYUVLLTREVJYQTMKYRDMFD

Deze regels zijn versleuteld aan de hand van het Vigenèresysteem, of 'polyalfabetische substitutie', een systeem dat met name in de negentiende eeuw werd toegepast. Er zijn talloze varianten van Vigenèrecijfers, die nog ingewikkelder kunnen worden gemaakt door het aantal en de keuze van sleutelwoorden en de manier waarop het ontcijferingstableau wordt ingedeeld. In het geval van K1 zijn de sleutels die werden gebruikt de woorden KRYPTOS en PALIMPSEST. (Een palimpsest is een perkamentrol die meer dan eenmaal is beschreven, waarbij een deel van het oorspronkelijk geschrevene nog zichtbaar is.) Als deze twee sleutels met het juiste Vigenèresysteem op K1 worden toegepast, verschijnt de klare tekst (de oplossing):

Tussen subtiele schaduw en de afwezigheid van licht ligt de nuance van de iqlusie.

Volgens Sanborn is dit een oorspronkelijke zin die hij zelf heeft geschreven, in zorgvuldig gekozen bewoordingen. Het woord 'illusie' is bewust verkeerd gespeld, hetzij als aanwijzing, hetzij misschien alleen om de code moeilijker te kraken te maken.

Deel 2 van Kryptos

Het tweede deel van *Kryptos* (K2) beslaat de rest van de bovenste plaat met cijfertekst op het kunstwerk:

VFPJUDEEHZWETZYVGWHKKQETGFQJNCE

GGWHKK?DQMCPFQZDQMMIAGPFXHQRLG

TIMVMZJANQLVKQEDAGDVFRPJUNGEUNA

QZGZLECGYUXUEENJTBJLBQCRTBJDFHRR

YIZETKZEMVDUFKSJHKFWHKUWQLSZFTI

HHDDDUVH?DWKBFUFPWNTDFIYCUQZERE
EVLDKFEZMOQQJLTTUGSYQPFEUNLAVIDX
FLGGTEZ?FKZBSFDQVGOGIPUFXHHDRKF
FHQNTGPUAECNUVPDJMQCLQUMUNEDFQ
ELZZVRRGKFFVOEEXBDMVPNFQXEZLGRE
DNQFMPNZGLFLPMRJQYALMGNUVPDXVKP
DQUMEBEDMHDAFMJGZNUPLGEWJLLAETG

Net als bij K1 is ook hierbij een Vigenèresysteem gebruikt, maar met andere sleutelwoorden: KRYPTOS en ABSCISSA (abscis betekent de x-coördinaat op een grafiek). De klare tekst luidt:

Het was volkomen onzichtbaar. Hoe is dat mogelijk? Ze hebben het magneetveld van de aarde gebruikt. x De informatie werd verzameld en ondergronds overgebracht naar een onbekende locatie. x Weet Langley hiervan? Dat moet haast wel: het ligt daar ergens begraven. x Wie weet precies waar? Alleen ww. Dit was zijn laatste boodschap. x Achtendertig graden zevenenvijftig minuten zes komma vijf seconden noord, zevenenzeventig graden acht minuten vierenveertig seconden west. x Laag twee.

De lengte- en breedtecoördinaten verwijzen naar het CIA-hoofdkantoor, naar een plek op dezelfde binnenplaats waar *Kryptos* staat, hoewel niet naar het beeld zelf. De coördinaten zijn in feite zeer specifiek, voor de breedtegraad tot op een tiende seconde: '6,5 seconden noord'. Zoals liefhebbers van geocaching weten, bepaalt een tiende seconde een zeer specifieke locatie tot op ongeveer drie meter nauwkeurig. De coördinaten wijzen naar een plek ongeveer 45 meter ten zuidoosten van het beeld, op dezelfde binnenplaats, langs de rand van het aangelegde gedeelte dat Sanborn heeft ontworpen bij de kantine van de CIA. Als dit een openbaar park was geweest, zouden toeristen zich ongetwijfeld met scheppen op het terrein hebben gestort, maar aangezien de coördinaten in het midden van een uiterst geheime instelling liggen, worden de medewerkers er uiteraard van weerhouden om de tuin om te spitten!

Deel 3 van Kryptos

K3 begint boven aan de tweede plaat met cijfertekst:

ENDYAHROHNLSRHEOCPTEOIBIDYSHNAIA
CHTNREYULDSLLSLLNOHSNOSMRWXMNE
TPRNGATIHNR A RPESLNNELEBLPIIACA E
WMTWNDITEENRAHCTENEUDRETNHAEOE
TFOLSEDTIWENHAEIOYTEYQHEENCTAYCR
EIFTBRSPAMHHEWENATAMATEGYEERLB
TEEFOASFIOTUETUAEOTOARMAEERTNRTI
BSEDDNIAAHTTMSTEWPIEROAGRIEWFEB
AECTDDHILCEIHSITEGOEAOSDDRYDLORIT
RKLMLEHAGTDHARDPNEOHMGFMFEUHE
ECDMRIPFEIMEHNLSSTTRTVDOHW

Hierbij is gebruikgemaakt van een ander soort codering, namelijk transpositie in plaats van substitutie. Transpositie betekent dat alle letters van de oplossing al aanwezig zijn, maar aan de hand van een bepaalde methode in een andere volgorde zijn gezet. De klare tekst van deel 3 luidt:

Langzaam, tergend langzaam werden de resten van het puin dat de toegang versperde in het onderste deel van de deuropening verwijderd. Met bevende handen maakte ik een kleine opening in de linkerbovenhoek en toen ik het gat een beetje groter had gemaakt, stak ik de kaars erin en tuurde ik naar binnen. De warme lucht die uit het vertrek ontsnapte liet de vlam flakkeren, maar algauw doemden de details van de kamer uit de nevel op. x Kun je iets zien? q

Dit is een geparafraseerde passage uit het dagboek van de archeoloog Howard Carter van 26 november 1922, de dag waarop hij in de Koningsvallei in Egypte het graf van Toetanchamon had ontdekt.

Deel 4 van Kryptos

Dan is er nog K4, dat op het moment waarop dit wordt geschreven nog altijd onopgelost is:

?OBKR

UOXOGHULBSOLIFBBWFLRVQQPRNGKSSO

TWTQSJQSSEKZZWATJKLUDIAWINFBNYP

VTTMZFPKWGDKZXTJCDIGKUHUAUEKCAR

Waarom heeft nog niemand K4 kunnen oplossen?

Om te beginnen omdat het fragment erg kort is, slechts 97 of 98 tekens (het is niet bekend of het vraagteken aan het begin bij K3 hoort of bij K4). In het algemeen geldt dat cryptoanalisten bij een moeilijke code een grote hoeveelheid cijfertekst nodig hebben om mee te werken. Bij een zeer kort bericht wordt het erg lastig om de wiskundige patronen te vinden die nodig zijn om een code te kraken.

Een andere reden waarom K4 nog niet is opgelost, is misschien de onbereikbaarheid van de sculptuur. *Kryptos* was nooit als een publieke uitdaging bedoeld, maar als raadsel voor de medewerkers van de CIA. Het is dus mogelijk dat zich op het CIA-terrein een noodzakelijke aanwijzing bevindt, waarvan niet-CIA-medewerkers die aan K4 werken zich misschien niet bewust zijn.

Er zou ook van misleiding sprake kunnen zijn, wat goed zou aansluiten bij het thema spionage. Zowel Sanborn als Scheidt heeft gezegd dat K4 oplosbaar is. Scheidt heeft eraan toegevoegd dat de oplossing in het Engels is en dat alle letters van K4 ervoor nodig zijn. Maar ook dat kan misleiding zijn: het is mogelijk dat de oplossing niet in het Engels is en zelfs in een allang uitgestorven taal is gesteld. Sinds *Kryptos* heeft Sanborn namelijk nog enkele andere gecodeerde sculpturen gemaakt, waarvan sommige ook geen Engelstalige oplossing hebben. Voor zijn *Cyrillic Projector*, die van na *Kryptos* dateert en momenteel bij de University of North Carolina in Charlotte te zien is, heeft Sanborn gebruikgemaakt van gecodeerde tekst in het cyrillische alfabet. De codes daarvan werden in 2003 gekraakt dankzij een gezamenlijke poging van internationale cryptografen, wat twee Russische teksten opleverde: een over de psychologische beheersing van menselijke bronnen en een andere met een passage uit een geheim KGB-memo uit 1982. Sanborn heeft ook sculpturen gecreëerd waarop talen zijn gebruikt in andere niet-Latijnse schriften: Grieks, Amhaars, Arabisch en vele andere.

Tot slot is het mogelijk dat Sanborn zich eenvoudig heeft vergist tijdens de versleuteling. Zo verklaarde hij in 2006 dat hij op het standbeeld ten minste één fout had gemaakt. Hij had een letter uit K2 overgeslagen, waardoor de oplossing moest worden bewerkt. Eerdere oplossers dachten dat het laatste deel van K2 'ID in regels' betekent, maar nadat de fout bekend was gemaakt, bleek de juiste oplossing 'x Laag twee' te zijn. Toen Sanborn nadien tijdens een interview voor de Amerikaanse publieke omroep NPR werd gevraagd of hij zeker wist dat de rest wel klopt, antwoordde hij bevestigend en dat het 'zeker en vrij nauwkeurig' is. Ook Scheidt heeft gezegd dat hij 'zeker weet dat het goed is gedaan'. Hij zei ook dat er in het vierde deel andere technieken zijn toegepast dan bij de eerste drie delen en dat er een of andere maskeringstechniek is gebruikt om het nog moeilijker te maken.

Een oude toegangspoort die daar ergens begraven ligt?

Zijn Browns 'feiten' dus waar of niet waar? Laten we ze eens stuk voor stuk bekijken:

FEITEN
In 1991 is een document weggesloten in de kluis van de directeur van de CIA. Het document bevindt zich daar nog steeds.

Mogelijk waar. De beeldhouwer Sanborn heeft in 1990 inderdaad een enveloppe met de klare tekst van *Kryptos* aan CIA-directeur William Webster gegeven, maar wat Webster met de enveloppe heeft gedaan, is niet duidelijk. Het is ook onduidelijk of Webster zelfs maar een kluis in zijn kantoor had en zo ja, of de *Kryptos*-enveloppe belangrijk genoeg werd geacht om er ruimte in te nemen. Het is waarschijnlijker dat de enveloppe aan de een of andere historische afdeling is overgedragen.

De cryptische tekst refereert onder andere aan een oeroude toegangspoort...

Waar. In deel 3 van *Kryptos* wordt verwezen naar de toegangspoort van het graf van Toetanchamon, dat in 1922 in Egypte werd ontdekt.

...en een onbekende ondergrondse locatie.

Waar. Ook al slaat dat op een ander onderdeel van de oplossing, in deel 2.

In het document staat ook de zin: 'Het ligt daar ergens begraven.'

Waar. Deze zin komt uit de gecodeerde tekst van deel 2. De vraag blijft, omdat er in de tekst sprake is van iets wat 'daar ergens begraven' ligt, of Sanborn werkelijk iets bij de CIA heeft begraven toen hij *Kryptos* installeerde. En als dat zo is, of het er nu nog steeds ligt.

Daar komen we misschien nooit achter.

9

Het voorspellen van Dan Brown

De jacht op Dan Brown

Van Secrets of the Widow's Son *tot* Het Verloren Symbool

door David A. Shugarts

In 2005 verscheen er van Dave Shugarts een verbluffend boek: *Secrets of the Widow's Son*. Zoiets was nog nooit eerder voorgekomen: een volledig boek over een thriller die nog niet eens was verschenen. Het was een voorspellend werk waarin een poging werd gedaan te gissen wat een bestsellerauteur in de toekomst zou schrijven – jaren voordat er zelfs maar één woord van die toekomstige thriller op papier was gezet. Het ging niet om zomaar een fictieschrijver, maar om Dan Brown: 's werelds grootste bestsellerauteur van fictie voor volwassenen, bekend van de schokkende, verrassende en stimulerende verwikkelingen van *De Da Vinci Code*. Kon Dave Shugarts werkelijk een goed onderbouwde gooi doen naar de elementen uit de geschiedenis, filosofie, kunst, architectuur, godsdienst, mystiek en wetenschap waaruit Dan Brown zou putten voor zijn op dat moment nog ongeschreven vervolg op *De Da Vinci Code*?

Alsof het schrijven van een boek over een boek dat nog moet verschijnen niet al een onmogelijke opgave was, stelden we Dave voor een extra uitdaging: voorspel welke context en achtergrond Dan Brown zal gebruiken in zijn volgende thriller. Maar doe het op zo'n manier dat, of je nu gelijk of ongelijk blijkt te hebben, het eindproduct een fascinerend, leerzaam boek zal zijn over de vrijmetselaars en de Amerikaanse geschiedenis, de ideeën van de verlichting, wetenschap, oude wijsheid, mythen, godsdienst en kosmologie.

Bijna vijf jaar later is *Het Verloren Symbool* verschenen, en blijkt Dave Shugarts verbijsterend en griezelig genoeg op briljante wijze gelijk te hebben gekregen. In het hierna volgende commentaar vat Shugarts samen hoe zijn interesse werd gewekt voor het voorspellen van Dan Browns stappen op de tocht naar een vervolg op *De Da Vinci Code*, en hoe zijn eigen tocht door de wereld van die ideeën verliep.

Dan Brown schrijft boeken die je wel moet blijven lezen om te ontdekken waar de plot je mee naartoe neemt. Maar voor sommige mensen – voor mij, bijvoorbeeld – is de drang nog veel sterker. Wij laten ons meeslepen op een eindeloze ontdekkingsreis naar de denkwereld van Dan Brown.

Nadat ik in 2004 had meegewerkt aan *Geheimen van De Da Vinci Code*, vermoedde ik dat Dan Browns volgende boek in de Robert Langdon-reeks een soort zoektocht door Washington D.C. zou worden en over de vrijmetselaars zou gaan.

In 2005 schreef ik *Secrets of the Widow's Son*, een boek dat ruim vier jaar vóór de verschijning in 2009 alvast vooruitblikte naar *Het Verloren Symbool*. De bedoeling was om aan de hand van bepaalde aanwijzingen en uitgebreid onderzoek te achterhalen welke thema's Dan Brown bezighielden en waarover hij in een vervolg op *De Da Vinci Code* vermoedelijk zou gaan schrijven. Daarnaast was ik op zoek naar het persoonlijke verhaal van Dan Brown, de onwaarschijnlijke schrijver uit Exeter, New Hampshire, via Amherst College en Los Angeles. Ik heb zijn geboorteplaats, zijn middelbare school en zijn universiteit bezocht en een omvangrijke biografische schets geproduceerd, die later in de paperbackeditie van *Geheimen van De Da Vinci Code* werd gepubliceerd.

Nu is het tijd om de verzegelde enveloppe open te maken en de resultaten van mijn voorspellingen uit 2005 bekend te maken. Met mijn boek *Secrets of the Widow's Son* heb ik een aantal keren midden in de roos geschoten, onder andere met enkele frappant nauwkeurige details die in *Het Verloren Symbool* te vinden zijn. Maar er zaten ook een paar missers tussen.

Mijn oorspronkelijke vermoedens over Washington en de vrijmetselaars bleken juist te zijn. Belangrijker was waarschijnlijk mijn veronderstelling dat HVS niet noodzakelijkerwijs zou gaan over een zoektocht naar een verloren schat van goud of een andere intrinsieke waarde. Ik rekende eerder op een queeste naar een groot geheim. Dat bleek het geval te zijn. Toch was het feitelijke geheim in HVS een ontgoocheling, althans voor mij. Het was niet wat ik had verwacht, maar het strookte wel precies met de grotere thema's die ik had opgespoord.

Het ware geheim van Dan Brown is volgens mij dat hij iets aanboort wat ik 'de onderlinge samenhang van alles' zou willen noemen.

Evenals de 'ondergrondse stroom' van het occulte betreft het een soort extra dimensie waardoor je door de ruimte en de tijd kunt terugreizen naar de Egyptische piramides en daarna vooruit naar het Washington Monument, of terug naar Isaac Newton en daarna vooruit naar Einstein, of terug naar de prehistorische makers van weelderige vruchtbaarheidsbeeldjes en daarna vooruit naar Michelangelo. Een van de sleutels tot deze dimensie is de symboliek, of die nu grafisch, literair of artistiek is.

Niemand kan deze dimensie ooit helemaal in kaart brengen, want voor de mystici, kosmologen en noëtici die deze wereld bevolken, is letterlijk alles in het universum met elkaar verbonden en hangt alles op bepaalde zwaarwegende manieren met elkaar samen. Maar iedereen die dat wil, kan die wereld van onderlinge verbanden op elk niveau van diepgang en complexiteit onderzoeken, en dat hebben velen ook gedaan. Dat is de ontdekkingsreis die Dan Brown heeft ondernomen toen hij zich voornam om *Het Bernini Mysterie* te schrijven, die hij in *De Da Vinci Code* heeft voortgezet en die hij nu het duidelijkst heeft uitgestippeld in *Het Verloren Symbool*. Het is een reis waarbij altijd de verre horizon blijft trekken. Het is mijn taak geweest om Dan Brown tijdens zijn reis achterna te jagen en hem soms zelfs in te halen wanneer dat kon.

De zoektocht begint

Ruim vijf jaar geleden begon ik mijn zoektocht naar alles wat met Dan Brown te maken heeft. Voor mij is het begonnen met een aantal opzienbarende plotfouten die me opvielen tijdens het lezen van *De Da Vinci Code* (DVC) in 2004. Naïef genoeg heb ik Dan Brown een brief geschreven waarin ik hem op de fouten wees en suggesties deed om ze te herstellen. Daar heb ik nooit antwoord op gekregen, maar dat was logisch, omdat Dan Brown inmiddels geen interviews meer deed in de nasleep van de vele controversen die DVC had ontketend.

Toen ik door Dan Burstein en Arne de Keijzer werd uitgenodigd om voor ons boek *Geheimen van De Da Vinci Code* over de plotfouten te schrijven, begon ik het enorme gebied te verkennen dat was ontsloten door Dan Browns toespelingen op de kunst en de symboliek, de geschiedenis en de cultuur, in allerlei tijdperken en grote delen van de wereld. Het was alsof ik een glimp had opgevangen van Browns horizon.

Het werd pas echt leuk toen ik hoorde over de aanwijzingen die Brown op het omslag van DVC had gezet, vingerwijzingen naar zijn volgende boek. De belangrijkste hint was een vraag die kon worden ontcijferd door een reeks vetgedrukte letters op de kaft van de oorspronkelijke hardcovereditie van *De Da Vinci Code* uit 2003 achter elkaar te zetten: 'Is er geen hulp voor de zoon van de weduwe?' Deze noodkreet van een vrijmetselaar is inderdaad in de plot van HVS verwerkt.

Begin 2004 maakte ons *Geheimen*-team bekend dat ik van de veronderstelling uitging dat Browns volgende boek na DVC zich in Washington D.C.

zou afspelen en over de vrijmetselaars zou gaan. Het was best een verregaande conclusie om op dat moment te trekken, die echter nog geen maand later werd bevestigd door Dan Browns uitgeverij en door Brown zelf. Daarna klapte Dan Brown volkomen dicht. Hij hulde zich in een algemeen stilzwijgen dat vrijwel de rest van de volgende vijf jaar zou duren, waardoor mijn nieuwsgierigheid als journalist natuurlijk werd geprikkeld.

Kon ik voorspellen waarover Dan Brown het nog meer zou hebben? Misschien, maar dat vereiste veel speurwerk. Ik zou aanwijzingen en verbanden moeten volgen waarheen ze me ook zouden leiden.

Uit die ene aanwijzing over 'de zoon van de weduwe' kwamen nog honderden andere voort, omdat die me ertoe aanzette de uitgestrekte wereld van de vrijmetselarij te verkennen, van het ontstaan uit de steenhouwersgilden en de Schotse loges tot de verspreiding over Engeland en Europa en ten slotte de Verenigde Staten.

Maar als je de deur naar de vrijmetselarij openzet, is dat ook een uitnodiging om tientallen andere thema's te gaan onderzoeken, zoals de legenden van de pythagoreeërs en de Egyptenaren en de bouw van de tempel van Salomo, uit de allegorieën die de vrijmetselaars hadden overgenomen. (Gedurende een jaar of twee à drie zou de titel van Dan Browns volgende boek volgens zijn uitgever *The Solomon Key* luiden. Daarom moesten alle mogelijke betekenissen van 'sleutel van Salomo' worden onderzocht – en dat waren er heel wat.)

In de eerste paar maanden toen ik probeerde erachter te komen wat Dan Brown van plan was, leverde mijn speurwerk op internet ruim zevenhonderd artikelen op die relevant leken te zijn. Speurend naar 'geheugenkunst' volgde ik een pad dat me naar Cicero en Giordano Bruno voerde en daarna naar de Schotse vrijmetselaars. Een ander zoekpad liep van de leer van de Rozenkruisers, via een herontdekte verzameling geschriften, het *Corpus Hermeticum* uit de tweede of derde eeuw, naar de Zwitserse pionier van de geneeskunde Paracelsus, en daarna naar Robert Fludd en van hem naar Francis Bacon.

Waar ik telkens op stuitte was dat die gedachtestromen allemaal met elkaar verband leken te houden, van beroemde naar niet zo beroemde mensen springend, waarbij fundamentele filosofische kwesties aan religieuze kwesties werden gekoppeld, en dat allemaal aan de hand van symbolen.

De Egyptische piramide diende bijvoorbeeld als een symbolische verbinding tussen de oude farao's en de piramide in het Louvre in Parijs, die in *De Da Vinci Code* werd voorgesteld als de rustplaats voor de heilige graal zelf. Dan Brown had aandacht gevestigd op de onafgemaakte piramide op het Amerikaanse dollarbiljet en op de algemeen heersende opvatting dat dit een teken was van de invloed van de vrijmetselarij. Maar bovendien heeft Dan Brown vaak gebruikgemaakt van Egyptische obelisken, die hij 'uitgerekte piramides' noemde vanwege hun piramidevormige top. Zulke obelisken worden overal in Rome aangetroffen (en in *Het Bernini Mysterie* wordt er talloze keren naar verwezen), maar ook in andere grote steden als Parijs en Londen, zoals Dan Brown opmerkte.

Volgens één fundamentele interpretatie van de obelisk als symbool vertegenwoordigt hij de verbinding tussen God en de mens, een imitatie van een lichtstraal uit de hemel die op de mensheid neerschijnt. Het licht kan de vorm aannemen van energie, macht of weldadigheid of van kennis en verlichting. Hierdoor wordt de obelisk in uiteenlopende godsdiensten als een toepasselijk symbool opgevat, of het nu gaat om de gnostici of de kabbalisten of zelfs de christenen, hoewel de vorm van de obelisk uit 'heidense' bronnen afkomstig is. Dan Brown heeft al vaak genoegen geschept in de banden tussen de heidense symboliek en de christelijke kunst en architectuur.

Destijds in 2005, toen ik *Secrets of the Widow's Son* (sows) aan het schrijven was, beschouwde ik de fascinatie voor de symboliek van obelisken als een logische reden waarom Dan Brown zich in HVS op het Washington Monument zou willen richten... en dat is precies wat hij vier jaar later deed. Hij heeft zelfs iets gedaan met het beeld van de eerste straal van de opkomende zon die de aluminium punt van de piramide op het monument bereikt – elke nieuwe dag het eerste contact met het hemelse licht.

Verder heb ik in sows vermeld dat zo'n obelisk kan worden opgevat als een onderdeel van een reusachtige zonnewijzer, en in het allereerste hoofdstuk van HVS laat Dan Brown Langdon vanuit het vliegtuig omlaag turen en opmerken dat het een 'gnomon' is. Dat is de term die wordt gebruikt voor het middenstuk van een zonnewijzer. In het Grieks kan het ook betekenen: 'dat wat onthult'. In HVS is het Washington Monument inderdaad 'dat wat onthult', namelijk het geheim.

Het occulte erfgoed van Amerika

Maar als we voorbij de symbolen naar de diepere grondslagen van Amerika gaan zoeken, is het toepasselijk als we ons richten op het intellectuele erfgoed dat kwam van de grote denkers van Europa, die vaak belangstelling hadden zowel voor de opkomende wetenschappelijke traditie als voor de mystieke, occulte en alchemistische tradities. Bepaalde historische figuren leverden verbanden op waarover we meestal niets horen.

Een goed voorbeeld hiervan is Francis Bacon, die aan het einde van de zestiende eeuw bij de grote occulte arts John Dee studeerde. Vermoedelijk was het Dee die hem onderricht gaf in de gematria van de kabbala. Bacon zou uitgroeien tot een meester van codes en geheimschriften. Hij was erg geïnteresseerd in de Nieuwe Wereld en in 1623 schreef hij een boek, *Nova Atlantis*, waarin hij een Utopia voorstelde dat zonder koning werd geregeerd. In *HVS* noemt Dan Brown *Nova Atlantis* 'het utopische visioen waarvan werd gezegd dat de Amerikaanse voorvaderen het als model hadden genomen voor hun nieuwe wereld, gebaseerd op eeuwenoude kennis'. (*Nova Atlantis* was van invloed op Thomas Jeffersons visie voor Amerika.)

Van Bacon werd vermoed dat hij de stichter van de Rozenkruisers was, een ongrijpbare beweging waarvan de leden doorgaans ontkenden lid te zijn. Waar ze ook vandaan kwamen, de Rozenkruisersmanifesten van omstreeks 1614 wekten belangstelling voor de opborrelende mysteriën van het hermetisme en de steen der wijzen. Afhankelijk van de mythe waaraan je de voorkeur geeft, zou die een geheime methode kunnen zijn om lood in goud te veranderen of een magisch elixer dat het eeuwige leven zou schenken. Hier komt ook de spreuk 'zo boven, zo beneden' bij kijken, die kan worden opgevat als een spiritueel en intellectueel pad dat de mens met God verbindt.

Maar alchemisten waren ook experimentatoren, zoekend naar een systematische manier om de scheikunde en de geneeskunde te bestuderen. Bacon schreef over een bepaalde wetenschappelijke methode die zeer werd bewonderd door de Royal Society, die halverwege de zeventiende eeuw in Engeland werd opgericht als een soort genootschap voor wetenschappers en grote denkers. Bacon wordt door sommigen ook tot de eerste vrijmetselaars gerekend.

Later, in de zeventiende eeuw, zou de geleerde Isaac Newton zich op de alchemie en de Rozenkruisers richten, maar ook op de wis- en natuurkunde. Newton was jarenlang de voorzitter van de Royal Society. Hoewel hij zelf waarschijnlijk geen vrijmetselaar was, waren veel leden van de Royal Society dat wel. Zodoende stond Newton op het kruispunt van veel denkrichtingen. Een van zijn andere passies was de Bijbelstudie, waarbij hij veel aandacht schonk aan de tempel van Salomo. De vrijmetselaars namen de tempel van Salomo op in hun mythen.

Uiteindelijk zou een van de grootste Amerikaanse wetenschappers, Benjamin Franklin, zowel een vrijmetselaar als 'fellow' van de Royal Society zijn. Een van de belangrijkste denkers uit die tijd, de Franse filosoof en schrijver Voltaire, sloot zich zelfs samen met Franklin aan bij een vrijmetselaarsloge en was ook lid van de academie van wetenschappen in Parijs. Voltaire was een groot bewonderaar van Isaac Newton. Franklin was weliswaar beroemd als wetenschapper, maar had ook belangstelling voor de alchemie. Hij was een goede vriend van Joseph Priestley, die op de grens stond tussen de alchemie en de moderne scheikunde. Priestley was adviseur van Thomas Jefferson en van verschillende Amerikaanse patriotten uit die periode. Hij was ook bevriend met James Smithson, de grondlegger van het Smithsonian, dat een belangrijke rol speelt in HVS.

Zodoende werd duidelijk dat een van de sporen die Dan Brown volgde een niet-traditionele opvatting was over de Amerikaanse oorsprong, die meer te maken had met de intellectuele wereld van Bacon en het oude Egypte dan met de Pilgrim Fathers en een traditionele kijk op het christendom. Ik verwachtte in SOWS dat Brown in zijn volgende boek een manier zou vinden om aan te tonen dat je de Amerikaanse belevingswereld niet goed kunt beoordelen zonder terug te kijken naar Europa en de ingewikkelde geschiedenis ervan, met name die van de vrijmetselarij, de Rozenkruisers, de mystiek en wetenschappelijke, religieuze, filosofische en politieke denkbeelden die niet altijd precies overeenkomen met hoe hedendaagse Amerikanen over hun geschiedenis denken. Ik vermoedde dat Brown een verhaal en een plot zou bedenken waarvan de boodschap zou luiden dat we allemaal sterk met elkaar verbonden zijn en in veel opzichten met het verleden, en dat het een verrassend en 'vreemd' verleden is waarmee we zo'n sterke band hebben.

Dus als je aan een zoektocht begint met als uitgangspunt 'alles hangt met elkaar samen', dan heb je veel materiaal om te ontginnen.

Niet alleen waren er oneindig veel dingen te vinden op internet, maar ook allerlei boeken om te kopen en te lenen. Om iets van Dan Browns toespelingen te kunnen begrijpen, heb je eigenlijk een woordenboek van de symboliek nodig. Maar waarom zou je je tot één beperken? Waarom niet meteen maar drie woordenboeken aangeschaft, zoals ik deed? Zorg in dat geval wel dat een ervan *The Woman's Dictionary of Symbols & Sacred Objects* is. Al snel zal duidelijk worden waarom Dan Brown graag zegt: 'de geschiedenis wordt geschreven door de overwinnaars'. Het symbool dat in HVS 'cirkel met punt' wordt genoemd, wordt bijvoorbeeld traditioneel in een mannelijke context opgevat als het teken van de (mannelijke) zon of de zonnegod Ra. Maar in de *Woman's Dictionary* staat het symbool voor de 'oerschoot' en wordt vermeld dat de zon in sommige culturen, zoals die van de Hettieten, een godin was.

Als je één boek over de vrijmetselarij aanschaft, kun je er net zo goed tien nemen, wat algauw in de tientallen zal lopen, want voor een geheim genootschap blijken de vrijmetselaars heel wat over zichzelf te hebben gepubliceerd. Daar kun je er rustig nog vijf of zes aan toevoegen over de complotten die vrijmetselaars zouden hebben gesmeed en gesteund in de loop der eeuwen. Om te zorgen dat je de mormoonse band met de vrijmetselarij niet over het hoofd ziet, koop je ook vijf of zes boeken over Joseph Smith en De Kerk van Jezus Christus van de Heiligen der Laatste Dagen. Vergeet vooral niet nog een paar boeken mee te nemen over de knappe koppen die minstens een voetnoot hebben verdiend in de geschiedenis van de mystiek, de Rozenkruisers en de vrijmetselaars, zoals Elias Ashmole en René Descartes.

Met een boek van Dan Brown kom je altijd terecht in de wereld van de codes. Zodra je je daarop instelt, zul je ontdekken dat vrijwel alle beroemde mannen in de afgelopen vijfhonderd jaar in code hebben geschreven om hun geheimen te bewaren. Het is dus een goed idee om een paar boeken aan te schaffen over de geschiedenis van het geheimschrift. In alle boeken van Brown zijn veel boeiende codesystemen verwerkt. In HVS gebruikt hij een bekende vrijmetselaarscode, bijgenaamd de 'varkenshokversleuteling' ('pigpen cipher'), en een aantal betrekkelijk eenvoudige substitutieversleutelingen. Zijn indrukwekkendste versleuteling is het patroon van symbolen aan de onderkant van de Maçonnieke Piramide, die hij prompt voor zijn lezers decodeert. Het gaat om een verzameling Griekse, alchemistische, astrologische en mystieke symbolen.

Dan is er nog de godsdienst. Om te zien in welke richting Dan Brown zich beweegt en te voorspellen waar hij heen wil, vond ik het nodig om te kijken naar de oorsprong van het christendom en de alternatieve Bijbelteksten die ook wel bekend zijn als de gnostische evangeliën, die hij in *De Da Vinci Code* onder de aandacht heeft gebracht en tot een begrip heeft gemaakt. Maar daarnaast moet je de geschiedenis van het jodendom, de islam, het hindoeïsme en het boeddhisme bestuderen en eigenlijk zelfs nog dieper graven, naar de Egyptische godsdiensten, het mithraïsme en de geloofsopvattingen van de oude Soemeriërs en Babyloniërs. Het is een goed idee om het pad van de joodse mystiek na te gaan, waaronder de kabbala (waarvan de oorsprong in feite vermoedelijk Grieks is, zoals ik later heb ontdekt).

Aanvankelijk leek het misschien een beetje riskant dat ik een behoorlijk gedeelte van *sows* zou besteden aan een verhandeling over de filosofische grondslag van het occulte, het hermetisme, de leer van de Rozenkruisers en de kabbala, maar dat bleken de belangrijkste bouwstenen te zijn in de structuur van *HVS*.

In het intellectuele voetspoor van Dan Brown en voorspellen waar het hem naartoe leidt

Doordat ik Dan Browns geboorteplaats heb bezocht en de scholen waarop hij heeft gezeten, heb ik een indruk gekregen van zijn algemene openheid tegenover deze bijzonder esoterische gedachtestromingen. Brown is het oudste kind van Richard Brown, leraar wiskunde aan de prestigieuze school Exeter Academy. Browns vader heeft studieboeken meetkunde geschreven, dus is het misschien niet zo vreemd dat Dan Brown uiteindelijk belangstelling zou tonen voor de mystieke aard van de meetkunde die zo'n centrale rol speelt in de vrijmetselarij. Richard Brown was ook koordirigent in de episcopale kerk en zijn vrouw Connie was er de organiste, dus opnieuw is het niet verwonderlijk dat Brown geïnteresseerd is in esoterische thema's zoals muziek als code, Mozart als vrijmetselaar, enz. Dan Brown ging naar de kerk en zong in het koor. Hij had zich aan die ene godsdienstige traditie kunnen houden, maar het was een periode waarin de Exeter Academy op religieus gebied aan het veranderen was. Rond de tijd dat Dan Brown er op school zat, in het begin van de jaren tachtig van de vorige eeuw, mochten de leerlingen de verplichte kerkdiensten voortaan als vrijwillig beschouwen. De congregationalistische kapel van de school begon uiteenlopende religieuze groeperingen toe te laten – quakers, joden en boeddhisten, maar ook allerlei verschillende christelijke stromingen.

Wat ik op de Exeter Academy heb geleerd, is dat Dan Brown geen uitblinker was en niet als buitengewoon creatief werd beschouwd, noch muzikaal, noch als schrijver, hoewel hij beide als hobby beoefende. Maar door het strenge beleid van de Exeter Academy en vooral de aandacht voor de schrijfvaardigheid werden de leerlingen er wel op voorbereid om zich te onderscheiden, als ze de gelegenheid aangrepen. Er was een stroom oudleerlingen van Exeter zoals Gore Vidal, George Plimpton en John Irving, die beroemde auteurs waren geworden en prikkelende lezingen gaven toen ze een bezoek brachten aan hun oude school. (Denk aan het fragment in hoofdstuk 111 uit HVS, waarin Langdon zich de opzienbarende toespraak over het Smithsonian, de Founding Fathers en godsdienst herinnert die Peter Solomon hield voor leerlingen van de Exeter Academy.)

Later op Amherst College studeerde Brown Engels en Spaans, zong hij in de zangvereniging en speelde hij squash. Hij had les samen met enkele grote jonge sterren, onder wie de briljante David Foster Wallace, en daarom werd hij niet als uitblinker beschouwd. Ook in de zangvereniging viel hij niet op. Niettemin streefde Brown nadat hij in 1986 was afgestudeerd een jaar of zeven lang een muziekloopbaan na, waarvoor hij zelfs naar Los Angeles is verhuisd en een studioalbum heeft gemaakt. Daar heeft hij Blythe leren kennen, die zijn vrouw zou worden en later zijn muze, zijn poort naar het mystieke denken en zijn waardevolle onderzoekspartner.

In 1993 waren Blythe en Dan op vakantie in Tahiti toen hij een boek van Sidney Sheldon op de kop tikte en tot de conclusie kwam dat hij best in staat was een spannend boek te schrijven. Het zou nog enkele jaren duren voordat hij zijn leven een nieuwe wending had gegeven. Zijn eerste pogingen waren geen doorslaand succes, maar algauw werd Dan Brown de muzikant afgedankt om plaats te maken voor Dan Brown de auteur. Het was een transformatie.

Een centraal thema in HVS is het hermetische concept 'transformatie', dat op verschillende manieren kan worden geïnterpreteerd. Mal'akh streeft ernaar ze allemaal door te maken – hetzij lichamelijk, door bijvoorbeeld zijn hele lichaam te tatoeëren of zichzelf te castreren, hetzij geestelijk, in de ziekelijke verwachting dat hij tot een goddelijk bestaansniveau zal kunnen stijgen. Ook fysiek ondergaat Mal'akh diverse kameleonachtige veranderingen, wanneer hij van Zachary Solomon overgaat in Andros Dareios en van Christopher Abaddon in Mal'akh.

In SOWS heb ik het gehad over alchemistische en hermetische transformatie. Een appendix heb ik gewijd aan het begrip dood en herrijzenis, hoofdzakelijk aan de hand van de sterfscène van George Washington, maar daarbij heb ik ook andere contexten genoemd, waaronder het hermetisme. Een simulatie van de dood en de wedergeboorte vormt het middelpunt van de voornaamste rituelen van de vrijmetselarij. Dat is een belangrijk thema geworden in HVS. Niet alleen hoopte Mal'akh op een soort van wedergeboorte, maar ook Robert Langdon werd aan een bijna-doodervaring onderworpen in de vloeistofbeademingstank, waarna hij weer tot leven werd gewekt.

Een aantal van mijn onderzoekingen heeft geen duidelijke vruchten afgeworpen. In afwachting van het verschijnen van HVS heb ik veel gelezen over de mannen die Amerika hebben gesticht. Ik heb biografieën van Washington, Franklin, Jefferson en Adams gelezen en diverse artikelen over George Mason, Paul Revere, Thomas Paine en anderen. Vooral de prominente vrijmetselaars – Washington, Franklin, Revere – interesseerden me en ik verwachtte dat enkele minder bekende aspecten uit hun biografie bepaalde plotlijnen zouden opleveren. Die kwamen in HVS echter nauwelijks aan de orde op een wijze die voor de plot van belang was. Toch blijkt uit interviews met Dan Brown dat hij de Founding Fathers in gedachten had, met name wat betreft hun gemeenschappelijke geloof in het deïsme. 'Amerika is niet als christelijke natie gesticht, maar is een christelijke natie geworden,' zei hij onlangs tegen Matt Lauer in een interview voor de televisiezender NBC.

Vanwege bepaalde banden tussen de vrijmetselarij en de mormonen ben ik diep gaan spitten naar de legende van Joseph Smith, de stichter van De Kerk van Jezus Christus van de Heiligen der Laatste Dagen. Smith wordt alleen terloops genoemd, ook al is Brown in 2006 gezien tijdens een researchbezoek aan de bakermat van de mormoonse kerk, Salt Lake City in Utah. Sommige commentatoren zeiden dat ze aspecten van de mormoonse theologie in HVS hebben ontdekt, maar dat is geen opvallend kenmerk van het boek.

Ondanks de aandacht voor de vrijmetselarij in HVS was voor mij een van de grootste verrassingen dat Dan Brown de rol van de vrijmetselarij bij de stichting van de Verenigde Staten, de periode omstreeks de Amerikaanse Revolutie, grotendeels heeft genegeerd. Hoewel sommigen hebben beweerd dat er sprake was van een wijdvertakt complot om de nieuwe natie en alle instellingen daarbinnen te beheersen, waren de vrijmetselaars in werkelijkheid slechts één belangrijk onderdeel van de veelheid aan invloeden. Maar zelfs die discussie gaat HVS uit de weg. De beschrijving van het ritueel van de drieëndertigste graad aan het begin van het boek en het opvallende fragment met de video-opname van een verzameling invloedrijke overheidsfiguren is het enige concrete bewijs dat suggereert dat er ook maar iets samenzweerderigs aan de vrijmetselaars is. Zoals zo velen vóór hem kon Dan Brown alleen dit aanwijzen als iets wat op de een of andere manier bezwarend zou zijn. Het ontbrekende puzzelstukje is: welk complot zijn die mensen aan het beramen?

In Secrets of the Widow's Son heb ik de vrijmetselaars naar mijn mening nauwkeurig, eerlijk en objectief beschreven. Ze hebben een interessante en complexe geschiedenis, ze hebben inderdaad leden gehad die prominent waren in Amerika en daarbuiten – al die presidenten, ondertekenaars van de Onafhankelijkheidsverklaring, astronauten, wetenschappers en musici – en ze hebben eeuwenlang beschuldigingen moeten verduren over hun vermeende complotten. Enkele kleine uitzonderingen daargelaten denk ik dat Dan Browns opvattingen in HVS nauw aansluiten bij de mijne.

Sommige mensen hebben Dan Brown er al van beschuldigd dat hij zich door de vrijmetselaars heeft laten intimideren en inlijven, maar ik denk dat hij gewoon zijn eigen weg heeft gevolgd. Hij lijkt oprecht respect te hebben voor de maçonnieke grondbeginselen van broederschap, gelijkheid en religieuze verdraagzaamheid. Bovendien zorgt hij, zoals we ook in zijn eerdere boeken hebben gezien, altijd voor een ontsnappingsmogelijkheid in zijn plot, zodat het grote instituut, of dat nu de katholieke kerk, het Opus Dei of de vrijmetselarij is, een excuus heeft. Het is meer Dan Browns stijl om een schurk te creëren die hij vervolgens in een organisatie plaatst waar die zijn positie kan misbruiken. Mal'akh was zo'n personage, maar vanaf de allereerste bladzijde duidelijker een bedrieger. Dit is een ander geval dan de camerlengo in HBM of Leigh Teabing in DVC, die zich pas helemaal aan het eind als schurk ontpopten.

Ik heb verslag gedaan van de vele complottheorieën die gebaseerd zijn op interpretaties van het stratenplan van Washington, waaronder het beroemde duivelse omgekeerde pentagram en andere symbolen, die vaak als bewijs worden aangevoerd dat de vrijmetselarij invloed had op de indeling. Tegenover dergelijke theorieën ben ik sceptisch gebleven. Vrijmetselaars hebben onmiskenbaar hun stempel gedrukt op het ontwerp van Washington en vele van de belangrijke gebouwen. Vaak hebben ze daarbij gebruikgemaakt van degelijke bouwtechnische en architecturale principes die de nadruk leggen op de uitgangspunten van de meetkunde, het licht en de harmonie met de natuur, die ze wellicht in hun vrijmetselaarsloge hadden geleerd. Maar om te beweren dat vrijmetselaars eropuit waren in het geheim boodschappen over duivelsverering in het stratenplan van Washington te verwerken is op het eerste gezicht absurd. In HVS heeft Dan Brown deze kwestie op vrijwel identieke wijze behandeld als ik in SOWS.

Ik heb bewust het House of the Temple beschreven, dat bijzonder belangrijk blijkt te zijn als decor in HVS. Het House of the Temple, de hoofdzetel van de Opperraad, het bestuursorgaan van de Zuidelijke Jurisdictie van de Aloude en Aangenomen Schotse Ritus in Amerika, ligt niet op de gebruikelijke toeristische route in Washington. Maar dankzij HVS zal het nu wat meer bezoekers trekken. Het huis is namelijk allesbehalve geheim en er worden regelmatig rondleidingen voor het publiek gegeven.

In HVS herkent Robert Langdon de buste van Albert Pike in een nis in het House of the Temple, waar hij een inscriptie van een van zijn beroemde citaten ziet staan. Ik heb heel wat pagina's besteed aan de legendarische Pike, advocaat, geleerde, dichter en generaal aan de kant van de Confederatie, die aan het hoofd stond van de Schotse Ritus van de vrijmetselarij tijdens de wederopbouw na de Amerikaanse Burgeroorlog. Pike heeft vele van de rituelen van de Schotse Ritus geschreven en ook een beroemd boekwerk, *Morals and Dogma*, waarin tal van esoterische filosofieën bijeen zijn gebracht, waaronder Egyptische, Hebreeuwse, Babylonische, gnostische en hindoeïstische legenden en dergelijke. Voor Dan Brown is Pike duidelijk een verwante geest, een intellectueel die bereid is de verbanden te zoeken tussen deze ogenschijnlijk ongelijksoortige tradities. De Pike-geschiedenis speelt onmiskenbaar op de achtergrond van HVS – maar is niettemin aanwezig.

Wiskunde en andere mysteriën

Er is een speciale manier om getallen te rangschikken, het zogeheten magisch vierkant, die de mensheid al duizenden jaren boeit. Het is een vierkante verzameling getallen waarvan de rijen en kolommen bij elkaar opgeteld dezelfde som opleveren. Aangezien in oude alfabetten getallen gelijk werden gesteld met tekens, zijn er ook magische lettervierkanten. Magische vierkanten zijn traditioneel altijd symbolen van beschermgoden geweest, zoals Jupiter of Venus, en konden in amuletten of talismans worden gegraveerd.

In *sows* heb ik aandacht geschonken aan magische vierkanten en heel wat ruimte besteed aan het uitleggen van de vele voorbeelden ervan uit de geschiedenis. In zijn andere boeken heeft Dan Brown vaak de Caesarcodering gebruikt, dus leek het me logisch dat hij zich ook aangetrokken zou voelen tot magische vierkanten. Ik heb zowel het Albrecht Dürer-vierkant (een gewijzigd Jupiter-vierkant) in *Melencolia i* als Benjamin Franklins meesterlijke beheersing van magische vierkanten expliciet genoemd als punten die voor Brown van interesse zouden kunnen zijn. Vier jaar later bleken beide onderwerpen van wezenlijk belang te zijn voor de plot van *HVS*.

Dürer heeft de gravure *Melencolia i* in 1514 gemaakt en er een schat aan verborgen betekenissen in verstopt, die geleerden de afgelopen vijfhonderd jaar hoofdbrekens hebben bezorgd. Later werden vrijmetselaars ertoe aangetrokken, omdat de gravure aan de hand van versluierde symbolen naar oude geheimen lijkt te verwijzen. Vrijmetselaars zien er de stenen voorwerpen en de werktuigen van 'het ambacht' in, zoals een kompas, maar ook een zandloper (om de vergankelijkheid van het leven aan te geven). Een van Dan Browns eigenaardigheden is dat hij bij het schrijven een zandloper op zijn bureau heeft staan, om hem eraan te herinneren regelmatig te pauzeren en lichaamsbeweging te nemen.

Met de geometrische voorwerpen in de afbeelding grijpt Dürer terug op oude Griekse principes, die zijn doorgegeven door de neoplatonici, wat eveneens van interesse is voor vrijmetselaars. Verder zijn er Bijbelse symbolen te zien, zoals een jakobsladder (die ook vaak in een maçonnieke context wordt aangetroffen). Ofschoon geleerden de invloed van occulte schrijvers zoals Cornelius Agrippa hebben vastgesteld, blijft de volle betekenis van de afbeelding een raadsel. Het schijnbare onderwerp van de gravure is de melancholie, die onder de invloed van Saturnus valt. De invloed van Saturnus kan echter worden tegengegaan door het teken van Jupiter in de vorm van het magische vierkant van vier bij vier, dat Dürer in gewijzigde vorm heeft gebruikt.

In HVS heeft Dan Brown handig gebruikgemaakt van een door Ben Franklin gecreëerd magisch vierkant van acht bij acht om de symbolen aan de onderkant van de Maçonnieke Piramide te decoderen. Franklin amuseerde zich met het maken van magische vierkanten tijdens het luisteren naar de saaie gedeelten van de debatten van de algemene vergadering van Pennsylvania. Zelf kende Franklin er niet veel magische betekenis aan toe. Hij was wat men tegenwoordig een 'recreatiewiskundige' zou kunnen noemen.

Hoewel er in HVS eer wordt bewezen aan zijn magische vierkant van acht bij acht, heeft Franklin zelfs een nog ingewikkelder magisch vierkant van vierenzestig bij vierenzestig gemaakt en bovendien de eerste magische cirkel van de wereld gecreëerd, zoals ik in mijn boek heb gemeld.

Terecht heb ik aandacht gevestigd op de kabbala en op de vele overeenkomsten tussen oude alfabetten en symbolen, hetzij astrologie, tarot of Hebreeuws. Vóór ons huidige Romeinse alfabet werden in veel alfabetten niet alleen letters gelijkgesteld met cijfers, maar verwezen ze soms ook naar iets anders, bijvoorbeeld naar goden, astrologische figuren, alchemistische stoffen en zelfs bomen. Aan de hand van de gematria kunnen de numerieke equivalenten van diverse woorden en zinnen worden toegevoegd en vervolgens met elkaar worden vergeleken om opvallende toevalligheden op te sporen. Omdat Dan Brown in DVC aandacht aan de gematria heeft geschonken en dus al van deze wereld van symbolen en diepere betekenissen gebruik heeft gemaakt, vermoedde ik dat hij dat thema in HVS waarschijnlijk verder zou willen uitdiepen. Tijdens mijn uiteenzetting over de numerologie van de kabbala vermeldde ik dat malakh 'engel' betekent. In HVS noemt Dan Brown zijn schurk Mal'akh, terwijl hij de naam ook in verband brengt met Moloch, de Kanaänitische godheid die kinderoffers verlangde en die een prominente rol speelt in John Miltons Paradise Lost.

Ik heb aandacht gevestigd op de mythen over George Washington en vooral de neiging van Amerikanen om hem na zijn dood tot godheid te willen bombarderen. Naar aanleiding van een choquante passage in Life of Washington van Mason Locke Weems dook George Washington die naar de hemel opstijgt jaren later opeens op in het schilderij op het plafond van de Rotunda van het Capitool, De apotheose van Washington. In SOWS koos ik Constantino Brumidi's verbluffende fresco uit voor een bespreking. Alleen al over de ideeën achter dit kunstwerk zou men een heel boek kunnen volschrijven, met name over de wisselwerking tussen het wereldlijke en het gewijde, en wat dat betekende ten aanzien van Washingtons transformatie in een soort Amerikaanse god. Het deed me genoegen, al verbaasde het me niet, dat Dan Brown juist dit kunstwerk op betekenisvolle wijze in HVS bleek te hebben verwerkt, vooral tegen het eind, wanneer Peter, Robert en Katherine het idee bespreken dat de mens in staat is zijn eigen god te worden.

Ook heb ik gewezen op het feit dat de neiging om Washington te vergoddelijken in meer kunstwerken tot uitdrukking is gebracht, onder andere in Horatio Greenoughs beeld van Washington in de eigenaardige pose van Zeus met ontbloot bovenlijf, dat midden in de Rotunda was geplaatst en vervolgens naar andere plekken was verbannen. In HVS verwijst Robert Langdon naar datzelfde beeld.

Verder heb ik aandacht gevestigd op de National Cathedral als een mogelijke locatie voor de plot, en de kathedraal wordt in HVS ook inderdaad door Robert Langdon en Katherine Solomon als toevluchtsoord gebruikt. Ik heb geschreven over de waterspuwer (of eigenlijk de groteske) van Darth Vader, die door Dan Brown ook in HVS wordt genoemd.

Ik heb de maçonnieke rituelen beschreven voor het leggen van de hoeksteen van het Capitool (onder leiding van George Washington in 1793) en het Washington Monument (in 1848). Vrijmetselaars houden de oude traditie in ere van het aanbieden van een plengoffer bij dergelijke plechtigheden. In de Amerikaanse rituelen wrijven ze de hoeksteen in met mais, wijn en olie en in sommige Europese rituelen voegen ze er nog een vierde substantie aan toe: zout. Het graan vertegenwoordigt 'overvloed', de wijn symboliseert 'vreugde en opgewektheid', de olie staat voor 'vrede en eensgezindheid' en het zout betekent 'trouw en vriendschap'. Maar er is nog een verband, dat dateert uit de tijd toen het bij zulke plechtigheden essentieel was om de vier windstreken en de vier elementen aarde, lucht, vuur en water te verzoenen. Dat heeft te maken met de oude grondbeginselen van wichelarij en kosmologie zoals de astrologie.

Ik heb aandacht gevestigd op verhalen over geestverschijningen in het Capitool, waaronder de beroemde schimmige kat, die Dan Brown ook noemt. Ik heb gewezen op de vele ondergrondse plekken in de Amerikaanse hoofdstad, waaronder de tunnels die de kantoorgebouwen van het Huis van Afgevaardigden en de Senaat met elkaar verbinden. Nadat ik had bedacht dat Dan Brown in *Het Bernini Mysterie* de *passetto* tussen het Vaticaan en het Castel Sant'Angelo heeft gebruikt, leek het me voor de hand te liggen dat dergelijke doorgangen in Washington hem ook zouden interesseren. Inderdaad bleken de tunnels onder het Capitool naar de Library of Congress van belang te zijn in HVS. Dan Brown ontdekte dat er in het souterrain van het Capitool honderden kamertjes zijn waarin allerlei geheimen verborgen kunnen zijn. En er zijn nog veel meer tunnels en gangen die de ondergrondse ruimtes van Capitol Hill doorkruisen.

Ik heb verteld dat er in de allereerste plannen voor een monument voor Washington een piramide werd voorgesteld voor de plaats waar nu de obelisk staat. In *sows* vermeldde ik dat de hoeksteen van het huidige Washington Monument op de een of andere manier niet meer vindbaar was – een onbenullig feitje dat een essentieel plotonderdeel is geworden in *HVS*.

Ik heb het George Washington Masonic National Memorial in Alexandria in Virginia genoemd, dat (als afleiding) in *HVS* opduikt, precies zoals ik had verwacht. Dan Brown heeft verzuimd te vermelden dat het 333 voet hoog is, zo'n honderd meter, nog een voorbeeld van het speciale getal drieëndertig dat op andere plaatsen in *HVS* zo veel aandacht krijgt. De betekenis van dit voor vrijmetselaars belangrijke getal begint met de '33' op Peter Solomons ring, een teken van zijn verheffing tot de drieëndertigste graad van de Schotse Ritus, en wordt door het hele boek heen benadrukt, dat zelf uit 133 hoofdstukken bestaat.

Vanwege enkele zeer specifieke aanwijzingen die Dan Brown op het omslag van *De Da Vinci Code* heeft achtergelaten, heb ik in *Secrets of the Widow's Son* een beschrijving gegeven van de sculptuur *Kryptos*, de mysterieuze verzameling gecodeerde objecten bij de ingang van het CIA-hoofdkantoor. Daar heeft het gestaan als zwijgende uitdaging aan de beste codebrekers ter wereld, sinds het in 1990 door de kunstenaar Jim Sanborn werd gecreëerd. Enkele van de geheimen ervan zijn intussen onthuld, maar één onderdeel van de gecodeerde boodschap is tot op de dag van vandaag onopgelost gebleven. In *HVS* wordt gezinspeeld op een 'oude toegangspoort' en een gedeelte van de ontsleutelde *Kryptos*-boodschap bevat een beschrijving uit 1922 van de archeoloog Howard Carter toen hij voor het eerst in het graf van Toetanchamon keek door een kleine opening. Kennelijk is dat de 'toegangspoort'.

Maar in *HVS* wordt ook gespeeld met verwijzingen naar *Kryptos*. Dan Brown merkt op dat een deel van de gedecodeerde boodschap luidt: 'Het ligt daar ergens begraven. Wie weet precies waar? Alleen ww.' Zoals ik in mijn boek heb vermeld, heeft Sanborn bevestigd dat de betreffende 'ww' William Webster is, de CIA-directeur op het moment dat de opdracht voor het maken van de sculptuur werd gegeven. In het kader van zijn overeenkomst heeft Sanborn een enveloppe met de oplossing aan Webster gegeven. (Later heeft Sanborn echter onthuld dat hij Webster niet de hele oplossing heeft gegeven.)

In *HVS* werpt Dan Brown een ander idee op over wie 'ww' is, door zijdelings William Whiston te suggereren, die hij 'theoloog en lid van de Royal Society' noemt. Dat zou een afleidingsmanoeuvre kunnen zijn, maar ook een aanwijzing voor Dan Browns volgende thriller. Whiston is beroemd om zijn vertaling van de werken van de joodse geschiedkundige Josephus en vanwege een geschil over theologische zaken met Isaac Newton, de voorzitter van de Royal Society aan het begin van de achttiende eeuw. Whiston hing ook de theorie aan dat kometen verantwoordelijk waren voor bepaalde catastrofen op aarde.

Daarnaast bevat HVS een merkwaardige vermelding van het 'Kryptosforum' die luidt: 'Ik denk dat Jim en Dave maar beter kunnen 'zorgen het **gecodeerde symbolon** te ontcijferen' en het laatste geheim te onthullen vóór het einde der tijden in 2012.' Op het eerste gezicht moet dat verwijzen naar het bekende broodjeaapverhaal dat de oude Mayakalender een apocalyps voorspelt voor 21 december 2012. Dat idee wordt in HVS door Brown genoemd maar verworpen, door zijn suggestie dat Peter Solomon correct had voorspeld dat het publiek en de media veel aandacht zouden besteden aan de veronderstelde ondergang van de wereld in 2012, maar om de verkeerde redenen. Net als de christelijke opvatting over de apocalyps en de openbaring, lijken ook Solomon en Langdon te geloven dat de Mayakalender verwijst naar de ondergang van de wereld *zoals we die kennen* en het begin van een nieuw tijdperk van verlichting. Zelf vraag ik me echter af of Dan Brown iets anders in gedachten heeft voor de plot van zijn volgende boek.

Mijn onderzoek is al begonnen.

Brown of Eco?

Mysteriën van wetenschap en religie, geheime genootschappen en de schepping van een nieuw literair genre

door Amir D. Aczel

Amir Aczel is wetenschapper en wiskundige, maar bovendien is hij een van de weinigen die niet alleen hun onderwerp door en door kennen maar ook beschikken over een luchtige schrijftrant, wat zijn boeken zowel boeiend als toegankelijk maakt. Daarbij ziet hij wetenschappelijk succes nooit los van de innovatieve ideeën en de sterke persoonlijkheden die dit succes mogelijk hebben gemaakt. Dat is dan ook de reden waarom we hem vroegen ons deelgenoot te maken van zijn gedachten over *Het Verloren Symbool*.

Het resultaat is Aczel op zijn best: niet zozeer een analyse van het boek als wel een virtuele ontmoeting met de auteur. Daarbij laat Aczel ons kennismaken met Teilhard de Chardin, de Franse pater jezuïet die geldt als de grondlegger van de noëtische wetenschap; met de vaak gevoelige relatie tussen de wetenschap en het Vaticaan, die teruggaat tot de tijd van Bruno, Galilei, Descartes en vele anderen; met de lange tijd verloren gewaande teksten van de Rozenkruisers; en met Umberto Eco, hoogleraar in de semiotiek en schrijver van *De slinger van Foucault*, die beweert dat Dan Brown zich zijn ideeën heeft toegeëigend en ze heeft ontdaan van hun culturele en intellectuele waarde om 'dwazen geld uit de zak te kloppen' – iets waarvan hij overigens ook Aczel ooit heeft beschuldigd. (Inmiddels zijn ze goede vrienden.)

Amir Aczel heeft vijftien boeken geschreven, waaronder de internationale bestseller *De laatste stelling van Fermat*. Recentelijk verscheen van zijn hand *Uranium Wars: The Scientific Rivalry that Created the Nuclear Age*. Hij heeft ook een bijdrage geleverd aan *Geheimen van het Bernini Mysterie*, waarin hij de verstrengelingstheorie uit de doeken deed. Productief als hij is piekert Aczel er nog niet over het rustiger aan te gaan doen. 'Ik heb nog heel wat ideeën die ik wil verkennen,' vertelde hij ons. We zien met spanning uit naar de resultaten. Voorlopig hebben we zijn verkenning van de geest van Dan Brown.

Ik schrijf over wetenschap. Maar waar ik ook ga, welk boek ik ook schrijf, met welk researchproject ik me ook bezighoud, ik kom overal Dan Brown tegen. Ik maakte voor het eerst kennis met zijn alomtegenwoordigheid in Italië.

In de zomer van 2006 vloog ik naar Rome. Ik had een afspraak met de directeur van het jezuïtisch archief, als onderdeel van mijn research voor mijn boek *The Jesuit and the Skull* over Pierre Teilhard de Chardin (1881–1955), de wereldberoemde Franse paleontoloog, tevens mysticus en pater jezuïet. Teilhard was aanhanger van de evolutieleer en werd voor die overtuiging gestraft met twintig jaar ballingschap in China. Ook was hij de bedenker van het concept van de noösfeer – de sfeer van ideeën, waarvan hij geloofde dat die de biosfeer omhult – en van de noëtische wetenschap.

Ik dacht aan Teilhard en hoe die in 1947 naar Rome kwam om zijn zaak te bepleiten bij de jezuïeten, terwijl ik over de Via della Conciliazione liep, de brede, elegante avenue, geflankeerd door marmeren standbeelden, die van de Tiber rechtstreeks naar het Sint-Pietersplein leidt. Duidelijk Dan Browngebied. Deze buurt, deze stad was de plaats van handeling in *Het Bernini Mysterie*.

Nadat ik mijn weg had vervolgd over de imposante brug over de Tiber, kwam ik langs een boekwinkel. Een groot deel van de etalage werd in beslag genomen door de boeken van Dan Brown. Dat verbaasde me niet, gezien het feit dat diverse thema's in het werk van Dan Brown rechtstreeks te maken hebben met het Vaticaan. Maar wat me wel verbaasde, en verraste, was de ontdekking van een van mijn eigen titels, *Descartes' Secret Notebook*, prominent gepresenteerd tussen de boeken van Dan Brown. Een aangename verrassing, maar ook een verwarrende. Wat deed een non-fictieboek, een biografie van de wiskundige en filosoof Descartes, tussen de fictie van Dan Brown? Ik zou nooit hebben gedacht dat mijn boek het lezerspubliek hier erg zou aanspreken. Opgewekt liep ik verder.

De afspraak in het jezuïtisch archief werd een moeizame aangelegenheid. De hoofdarchivaris van de Sociëteit van Jezus, pater Thomas K. Reddy, was verre van toeschietelijk. Bij het maken van de afspraak, maanden eerder, was bij mij de indruk gewekt dat ik alle documenten zou kunnen bestuderen die ik wilde inzien.

Aan het eind van ons gesprek zei pater Reddy: 'Hij was een buitengewoon controversiële figuur, weet u... Ik heb hier wat materiaal over Teilhard de Chardin.'

'Mag ik het zien?' vroeg ik.

'Nee,' luidde het antwoord. 'Dat is strikt vertrouwelijk.' Pater Reddy voegde eraan toe: 'Maar er zijn wel andere documenten die u kunt inzien.'

Mijn assistent zal u het materiaal brengen.'

Nog nadenkend over deze tegenvaller begaf ik me naar de leeszaal, waar ik de eerste titel over Teilhard uit de catalogus van het archief bestelde. Even later werd er een stoffige stapel documenten op mijn tafel gelegd, bijeengebonden met een verbleekt stuk touw. Ik maakte de knoop los – het was maar al te duidelijk dat de documenten in geen jaren meer waren bekeken – en verdiepte me in de inhoud. Het ging hier om de manuscripten van Teilhard, waarvan ik wist dat ze in de jaren dertig in China waren uitgetikt door Lucile Swan, de beeldhouwster, tevens een goede vriendin van Teilhard. Hij had de teksten naar Rome gestuurd, in de hoop op goedkeuring van de jezuïeten om ze te publiceren. Toen ik het losbladige manuscript optilde, viel er een stapeltje opgevouwen papieren uit. Een brief, zo te zien.

Ik vouwde de vergeelde vellen open. Het waren er tien, en samen vormden ze een opmerkelijk document, nauwgezet met de hand geschreven, in het Latijn en gedateerd op 23 maart 1944. Ik zat geconcentreerd te lezen toen ik plotseling merkte dat pater Reddy voor mijn tafel stond. Hij keek me doordringend aan. 'Wat is dat?' vroeg hij. 'Welke datum staat erboven?' Bij het horen van mijn antwoord verbleekte hij. 'Dat is nou precies waarvan ik niet wilde dat u het onder ogen zou krijgen.'

Ik wist dat Teilhard in 1925 door Rome was gedwongen een vertrouwelijke verklaring van zes punten te ondertekenen, bedoeld om hem te beperken in zijn vrijheid van meningsuiting; en dat de bewuste documenten ergens in Rome in een kluis waren weggeborgen. Verboden terrein voor ieder die het werk van Teilhard bestudeerde, en dat gold zelfs voor leden van de Sociëteit van Jezus. Maar de tekst die hier voor me lag, dateerde uit 1944. Wat bevatte deze, dat voor de jezuïeten zo belangrijk was dat ze het uit de openbaarheid wilden houden?

Gefrustreerd als hij was door het feit dat ik het document onbedoeld toch onder ogen had gekregen, besloot pater Reddy onmiddellijk de generaal-overste van de jezuïeten te raadplegen, Peter-Hans Kolvenbach. Het hoofdkwartier van de jezuïeten, de Curia Generalizia, lag een deur verder, op 4 Borgo Santo Spirito. Terwijl Reddy op weg daarheen haastig de leeszaal verliet, zei hij over zijn schouder: 'U bent schrijver. Pas op wat u schrijft! Zorg dat u ons niet in de problemen brengt met het Vaticaan.'

Teilhard de Chardin was een hervormer. Hij geloofde dat wetenschap en spiritualiteit gelijkwaardige inspanningen waren om ons de werken van God te openbaren. Die gedachte woei als een frisse bries door de verstarde bedomptheid van de religieuze gevestigde orde. De toegewijde pater die geloofde in de wetenschap had in zijn geboorteland Frankrijk sterke aantrekkingskracht op jonge jezuïeten, die zich in groten getale om hem heen verzamelden om van hem te leren. Teilhards ideeën werden door de katholieke Kerk echter resoluut verworpen, en toen hij weigerde ze te herroepen, werd hij gestraft.

Drie eeuwen eerder had Galilei – een van Teilhards helden, wiens portret zijn leven lang naast zijn bed stond – een soortgelijke hervorming van het katholieke gedachtegoed nagestreefd, door er bij de Kerk op aan te dringen de theorie van Copernicus te aanvaarden, die inhield dat de aarde en de andere planeten om de zon draaien. Ook Galilei was zwaar gestraft voor zijn overtuiging. Maar twintig jaar voor Galilei's beruchte gerechtelijk onderzoek door de Romeinse Inquisitie in 1633 verscheen in Duitsland een reeks boeken die groot opzien baarde, doordat ze de relatie tussen de wetenschap en het geloof behandelden.

Deze opmerkelijke manifesten zouden zijn geschreven door een geheim genootschap van wetenschappers en geleerden die hervormingen binnen de katholieke Kerk nastreefden. Het ging om een groep mensen die geloofden in de wetenschap en die zich onder andere inzetten voor het genezen van zieken en het gratis ter beschikking stellen van medicijnen aan ieder die deze nodig had. Ze bestudeerden de wis- en natuurkunde, en een onontkoombare conclusie in de natuurkunde was dat de aarde om de zon draait. Dat was al genoeg om hen in de problemen te brengen. Ze werden dan ook gehaat door het Heilig Officie en gezocht door de Inquisitie. Maar ze bleven onvindbaar, omdat het lidmaatschap van hun genootschap geheim was. Ze maakten zich als het ware 'onzichtbaar'. Deze schrijvers van de nieuwe boeken en hun geestverwanten werden 'Rozenkruisers' genoemd, leden van de geheime Orde van het Rozenkruis. Dan Brown is altijd gefascineerd geweest door de Rozenkruisers, evenals door de vrijmetselaars en andere geheime genootschappen, omdat ze worden omringd door geheimzinnigheid, en geheimzinnigheid is bijna wat je Dan Browns handelsmerk zou kunnen noemen. Heel veel mensen geloven echter dat de Rozenkruisers nooit hebben bestaan.

Ook anderen die hun wetenschappelijke opvattingen in het openbaar verkondigden, betaalden daarvoor een hoge prijs, zoals de filosoof Giordano Bruno. Hij werd in 1600 door de Inquisitie veroordeeld tot de brandstapel en terechtgesteld op het Campo dei Fiori, in het hart van Rome, voor het uitdragen van zijn geloof in het copernicaanse wereldbeeld en in de mogelijkheid dat er ook elders in het universum leven bestond. Dus als de zeventiende-eeuwse Rozenkruisers inderdaad hebben bestaan, hadden ze alle reden om in het verborgene te opereren.

Ik vervolgde mijn weg naar het seculiere hart van Rome, waarbij ik opnieuw langs twee boekhandels kwam. Bij beide lag mijn boek in de etalage, wederom naast de boeken van Dan Brown. Er was hier iets vreemds aan de hand, dacht ik. Iets waar ik helemaal niets van begreep. Bij een winkelcentrum aangekomen liep ik een filiaal binnen van een van de grootste boekhandelsketens in Italië. Ook daar lag mijn boek in de etalage, naast *Crypto* van Dan Brown, de Italiaanse uitgave van *Het Juvenalis Dilemma*. Bovendien lagen er hoge stapels van onze beide boeken op een tafel bij de deur. Ik liep naar de toonbank en sprak de bedrijfsleider aan.

'Ach, u bent meneer Aczel? Geweldig! Zou u uw boeken willen signeren?' vroeg die met een brede glimlach.

Dat deed ik, en toen ik daarmee klaar was, vroeg ik hem waarom het boek zo onverwacht goed verkocht, en waarom ik het overal naast de boeken van Dan Brown zag liggen.

'Weet u dat dan niet?' Hij keek me ongelovig aan.

'Eh... nee...'

'Dus u hebt niet gelezen wat Umberto Eco over u heeft gezegd? Dat was nogal wat. Echt vreselijk. In *L'Espresso* nog wel! Dat is het belangrijkste tijdschrift dat we hier hebben. Sindsdien is uw boek niet aan te slepen.'

Ik vroeg hem of hij me het artikel van Eco kon laten zien, of me althans kon vertellen waar ik het zou kunnen vinden, maar daarop mompelde hij iets en maakte hij zich haastig uit de voeten om een klant te helpen.

Bij mijn terugkeer in Boston lagen er twee brieven op me te wachten. De ene was afkomstig van de generaal-overste van de jezuïeten. Daarin werd me uiterst beleefd te verstaan gegeven dat me met terugwerkende kracht de toestemming was ontzegd het document te bestuderen dat ik al had gelezen. De andere brief kwam van een vriend die net terug was uit Zuid-Amerika. Hij had een knipsel bijgesloten uit een krant in Santiago, Chili, met de Spaanse vertaling van de vreselijke dingen die Umberto Eco in Italië over mij had gezegd. Later hoorde ik dat over de hele wereld kranten in Romaanse talen – van het Spaans tot het Roemeens – het artikel met Eco's aanval op mij hadden geplaatst.

In 1614 verscheen de eerste van de zogenaamde Rozenkruisersteksten in het Duitse Kassel, onder de Latijnse titel *Fama Fraternitatis* – de 'Verklaring van de Broederschap'. Het boek vertelde het fantastische verhaal van een zekere Christian Rosenkreutz, een Duitser van nederige afkomst, die werd geboren in 1378. Als jongetje van vijf werd hij door zijn ouders naar een klooster gestuurd waar hij Grieks en Latijn leerde. Toen hij zestien was, verliet hij het klooster en sloot hij zich aan hij een groep magiërs, met wie hij vijf jaar als leerling rondreisde. Na het verlaten van de groep reisde Rosenkreutz alleen verder, naar Turkije, Damascus en de Arabische Woestijn. Daar kwam hij bij een oase, een mystieke stad genaamd Damcar, die werd bewoond door filosofen en geleerden. Het leek wel alsof de bevolking van Damcar zijn komst had verwacht, want hij werd met groot eerbetoon in de stad verwelkomd. Rosenkreutz deelde wat hij bij de magiërs had geleerd met de inwoners van Damcar, en in ruil daarvoor onderwezen zij hem in hun kennis op het gebied van filosofie, wetenschap en wiskunde. Na drie jaar lang de wijsheid van het Oosten te hebben opgezogen, keerde Rosenkreutz – mét zijn nieuw verworven kennis – terug naar West-Europa.

Hij reisde van Arabië naar Palestina en het huidige Israël, door de Sinaï en langs de kust van Noord-Afrika. Via de Straat van Gibraltar maakte hij de oversteek naar het Iberisch schiereiland, vanwaar hij over de Pyreneeën trok naar het hart van het christelijke Europa. Daar wilde hij de kennis van de ouden, zoals hem die was onderwezen door de Arabische geleerden van zijn tijd, delen met de Europeanen en hen inwijden in alles wat hij had geleerd over wetenschap, wiskunde en biologie. Maar overal waar hij kwam, stuitte hij slechts op vijandigheid en werden zijn ideeën verworpen.

Tegen de tijd dat hij terugkeerde in Duitsland, was hij danig ontmoedigd door de stand van zaken in de samenleving op zijn geboortecontinent. Hij bouwde een groot huis, schafte zich een uitgebreide verzameling wetenschappelijke apparatuur aan en zette zelfstandig zijn onderzoek voort in de wiskunde, natuurkunde, scheikunde, geneeskunde en astronomie. Rosenkreutz stierf op 106-jarige leeftijd en werd begraven in een grot. Op de kop af 120 jaar later, in 1604, werd zijn graf ontdekt door vier geleerden. Bij het betreden van de grot vonden ze gouden vaten die glansden in een licht dat uit het inwendige van de grot kwam. Daar troffen ze diverse wetenschappelijke boekwerken aan en een kelk met de inscriptie RC. Die letters werden hun symbool en hun geheime code, en ze besloten tot de oprichting van de Broederschap van het Rozenkruis (Rosae Crucis) en tot voortzetting van het werk van Christian Rosenkreutz, om kennis onder de mensheid te verspreiden en wetenschap te paren aan religie. Aldus luidt de legende.

Hoewel dit verhaal natuurlijk zuiver fictief is, zal iedere wetenschapshistoricus er een kern van waarheid in ontdekken. Want we weten dat de kennis van de oude Grieken op het gebied van de natuurwetenschappen, wiskunde en filosofie in hoog tempo in verval raakte tegen het eind van het klassieke tijdperk, toen in het westen met de val van Rome in de vijfde eeuw na Christus de duistere middeleeuwen begonnen. Deze kennis reisde daarop verder naar Arabië, waar het kalifaat van Bagdad wetenschap en ideeën de ruimte bood om te gedijen. Gedurende de negende en de tiende eeuw bloeiden wetenschap en filosofie, gegrondvest op Griekse

ideeën, in Arabië en de Vruchtbare Sikkel. Driehonderd jaar later deed deze kennis opnieuw haar intrede in Europa, toen dat gebied uit de duisternis ontwaakte. Het is bijvoorbeeld bekend dat *De Elementen* van Euclides
via dezelfde route naar Europa kwam als de mythische Christian Rosenkreutz: van Arabië via Noord-Afrika naar Spanje, en vandaar de Pyreneeën
over naar het christelijke Europa. (Het was een van de eerste boeken die
werden gedrukt op de nieuwe persen in Venetië.) Dus de mythe van de
Rozenkruisers vertelt eigenlijk het verhaal hoe de oude kennis uit het Oosten aan het eind van de middeleeuwen naar het Westen kwam – inclusief
de exacte route die daarbij werd gevolgd. De Europese renaissance is gebaseerd op deze essentie van de oude Griekse cultuur, die tijdens de duistere middeleeuwen in het Oosten voortleefde en uiteindelijk opnieuw naar
het Westen kwam.

Toen deze wetenschappelijke, filosofische en kunstzinnige ideeën in Europa arriveerden, stuitten ze daar op een hechte religieuze gevestigde orde die zich, conservatief als ze was, verzette tegen verandering. Schilders
en beeldhouwers moesten eer bewijzen aan de Kerk door zich te concentreren op religieuze thema's; voor schrijvers en filosofen gold hetzelfde.
Wetenschappers hadden het aanzienlijk moeilijker, omdat de wetenschap
waarheden had ontdekt die strijdig waren met de traditionele interpretatie van de Heilige Schrift en dus door de Kerk onmogelijk konden worden geaccepteerd. Het daaruit voortvloeiende conflict tussen wetenschap
en geloof dat in het zestiende- en zeventiende-eeuwse Europa uitbrak,
schiep een klimaat van geheimhouding, intriges en mystiek. Wetenschap
werd geassocieerd met verborgen machten en krachten, hetgeen tot gevolg had dat wetenschappelijke kennis en ontdekkingen moesten worden
gecodeerd om ze verborgen te houden voor de Kerk. De mythische Broederschap van het Rozenkruis was gebaseerd op geheimhouding en verborgen codes, maar ook echte wetenschappers zoals Galilei, Leonardo da Vinci, Leibniz en Descartes deden er alles aan om hun wetenschappelijke
bevindingen verborgen te houden. Descartes was bijvoorbeeld de bedenker van een ingewikkelde code die hij gebruikte om te voorkomen dat zijn
bevindingen omtrent de rotatie van de aarde werden ontdekt door de Inquisitie. Uit brieven aan zijn vrienden blijkt dat hij zich grote zorgen maakte dat het hem net zo zou vergaan als Galilei. Deze bezorgdheid dreef hem
ertoe zijn toevlucht te nemen tot codes en geheimhouding, die hij nodig
achtte om zichzelf te beschermen.

Maar intriges en codes zijn bij uitstek de ingrediënten voor legenden,
en het mag dan ook niet verbazen dat moderne schrijvers gebruik begonnen te maken van deze veelbelovende thema's om er munt uit te slaan.

Hoewel *De Da Vinci Code* van Dan Brown fictie is, begint hij het boek met een opsomming van feiten:

FEITEN
De Priorij van Sion, een geheim genootschap dat in 1099 is opgericht, is een werkelijk bestaande organisatie. [...] Alle beschrijvingen van kunstwerken, architectuur, documenten en geheime rituelen in dit boek zijn waarheidsgetrouw.

En in *Het Verloren Symbool* zegt hij op de eerste bladzijde, weer onder het kopje 'FEITEN':

Alle organisaties in dit boek bestaan werkelijk, inclusief de vrijmetselaars, het Invisible College, het Office of Security, het SMSC (Smithsonian Museum Support Center), en het Institute of Noetic Sciences. Alle rituelen, wetenschap, kunstwerken en monumenten in dit boek bestaan echt.

Dan Brown heeft in *De Da Vinci Code* en recentelijk in *Het Verloren Symbool* gebruikgemaakt van mysteriën en intriges (al dan niet denkbeeldig) die zijn voortgekomen uit de historische botsing tussen wetenschap en religie, en daarover vervolgens een fictief verhaal geschreven. De beweringen die hij doet in zijn boeken presenteert hij zo dat er historiciteit wordt geïmpliceerd. Het zijn theorieën van de auteur, gebaseerd op historisch onderzoek. Ik moet protest aantekenen tegen Browns bewering dat de 'wetenschap' in *Het Verloren Symbool* op werkelijkheid berust. In hoofdstuk 15 verklaart Brown: '"Nou, zoals verstrengeling bijvoorbeeld!" Subatomair onderzoek had inmiddels categorisch bewezen dat alles met elkaar in verband stond, verstrengeld was tot een enkel netwerk, een soort universele eenheid.' Zoals ik aantoon in mijn boek *Entanglement* (Plume Publishing, 2002) en zoals iedere fysicus weet, is verstrengeling (*entanglement*) een buitengewoon gecompliceerd fenomeen dat moeilijk in de praktijk te realiseren valt. We zijn zeker niet allemaal op een fysische manier met elkaar verstrengeld tot een enkel netwerk. Maar met wetenschap hadden Eco's bezwaren tegen het werk van Dan Brown niets te maken.

Umberto Eco werd in 1932 geboren in Alessandria, een stad in het noorden van Italië, tussen Turijn en Genua. Hij behaalde een doctorstitel aan de Universiteit van Turijn, werd hoogleraar in de semiotiek – de filosofische leer van tekens en symbolen – aan de Universiteit van Bologna en ontwikkelde zich binnen enkele jaren, waarin hij de ene publicatie na de andere op zijn naam schreef, tot de meest prominente intellectueel van Italië.

In 1980 verscheen zijn boek *De naam van de roos* (zoals de titel luidt van de Nederlandse vertaling, gepubliceerd in 1984), een thriller die speelt in de veertiende eeuw, met een klooster als plaats van handeling. Het boek werd een internationale bestseller. Acht jaar later volgde een tweede succes, *De slinger van Foucault*. De ingrediënten van deze roman zijn wetenschap, kabbala, mystiek en de Broederschap van het Rozenkruis. Met dit boek lanceerde Eco een volledig nieuw genre: een historisch detectiveverhaal over wetenschap en religie. Beide publicaties waren buitengewoon succesvol en vernieuwend, en de boeken van Dan Brown vertonen een griezelige overeenkomst met Eco's werk – vooral met *De Slinger van Foucault*.

Eco was dan ook bepaald niet gelukkig met *De Da Vinci Code*, dat vijftien jaar na *De slinger van Foucault* verscheen. Niet dat hij jaloers was. Zijn eigen boeken waren tenslotte enorm succesvol geweest. Nee, Eco's ergernis werd veroorzaakt door het feit dat Brown met zijn idee aan de haal was gegaan, dat hij het filosofisch-intellectuele milieu en de culturele lading had geschrapt en zich had beperkt tot een het schrijven van een smeuïig verhaal. Met *Het Verloren Symbool* doet Brown natuurlijk weer hetzelfde. Meteen na verschijnen van *De Da Vinci Code* heeft Eco via zijn website zijn gal gespuid. Op umbertoeco.com vind je Eco's boeken, zijn biografie en andere informatie. Maar een ereplaats in zijn thuis in cyberspace ruimt Eco in voor een essay getiteld 'Over God en Dan Brown', dat eindigt met de volgende bizarre verklaring:

> De 'dood van God', of althans het sterven van de christelijke God, gaat gepaard met de geboorte van een overvloed aan nieuwe idolen. Deze hebben zich vermenigvuldigd als bacteriën op het lijk van de christelijke Kerk – van vreemde heidense culten en sekten tot de dwaze, sub-christelijke vormen van bijgeloof in *De Da Vinci Code*.

Eco schijnt enige tijd geleden te hebben geweigerd deel te nemen aan een internationele bijeenkomst in het stadje Vinci in Toscane, omdat hij wist dat Dan Brown er ook was uitgenodigd om te spreken. Maar veel meer kon hij niet doen om uiting te geven aan zijn woede en frustratie, en niets heeft de moloch die Dan Brown heet, kunnen stoppen.

Ik had niets gemerkt van het conflict dat broeide tussen Eco en Brown, en tijdens het lezen van hun boeken had ik bij geen van beiden ooit iets aangetroffen dat van belang zou kunnen zijn voor mijn eigen werk. Maar op 6 juli, 2006, drie weken voor mijn aankomst in Rome, ging Umberto Eco in de aanval en wijdde hij zijn hele column in het invloedrijke Italiaanse weekblad *L'Espresso* aan mijn boek *Descartes' Secret Notebook*. In dat artikel probeerde Eco mijn these onderuit te halen dat Descartes gebruikmaakte van geheimhouding en codes om zijn wetenschappelijke werk verborgen te houden voor de Inquisitie. Hij richtte zijn pijlen op mijn beschrijving van veronderstelde connecties tussen Descartes en de Rozenkruisers, een onderwerp dat ondergeschikt is aan het hoofdthema van mijn boek. Hij besloot zijn essay aldus:

Aczel [...] geeft commentaar op zijn diverse suggesties door te zeggen: 'Toeval? Misschien.' Dit is typisch de methode van schrijvers die proberen willekeurige toevalligheden te exploiteren om dwazen geld uit de zak te kloppen. Met andere woorden, de methode Dan Brown.

Nadat het bestaan van het artikel me ter ore was gekomen, schreef ik een reactie, die door *L'Espresso* werd geplaatst. Daarin merkte ik op dat ik in mijn boek simpelweg Descartes' biografen citeerde, onder wie Descartes' tijdgenoot Baillet; dat de Rozenkruisers niet de sleutel tot mijn these waren, en dat ik nergens had beweerd dat ze hadden bestaan. Daarop plaatste *L'Espresso* Eco's weerwoord. Hij bleef bij wat hij had beweerd. En hoewel hij toegaf dat hij me 'extreem hard' had aangevallen, hield hij vol dat er geen sprake kon zijn geweest van een verband tussen Descartes en de Rozenkruisers, omdat de Rozenkruisers niet hadden bestaan.

Maar hebben de Rozenkruisers nu wel of niet bestaan? Dat blijft een open vraag. Wetenschappers en hervormers die leefden in de tijd van de Inquisitie, moesten in het verborgene opereren omdat ze anders hun leven niet zeker waren. Bovendien voelden ze de behoefte om te schrijven en om hun ideeën te verspreiden. De personen die de Rozenkruisersteksten hebben geschreven moeten op de een of andere manier hebben bestaan, omdat toch iemand het wetenschappelijke werk moet hebben verricht waarvan in de teksten verslag wordt gedaan, en iemand ze moet hebben geschreven. Of was het allemaal één grote oplichterij? We weten het simpelweg niet. Maar de vroege biografie van Descartes maakt duidelijk dat hij werd beïnvloed door een bepaald soort wiskunde – in belangrijke mate het werk van een geheimzinnige Duitse wiskundige, Johann Faulhaber, die volgens de meeste bronnen een Rozenkruiser zou zijn geweest. En we weten dat Descartes althans een deel van de Rozenkruisersteksten had gelezen. Dus vanuit die invalshoek bekeken was er een connectie tussen hem en de ideeën van de Rozenkruisers.

In een poging Eco's boosheid te begrijpen, nam ik *De slinger van Foucault* ter hand. Op bladzijde 167 las ik:

Descartes was in de daaraan voorafgaande jaren in hoogsteigen persoon in Duitsland geweest en had naar ze gezocht, maar, zegt zijn biograaf, hij had ze niet gevonden omdat ze niet als zodanig te herkennen waren. Als hij na het verschijnen van de manifesten in Parijs terugkomt, ontdekt hij dat iedereen hem voor een Rozenkruiser houdt.

Dus dat was wat Umberto Eco dwarszat. Ik had in *Descartes' Secret Notebook* dezelfde verhalen verwerkt over Descartes en de Rozenkruisers als hij in *De slinger van Foucault*, ontleend aan dezelfde bron, namelijk Baillets biografie van Descartes uit 1691. Eco was verstoord omdat hij geloofde dat ik – en vóór mij Dan Brown – me zijn genre had toegeëigend. Maar was dat wel zo? Wat ik schreef was pure non-fictie. En de historische gebeurtenissen hadden, naar mijn mening, geen fictieve verfraaiing nodig. Er is een overvloed aan intriges, geheimen en codes wanneer wetenschap en religie met elkaar botsen, zowel heden ten dage als vier eeuwen geleden. In februari 2007 werd ik gerehabiliteerd toen het Franse literaire tijdschrift *Lire* een recensie plaatste van de Franse uitgave van mijn boek over Descartes. Dat werd daarin omschreven als 'een "filosofisch-historische thriller" – een nieuw genre'. En wat me nog meer deugd deed, was een passage tegen het eind van de bewuste recensie: 'Het boek respecteert de historische waarheid (en heeft niets gemeen met de fantasieën van *De Da Vinci Code*).'

Tweeënhalf jaar later verscheen Dan Browns langverwachte nieuwe boek, *Het Verloren Symbool*. Ik was niet verrast door het feit dat de overeenkomst van zijn werk met Eco's *De slinger van Foucault* alleen maar was toegenomen. Dat is een boek met een enorme rijkdom aan symboliek, een onderwerp waarin ook Brown heeft bewezen sterk te zijn. Ik was echter wel verrast door de verwijzing naar de noëtische wetenschap – een vakgebied waarvan Pierre Teilhard de Chardin de grondlegger was. Ik had niet verwacht dat Brown zich in die richting zou begeven. Maar het was een ontwikkeling die ik van harte toejuichte. Het werk van Teilhard de Chardin is vrijwel vergeten, en ik waardeer het dat Brown zijn werk weer naar de voorgrond heeft gehaald, waardoor de ideeën van deze vooruitstrevende jezuïtische denker die zijn tijd tientallen jaren vooruit was, opnieuw in de belangstelling kunnen komen te staan.

Op 15 september 2009, de verschijningsdatum van *Het Verloren Symbool*, gaf Dan Brown een radio-interview waarin het beroep van de hoofdpersoon, Robert Langdon, aan de orde kwam. Net als in *De Da Vinci Code* wordt Langdon in *Het Verloren Symbool* aangeduid als symboliekdeskundige met een hoogleraarsfunctie aan Harvard. Brown legde uit dat een dergelijke leerstoel aan Harvard niet bestaat. Wat hij met het begrip symbolenleer wilde aanduiden, was de wetenschap van de *semiotiek*. Hij was echter bang dat die term bij het grote publiek niet voldoende bekend zou zijn, aldus Brown. Maar misschien had hij een andere reden om het woord niet te gebruiken. Brown weet tenslotte maar al te goed dat Umberto Eco aan de Universiteit van Bologna de functie heeft van hoogleraar semiotiek.

10

Brownse logica

Hoop is niet de enige boodschap

De duistere kant van Het Verloren Symbool

een interview met Michael Barkun

In Dan Browns eerste twee thrillers over Robert Langdon was er sprake van wijdvertakte samenzweringen met de potentie de hele wereld op haar kop te zetten. *Het Verloren Symbool* heeft niet de urgentie van een dergelijk massaal complot, en het 'gruwelijke geheim' dat de eenzame schurk dreigt te onthullen zou op YouTube waarschijnlijk weinig meer opleveren dan wat gegeneerd gegiechel. De vrijmetselaars, die in de plots van films, boeken en televisieprogramma's doorgaans een geliefde schaduwbeweging vormen, worden in *Het Verloren Symbool* voorgesteld als een vrij goedaardige broederschap, waarvan de leden slechts uit zijn op verlichting van zichzelf en het delen van hun kennis en inzichten met anderen opdat die daar hun voordeel mee kunnen doen. Maar dat is slechts de oppervlakte, aldus Michael Barkun in het hierna volgende interview. Want onder het dunne laagje vernis van welwillendheid en goede bedoelingen zullen liefhebbers van complottheorieën meer dan genoeg aantreffen dat hun angsten zal voeden.

Michael Barkun is hoogleraar politieke wetenschappen aan de Maxwell School van Syracuse University. Hij is expert op het gebied van complottheorieën, een gerespecteerd wetenschapper en voormalig adviseur van de FBI. Naast talrijke publicaties over randgroeperingen en hun culturele en historische wortels schreef hij ook *A Culture of Conspiracy: Apocalyptic Visions in Contemporary America*.

Zou u ons, voordat we specifiek over Het Verloren Symbool *beginnen te praten, een beknopte uitleg kunnen geven van het begrip complottheorie? En in hoeverre komen we het verschijnsel in dit boek tegen?*
Degenen die al geloven in het bestaan van complotten en samenzweringen, kunnen het boek lezen tegen de achtergrond van de algemene aanname dat ergens een geheime intrigantenkliek plannen beraamt om de macht te grijpen in de vs – en uiteindelijk in de hele wereld – en elke vorm

van democratie volledig uit te bannen. Dat is de zogenaamde theorie van de Nieuwe Wereldorde, die al bestaat sinds het begin van de jaren zeventig van de twintigste eeuw. Er zijn verschillende scenario's. Soms gaat het om VN-troepen die de VS binnentrekken voor het opzetten van concentratiekampen, geleid door het FEMA (Federal Emergency Management Agency, het Federaal Bureau voor Rampenbestrijding), om daar dissidenten en wapenbezitters in op te sluiten. Soms gaat het om de Trilaterale Commissie, een kongsi van industriëlen en figuren uit de hoogste overheidskringen in diverse landen, die streven naar een wereldregering. De complotscenario's betreffen ook vaak de Federal Reserve (de Amerikaanse Centrale Bank) en internationale joodse bankiers. De invulling van de hoofdrolspelers varieert, afhankelijk van de bron waaruit de theorie afkomstig is.

Voor dit boek is vooral de angst belangrijk dat er een samenzwering zou bestaan om het christendom te vervangen door een soort newage-achtig geloof. Onder evangelische gelovigen leeft dan meestal ook de vrees voor het opstaan van de antichrist, maar in kringen van burgers die zich bewapenen, bestaan ook seculiere versies.

Het Verloren Symbool wekt niet de indruk echt over samenzweringen te gaan, en het slot van het boek is buitengewoon positief en optimistisch. Wat ontgaat ons, als ik namens het merendeel van de lezers mag spreken?
Sommige mensen zullen zeggen dat er wel degelijk sprake is van een samenzwering, verborgen in het volle zicht op diverse manieren. Om te beginnen is er het feit dat de personages op ten minste twee plaatsen in het boek spreken over kringen binnen kringen. Daarbij komt dat je na lezing blijft zitten met het gevoel dat er, ongeacht de afronding van het verhaal, de mogelijkheid bestaat dat er nog een intrige verborgen blijft; een intrige die nog moet worden onthuld en waarvan de personages zich misschien niet eens bewust zijn. Bovendien is het boek in belangrijke mate geconstrueerd als een opeenvolging van puzzels die moeten worden opgelost en boodschappen die moeten worden gedecodeerd. De onderliggende gedachte daarbij kan zijn dat er nog een verborgen betekenislaag in het boek zit, die door de lezer moet worden ontdekt (of die misschien in een vervolgdeel aan de orde komt?).

Een ander interessant element is de vreemde rol van de CIA. De werknemers van de Agency bewegen zich door Washington alsof ze deel uitmaken van een wetshandhavende instantie, wat lijnrecht in gaat tegen de statuten van de organisatie. Bovendien maken ze in het boek gebruik van zwarte helikopters. Onder liefhebbers van complottheorieën wordt vaak gesproken over zwarte helikopters die boven Amerika hangen als voorteken van een op handen zijnde militaire coup. Het lijkt onwaarschijnlijk dat Dan Brown dit symbool zuiver toevallig heeft gebruikt. Zwarte helikopters spelen een verdachte rol in bijna elke versie van de complottheorie van de Nieuwe Wereldorde. Het lijkt alsof Brown door ze op te voeren in *Het Verloren Symbool* de boodschap afgeeft dat er samenzweerders van de Nieuwe Wereldorde bij de plot betrokken zijn, ook al zegt hij dat niet met zoveel woorden. Verder is het opmerkelijk dat nergens wordt uitgelegd hoe de CIA te weten is gekomen dat Mal'akh opnamen heeft gemaakt van vrijmetselaarsrituelen, hetgeen de suggestie wekt dat er sprake is van een tweede samenzwering die nog niet is ontmaskerd.

Er is nog een element in de plot dat te duiden is als iets wat wijst naar de duistere kant, en dat is Browns aandacht voor het grootzegel: de piramide met daarboven het oog en vooral ook met daaronder de woorden '*novus ordo seclorum*', wat in de hedendaagse complottheorieën altijd verkeerd wordt vertaald met 'nieuwe wereldorde'. Een accuratere vertaling is 'nieuwe orde van de eeuwen'.

Dit alles maakt *Het Verloren Symbool* bij uitstek tot koren op de molen van mensen die graag in complottheorieën geloven. Voor de newageboodschap aan het eind van het boek hebben zij geen aandacht. Die heeft voor hen geen enkele betekenis en leidt slechts af van waar het werkelijk om gaat. In plaats daarvan zullen ze zich concentreren op het eerdere materiaal: de kaart van Washington, het grootzegel, het concept van de kringen binnen kringen en broederschappen binnen broederschappen, de rol van de CIA enzovoort.

Bovendien wordt nooit echt duidelijk wat de CIA ertoe heeft bewogen de jacht te openen.
Precies. De verklaring van de CIA zelf is dat het gaat om een zaak van nationale veiligheid; dat het een enorm ontwrichtende uitwerking zou hebben op het publiek als dat zou zien hoe hoge overheidsfunctionarissen deelnemen aan vrijmetselaarsrituelen. Er is echter ook een andere mogelijkheid, namelijk dat het een bedreiging voor de machthebbers zou betekenen als de newagekennis waarvan Brown suggereert dat de vrijmetselaars die bezitten, zou worden onthuld.

Dat alles suggereert dat er heel wat meer aan de hand is dan de meeste lezers waarschijnlijk zullen beseffen.
Inderdaad, het boek bevat het element van een samenzwering van de vrijmetselaars, dat je kunt lezen als een bevestiging van die samenzwering maar ook als een ontkenning daarvan. Verder is er het element van het newagemillennium, dat tot op zekere hoogte verbonden is met het vrij-

metselaarsaspect, maar daar tegelijkertijd ook los van staat. Het hangt van de lezer af waarop die de nadruk legt. Bij dit element hoort ook de verwachting van een apocalyptische gebeurtenis aan het eind van 2012. Dus er speelt hier heel wat, en Brown probeert al deze aspecten tot één geheel samen te voegen.

Het lijkt erop dat Dan Brown bovendien nóg een element in de strijd gooit dat het wantrouwen voedt. In zijn andere boeken gaat het om samenzweringen rond thema's en organisaties waarmee de overgrote meerderheid van de lezers tot op dat moment waarschijnlijk niet bekend was, zoals het Opus Dei en de Illuminati. Het gevolg is dat de lezer geen vooringenomen ideeën heeft over de aard van de verdachte samenzweerders. Bij *Het Verloren Symbool* ligt dat anders, omdat de samenzwering die daarin wordt gesuggereerd, gesneden koek is. Het noemen van het woord 'vrijmetselaar' zal ook nu nog bij veel mensen associaties oproepen met geheime riten en activiteiten die het daglicht niet kunnen verdragen. We hebben het niet over een groep zoals de Illuminati in *Het Bernini Mysterie*. De lezers van *Het Verloren Symbool* hebben waarschijnlijk al bij voorbaat een mening over de broederschap van de vrijmetselaars.

Hoewel Brown aan het eind van het boek een buitengewoon positieve visie geeft op de broederschap, heb ik gemerkt dat aanhangers van complottheorieën daar heel anders over oordelen. 'Dit is absoluut geen positief boek,' is een veelgehoorde mening in die kringen. 'Dit is een boek over een samenzwering binnen de broederschap van de vrijmetselaars.'

Om een voorbeeld te geven: als je naar de website van Alex Jones gaat, een van de bekendste Amerikaanse aanhangers van complottheorieën (www.infowars.com), kun je daar lezen dat in *Het Verloren Symbool* volgens Jones alles wordt bevestigd wat altijd al over de vrijmetselaars is beweerd: hun met bloed doordrenkte eden, hun stratenplannen voor de stad Washington, hun geobsedeerdheid met oude mysteriën en het verheffen van politieke figuren naar het niveau van halfgoden, zoals dat te zien is op het schilderij *De apotheose van Washington*. Op de website is een hele lijst met dit soort punten te vinden, compleet met paginaverwijzingen naar *Het Verloren Symbool*.

In mijn boek *A Culture of Conspiracy* behandel ik de zogenaamde omdraaiing van feit en fictie: volgens een complottheorie is vaak dat wat als feitelijk wordt gepresenteerd onwaar, terwijl wat als fictie wordt gepresenteerd in werkelijkheid een versluierd feit is. Over *Het Verloren Symbool* wordt gezegd dat Dan Brown weliswaar beweert dat het een fictief verhaal is, maar dat het een op waarheid berustend verslag van de vrijmetselaarssamenzwering blijkt te zijn wanneer je de tekst op de juiste manier decodeert. Of het nu gaat om de CIA of om de vervanging van het christendom door een newagegeloof, bij lezen van dit boek zullen liefhebbers van complottheorieën zeggen: 'Aha! Alweer een bewijs dat we gelijk hadden.' Want ze lezen het niet als fictie, maar als een verzameling feiten.

Misschien wel het meest controversiële aspect van het boek is het feit dat Brown ons lijkt te willen overhalen om de noëtische wetenschap te omhelzen als een legitiem wetenschappelijk vakgebied, en om ons achter de gedachte te scharen dat de oude wijsheid ons alle kennis heeft verschaft die we nodig hebben.

Het is een interessant gegeven dat dit weliswaar een buitengewoon sterk newagemotief is, maar ook een motief dat door veel aanhangers van complottheorieën wordt erkend. De reden daarvoor is dat ze geneigd zijn de geijkte bronnen van gezag te verwerpen. Het is duidelijk dat ze het gezag van de overheid niet erkennen, maar hetzelfde geldt voor het gezag van de reguliere wetenschap, reguliere geneeskunde, reguliere universiteiten enzovoort. Vandaar dat uit veel samenzweringsliteratuur blijkt dat de aanhangers van complottheorieën erg ontvankelijk zijn voor de idee dat er in de oudheid uitzonderlijke wetenschappelijke ontdekkingen zijn gedaan die verloren zijn geraakt, zijn genegeerd of weggestopt, en die wachten op herontdekking. Dus het merkwaardige feit doet zich voor dat de mensen die het hebben over samenzweringen door de vrijmetselaars, door de Trilaterale Commissie of door internationale bankiers, vaak ook de mond vol hebben van de wetenschappelijke verworvenheden die in de oudheid tot stand zijn gekomen. Dat leidt tot een onwaarschijnlijke connectie tussen complottheorieën en newage-ideeën. Ze vinden elkaar in hun verwerping van het gezag.

Dan zijn er nog de verwijzingen naar het jaar 2012.

De discussie over het jaar 2012 begon enkele jaren geleden, aangezwengeld door Jose Arguelles die beweerde dat zijn bestudering van de eeuwenoude Mayakalender hem tot de conclusie had gebracht dat zich op 21 december 2012 een ingrijpende transformatie op wereldschaal zou voltrekken. De belangstelling voor het jaar 2012 is heel lang beperkt gebleven tot het newagemilieu. Maar daar is inmiddels verandering in gekomen. Het onderwerp leeft nu in veel bredere kring. Voor mij was het verschijnen van *The Idiot's Guide to 2012* het bewijs van die omslag. En natuurlijk de film *2012*, die dit jaar is uitgebracht door Sony. Wanneer dit soort boeken en films op de markt verschijnen, is duidelijk dat dergelijke complottheorieën een trend zijn geworden.

Degenen die in de theorie geloven, zijn ervan overtuigd dat er iets ingrijpends gaat gebeuren, maar dat kan zowel buitengewoon positief zijn als de ultieme verschrikking, afhankelijk van het perspectief. Hiernaar wordt verwezen in *Het Verloren Symbool*, in een scène waarin Peter Solomon een lezing geeft. Een van de leerlingen legt de verbinding tussen 21 december 2012 en zijn opvatting van een verlichte wereld en geeft daar een positieve invulling aan. Maar er wordt ook melding gemaakt van Solomons correcte voorspelling van de stortvloed aan televisiespecials waarin het verband wordt gelegd tussen het jaar 2012 en het eind van de wereld. Ik neem aan dat Brown duidelijk wil maken dat de geheimen waarover de vrijmetselaars en Katherine Solomon beschikken, dezelfde geheimen zijn die te maken hebben met de verlichting van de mens en die op de een of andere manier verband houden met 2012. Brown is terughoudend en indirect wanneer hij het over 2012 heeft, maar ik krijg de indruk dat zijn opvattingen daarover positief zijn, net als die van de meeste newageschrijvers.

Het slot van De Da Vinci Code *was voor veel mensen schokkend, door de manier waarop een van onze diepstgewortelde culturele overtuigingen werd geïnterpreteerd. Hoe ligt dat bij* Het Verloren Symbool? *Denkt u dat de ideeën die daarin naar voren worden gebracht – zoals de noëtische wetenschap en andere newageconcepten – die op de toekomst gericht zijn in plaats van op het verleden, een vergelijkbaar schokeffect zullen hebben?*
Dat hangt af van de lezer en van zijn persoonlijke ideeën en overtuigingen. Ik denk dat liefhebbers van complottheorieën dit boek zullen beschouwen als een bevestiging van inzichten die ze al hadden. Ze zullen in *Het Verloren Symbool* allerlei dubbele bodems en verborgen betekenissen zien. Maar sommige lezers zonder een dergelijke vooringenomenheid kunnen kennismaken met een vorm van newagemythologie.

Vanaf het moment dat Dan Brown zich ontwikkelde tot een cultureel fenomeen, heb ik me afgevraagd of zijn populariteit de onderwerpen waarover hij schrijft een legitiemere, serieuzere status geeft, of juist het tegenovergestelde, omdat hij die onderwerpen gebruikt als elementen in populaire verhalen. Ik ben geneigd het eerste te geloven. Want ook al zullen mensen *Het Verloren Symbool* lezen als fictie, als een verhaal, toch ben ik ervan overtuigd dat ze 'er iets van meenemen', dat ze er 'iets van opsteken'. Bij dit boek zullen lezers blijven zitten met de vraag of ze alles hebben begrepen, of ze 'er alles uit hebben gehaald'. Dat gevoel wordt versterkt door Dan Browns slimme gebruik van puzzels, esoterische symbolen en verborgen boodschappen. Dat geeft de samenzweringsroman meer gewicht en status.

Het is fascinerend te zien hoeveel invloed een thrillerauteur kan hebben op de maatschappelijke discussie.

Ik vraag me af of die invloed onbedoeld wordt versterkt door de verschijningsdatum van het boek. Het is alom bekend dat *Het Verloren Symbool* al in 2006 zou uitkomen. In plaats daarvan werd het 2009, na de meest ingrijpende ineenstorting van de economie sinds de Grote Depressie, in een periode van hevige ongerustheid waarin mensen zowel rationeel als emotioneel veel meer zorgen hebben, en waarin hun verwarring omtrent de manier waarop alles reilt en zeilt in de wereld aanzienlijk groter is dan in 2006. Mensen willen weten bij wie de macht berust, door wie de beslissingen worden genomen. Ik ben ervan overtuigd dat die situatie van invloed is op de manier waarop je een boek als dit leest. De suggestie dat er een kongsi van machtige figuren bestaat die in het geheim alles bekokstooft, vindt altijd weerklank. En die weerklank is alleen maar groter in de huidige omgeving, die het perfecte klimaat is voor complottheorieën.

Interview: Lou Aronica

Politiek in *Het Verloren Symbool*

door Paul Berger

Binnen enkele dagen na het verschijnen van *Het Verloren Symbool* begonnen conservatieve lezers te klagen dat Dan Browns nieuwste boek anti-CIA, anti-Bush en pro-Obama was. Die beschuldigingen raakten al snel op de achtergrond naarmate de discussie meer ging over Browns eerbetoon aan de vrijmetselarij en over de manier waarop hij een onderwerp als de noëtische wetenschap begrijpelijk maakte. Maar kan het zijn dat het beeld van *Het Verloren Symbool* als een boek dat neigt naar het liberale kamp, correct is? Voor een boek dat in Washington D.C. speelt, is het bijna onmogelijk om volstrekt a-politiek te blijven. En als een lezer zoekt naar dubbele bodems, codes en geheimschriften die duiden op een politieke lading, zijn die al snel gevonden:

1. *Negatieve portrettering van de* CIA. Het is eerder *ondanks* dan *dankzij* de bemoeienissen van Inoue Sato van de CIA dat Langdon het mysterie van *Het Verloren Symbool* oplost en het leven van Peter Solomon redt. Sterker nog, in plaats van als een efficiënte organisatie die moedig strijd levert tegen het Kwaad, wordt de Agency, in de persoon van Sato, afgeschilderd als koppig, autoritair en traag. Ze loopt voortdurend twee stappen achter Langdon. Brown kiest zijn historische formuleringen zorgvuldig. Zo is het opmerkelijk te noemen dat Sato in hoofdstuk 48, nadat Langdon en Bouwmeester Warren Bellamy hebben weten te ontkomen, de politiecommissaris van het Capitool, Trent Anderson, en beveiligingsbeambte Alfonso Nuñez bedreigt met 'ondervraging door de CIA'.

2. *Marteling.* Gedurende een groot deel van de periode Bush was marteling een thema dat erg leefde onder de Amerikanen. Bovendien zal het onderwerp voorgoed verbonden zijn met de controversiële ondervragingstechnieken van het Amerikaanse leger na de invasie van Afghani-

stan en – in nog sterkere mate – van Irak. In *Het Verloren Symbool* speelt marteling een belangrijke rol. Katherine Solomons assistente, Trish Dunne, wordt gemarteld om haar pincode prijs te geven; Robert Langdon om hem te dwingen de symbolen aan de onderkant van een piramide te ontcijferen. En ook Katherine wordt gruwelijk gemarteld, wanneer Mal'akh haar langzaam laat doodbloeden om haar broer, Peter, te dwingen hem te helpen zijn queeste te voltooien. In tegenstelling tot in sommige andere verhalen die op dit moment populair zijn – zoals de televisieserie *24* – lijdt het in dit geval geen enkele twijfel dat martelen slecht is.

3. *Water als martelmethode.* Mal'akhs werkwijze om informatie te ontlokken aan Robert Langdon – hij laat hem bijna verdrinken in een sensorische-deprivatietank gevuld met een waterige vloeistof – roept onmiddellijk associaties op met het recente debat over *waterboarding*. De standaardtechniek die het Amerikaanse leger daarbij hanteert, is dat een gevangene met een kap over zijn hoofd op een plank wordt gelegd, waarbij zijn hoofd iets lager ligt dan zijn hart. Vervolgens wordt zijn gezicht bedekt met doeken, waarop langzaam water wordt gegoten, zodat het slachtoffer het gevoel krijgt te verdrinken. Mal'akhs rekwisieten mogen dan anders zijn – een kist van glasfiber die langzaam wordt gevuld met water dat je kunt inademen (iets wat Langdon niet kent) – maar het effect is bijna hetzelfde.

4. *Religieus fundamentalisme.* Het is duidelijk dat Mal'akh krankzinnig is en alleen opereert; dat hij geen deel uitmaakt van een bekende groepering of beweging. Maar hij is beslist een religieuze fundamentalist, en met zijn letterlijke interpretatie van de Oude Mysteriën vertoont hij een opmerkelijke gelijkenis met wat een liberaal zou omschrijven als een Bijbelse letterknecht.

5. *Zucht naar oorlog.* Wanneer Langdon, Sato en Anderson de Kamer van Voorbereiding ontdekken, verborgen in het subsouterrain van het Capitool, legt Langdon uit dat het een ruimte zou kunnen zijn waar een machtige wetgever 'zich kan overgeven aan bespiegelingen voordat hij beslissingen neemt die van grote invloed zijn op zijn medemens'. Daarbij stelt hij zich voor 'hoe anders de wereld eruit zou zien als meer leiders de tijd zouden nemen na te denken over de onherroepelijkheid van de dood voordat ze zich in een oorlog stortten'. Dit kan worden gelezen alsof Brown de regering Bush een gebrek aan reflectie verwijt in de aanloop naar het conflict met Irak en Afghanistan.

6. *Hoop*. Dan Brown eindigt zijn boek met een alinea van slechts één woord: *Hoop*. In een boek waarin van begin tot eind discussie wordt gevoerd over 'het Woord', komt het allerlaatste woord toevallig exact overeen met de campagneslogan van Barack Obama. Bovendien zal dat ene woord voorgoed worden geassocieerd met Shepard Faireys iconische poster. Gegeven het feit dat er doorgaans zes tot negen maanden verstrijken tussen het inleveren van een manuscript en het verschijnen van een boek, is het redelijk te veronderstellen dat Brown naar het slot van *Het Verloren Symbool* toe werkte, of misschien zelfs bezig was dat te schrijven, toen de presidentsverkiezingen van 2008 hun climax bereikten. Stond het woord 'Hoop' er al voordat Barack Obama het startsein gaf voor zijn campagne? Is het – onbewust – in Dan Browns hoofd geslopen tijdens die campagne? Of heeft Brown er welbewust voor gekozen zijn boek ermee te besluiten? Als een laatste, machtige boodschap voor de tijd waarin we leven?

Verborgen fundamentalisme in het hart van de Amerikaanse macht

een interview met Jeff Sharlet

Wanneer de plot van *Het Verloren Symbool* zijn climax bereikt, vraagt Dan Brown zijn lezers om te geloven dat de verspreiding van een video waarop te zien is hoe een reeks machtige figuren in Washington deelneemt aan inwijdingsriten van de vrijmetselaars, zou leiden tot chaos. 'De regering zou in enorme opspraak komen. De ether zou overspoeld worden door de stemmen van antimaçonnieke groepen, fundamentalisten en aanhangers van complottheorieën die haat en angst zouden spuien...' Het gevaar is groot: Langdon 'kon nauwelijks bevatten' hoe ernstig de situatie kon worden. De toekomst van de Amerikaanse overheid zou aan een zijden draad komen te hangen.

Is dat nu echt zo? Een van Dan Browns grootste problemen bij de plot van *Het Verloren Symbool* zou wel eens kunnen zijn dat de meeste lezers er niet van overtuigd zijn dat onthulling van de geheime opnamen die Mal'akh heeft gemaakt, zal leiden tot de val van de regering of andere ijzingwekkende gevolgen zal hebben. De dagen van de antivrijmetselaarshysterie liggen achter ons. Tegenwoordig zou er heel wat meer voor nodig zijn om Amerikanen te motiveren hun regering ten val te brengen, dan de ontdekking dat een stel politici behoort tot een geheime broederschap met rare rituelen.

Jeff Sharlet, schrijvend redacteur bij *Harper's* en *Rolling Stone Magazine*, weet dat maar al te goed uit recente eigen ervaring. In 2001 sloot Sharlet zich tijdelijk aan bij de *Family*, een van de oudste en invloedrijkste conservatief-religieuze organisaties in de Verenigde Staten. In 2008 publiceerde hij zijn onthullende verslag, *The Family: Secret Fundamentalism at the Heart of American Power*. Daaruit bleek dat diverse senatoren, Congresleden en gouverneurs werden gemotiveerd door een sekteachtige gedrevenheid om een bijzonder vreemde versie van het evangelie van Jezus te verspreiden, waarin de nadruk lag op een extreme vorm van kapitalisme en een aan afgoderij grenzende eerbied voor mannen met macht. De leider van de Family, Doug Coe, ziet in figuren als Hitler, Stalin en Mao een voorbeeld van hoe een kleine groep enorme veranderingen teweeg kan brengen. De Family is rechtstreeks betrokken bij de organisatie van het National Prayer Breakfast, waar sinds Eisenhower iedere zittende president het woord heeft gevoerd.

Toch duurde het tot de zomer van 2009, toen leden van de Family betrokken raakten bij seksschandalen, voordat de beweging de aandacht van het grote publiek trok. En zelfs toen was er niemand die serieuze vraagtekens zette bij de gang van zaken binnen de Family, ondanks de onmiskenbare hypocrisie van mannen die werden verondersteld christelijke normen en waarden hoog in het vaandel te hebben. Op het moment dat ik dit schrijf, hebben de publieke figuren die het meest in opspraak zijn geraakt wegens banden met de Family – John Ensign, senator van Nevada, en Mark Sanford, gouverneur van South Carolina – zich niet eens genoodzaakt gezien hun ontslag in te dienen.

In dit interview vertelt Jeff Sharlet het ware verhaal van een schaduworganisatie die actief is op de hoogste niveaus van de macht in Washington. Toch heeft de onthulling van sekteachtige praktijken en loyaliteiten nauwelijks tot publieke verontwaardiging geleid.

Het wemelt in Washington van de politieke actiegroepen en belangengroeperingen. In hoeverre verschilt de Family van conventionele conservatief-christelijke groeperingen?
Om te beginnen zoekt de Family niet de publiciteit. De beweging hangt de overtuiging aan dat God werkt via de elite, niet via de gewone mensen. Een van de uitspraken van Doug Coe, de leider van de Family, luidt: 'Hoe onzichtbaarder je een organisatie kunt maken, hoe meer invloed die zal hebben.'

Verder houdt de Family zich niet bezig met typisch conservatief-christelijke kwesties zoals abortus of het homohuwelijk. De beweging richt zich op de economie – in wat door sommigen binnen de groep wordt aangeduid als 'Bijbels kapitalisme' – en op buitenlandse zaken, waarmee de uitbreiding van de macht van de vs wordt bedoeld, en voor hen in het verlengde daarvan de uitbreiding van het koninkrijk Gods.

Wat is precies de visie van de Family?
De Family begon in 1935 als een beweging die tot doel had de vakbonden op te blazen. Het ging om een groep van rijke zakenlieden die geen voorstander waren van Franklin Roosevelt en zijn New Deal en die zich achter bepaalde politici in het noordwesten van het land schaarden. Toen dat vruchten afwierp, trokken ze naar Washington, waar ze Congresleden voor

hun ideeën begonnen te werven en steun gaven aan wetgeving die was gericht tegen de New Deal.

Ze huldigden de opvatting dat God beslist wie rijkdom verwerft en wie niet, en dat iedereen dat zal moeten accepteren. Een soort doorsijpelfundamentalisme. Ze streefden naar wetgeving die leidde tot radicale deregulering van de economie, zodat door God uitverkoren rijke zakenlieden hun werk konden doen zonder te worden gehinderd door ongemakken als een ziektekostenverzekering en een wet op het minimumloon.

Hoe kwam het dat ze ook bij het buitenlandse beleid betrokken raakten?
Naarmate de Koude Oorlog voortduurde, begonnen ze hun ideeën naar het buitenland te exporteren, op zoek naar dictators die blijk gaven van wat zij als kracht beschouwden. Wanneer de aanhangers van de Family naar Jezus keken en het Nieuwe Testament lazen, zagen ze geen verhaal over genade, liefde, gerechtigheid en vergeving. Nee, zij zagen het als een verhaal over macht. Vandaar dat velen in de jaren dertig van de vorige eeuw Hitler althans tot op zekere hoogte bewonderden. Ze waren geen nazi's, maar zijn voorbeeld van krachtig leiderschap sprak hen aan. En tot op de dag van vandaag wordt er nog steeds zo geredeneerd, hetgeen blijkt uit hun opvatting dat je om Jezus te begrijpen, moet kijken naar mannen als Hitler, Stalin en Mao. Ze erkennen dat deze dictators slecht zijn, maar tegelijkertijd vertegenwoordigden ze een machtsmodel dat door de Family met belangstelling wordt bekeken.

Dat klinkt buitengewoon kwalijk.
Ze formuleren hun standpunten buitengewoon goedaardig. Zo beweren ze dat ze proberen wereldwijd als het ware een familie van tweehonderd grote leiders te creëren die door onzichtbare banden met elkaar verbonden zijn – ze noemen zichzelf een 'onzichtbare organisatie'. Wanneer dat doel is bereikt, zal er geen oorlog meer zijn, er zal niet langer worden gevochten en er zullen geen conflicten meer bestaan, omdat iedereen in hetzelfde team zit: hun team.

Ze hanteren zelfs een buitengewoon pretentieuze Latijnse frase: *voorbij het lawaai van de vox populi*, met andere woorden: boven de stem van het volk verheven. Het doel dat ze nastreven is een wereldwijde orde naar religieus voorbeeld.

Hoeveel macht bezitten deze mensen daadwerkelijk?
Dat is de vraag waar het om gaat. En ik wil hier nadrukkelijk verklaren dat de Family niet de een of andere geheime groep marionettenspelers is die alles en iedereen beheerst. Er zijn talrijke machtsbases. Daarvan is de Family er slechts één.

Maar om de vraag te beantwoorden moet je kijken naar degenen die vandaag de dag deel uitmaken van de beweging. De Family heeft een huis op Capitol Hill, het zogenaamde C Street House. Het betreft een voormalig klooster dat ze hebben laten registreren als een kerk, waar ze senatoren en leden van het Huis van Afgevaardigden goedkoop huisvesting bieden. De senatoren John Ensign en Tom Coburn wonen er. Senator Sam Brownback heeft er gewoond. Hetzelfde geldt voor senator Jim De-Mint en voor de afgevaardigden Zach Wamp, Heath Shuler en Jerry Moran.

Waar wordt het huis voor gebruikt?
Als woonadres. Anderen gebruiken het voor bijeenkomsten en vergaderingen. Senator Inhofe zegt dat hij daar besprekingen voert over buitenlandse politiek. Hij reist de hele wereld af als vertegenwoordiger van de vs, maar tegelijkertijd – volgens zijn eigen zeggen – om 'de politieke filosofie van Jezus' uit te dragen, zoals Doug Coe hem die heeft geleerd.

Kunt u een voorbeeld geven van buitenlandse initiatieven waarbij de invloed van de Family een rol heeft gespeeld?
Senator Brownback heeft me ooit eens verteld over een project waar hij aan werkte samen met een ander lid van de Familie, afgevaardigde Joe Pitts van Pennsylvania. Het gaat om de zogenaamde Silk Road Act. Als die wet wordt aangenomen, wordt een groot deel van de buitenlandse hulp die Amerika ter beschikking stelt, naar diverse republieken in Centraal-Azië gesluisd, waarvan de meeste een dictatoriaal regime hebben.

Brownback maakte duidelijk dat we in drie opzichten van de wet zullen profiteren. Om te beginnen roepen we daarmee de radicale islam een halt toe, aldus Brownback, door dictatoriale regimes af te kopen. Ten tweede maken we in deze landen de weg vrij voor Amerikaanse investeerders. En ten slotte: waar het kapitalisme Amerikaanse stijl zijn intrede doet, volgt het evangelie vanzelf. Los van de vraag of dat waar is, het evangelie is geen belang dat thuishoort in de Amerikaanse buitenlandse politiek. Daarvoor kiezen we die lui niet in het Congres.

Hoe staat het met de binnenlandse invloed van de Family?
David Kuo, bijzonder medewerker van president Bush tijdens diens eerste termijn en aanhanger van de Family, noemde deze ooit 'de machtigste groep in Washington die niemand kent'. We hebben het hier over een groep die jaarlijks het National Prayer Breakfast sponsort. Als je het aan leden van het Congres vraagt, zul je in veel gevallen te horen krijgen dat het National Prayer Breakfast een oude traditie is die teruggaat tot de

stichting van de republiek. Dat is helemaal niet waar. Het is een particulier, sektarisch initiatief, afkomstig van de Family, en het dateert uit 1953. Ik geloof niet dat de Family in staat is politieke beleidslijnen uit te zetten, maar senatoren en afgevaardigden die tot de beweging behoren kunnen wel invloed uitoefenen op de Amerikaanse wetgeving. De Family is niet de enige beslissende factor, maar waarschijnlijk wel een van de grootste onbekende factoren in de buitenlandse en economische politiek van de vs.

Hoe bekend was de Family bij het grote publiek, voordat uw boek uitkwam?
Tot de jaren zestig van de vorige eeuw was de Family helemaal niet zo gesloten en geheimzinnig als tegenwoordig. Maar toen Doug Coe in 1969 de leiding overnam, stuurde hij een memo naar de diverse leden verspreid over de hele wereld, met de strekking dat het moment was gekomen om het publieke profiel van de Family te laten 'onderduiken'.

In de jaren zeventig en tachtig van de vorige eeuw is door diverse journalisten onderzoek gedaan naar de Family, maar hun publicaties kregen weinig aandacht. In 2002 deed verslaggeefster Lisa Getter, die een Pulitzer Prize heeft gekregen, enkele verbazingwekkende ontdekkingen, waaronder het feit dat de Family bemiddelde tussen de regering Reagan en dictators in Midden-Amerika. De *Los Angeles Times* zette het verhaal op de voorpagina, in de veronderstelling daarmee veel opzien te baren. Er kwam nauwelijks reactie op.

Toen mijn boek verscheen, wist NBC *Nightly News* een videoband te bemachtigen met daarop beelden van Doug Coe die uitspraken doet over figuren als Hitler, Himmler en Goebbels en hun leiderschapsmodel. Ook zij dachten daarmee opzienbarend nieuws te brengen. Maar er was in de media verder niemand die erop inging.

Het merendeel van de media begon pas echt aandacht aan de zaak te besteden in de zomer van 2009, naar aanleiding van de seksschandalen waarbij senator John Ensign en gouverneur Mark Sanford betrokken waren.

Waarom toen pas?
Eerlijk gezegd ben ik bang dat de pers ongeletterd is als het om religieuze zaken gaat.

Wanneer een politicus beweert dat hij wijsheid zoekt in het gebed, of dat hij deel uitmaakt van een gebedsgroep waarin hij leiding ontvangt voor de beslissingen die hij neemt, is het niet meer dan gepast – en getuigt het niet van gebrek aan respect – om hem te vragen dat toe te lichten. Helaas doet de pers dat meestal niet. Er worden geen vragen gesteld zoals 'Waar bidt u dan voor? Tot wie bidt u? Wie bidt er met u mee? Wat is uw kijk op de functie van het gebed?' Wanneer je dit soort vragen aan de Family zou stellen, zou je schrikken van de antwoorden.

De plot van Het Verloren Symbool *is gebaseerd op het idee dat het van cruciaal belang is om te voorkomen dat er een video-opname op internet wordt vertoond waarop te zien is hoe een aantal machtige figuren in Washington deelneemt aan vrijmetselaarsrituelen. Denkt u dat er inderdaad sprake zou zijn van een schandaal als dat gebeurde?*

Toen NBC *Nightly News* beelden vertoonde van Doug Coe die sprak over het machtsmodel van de Family dat was afgekeken van figuren als Hitler, Himmler en Goebbels, verwachtten we dat er een enorme commotie zou ontstaan. Er was echter niemand die zich er druk over maakte. Dus, niet dat ik Mal'akh het gras voor de voeten weg wil maaien, maar het valt niet mee om mensen ervan te overtuigen dat er wel eens iets heel ernstigs aan de hand zou kunnen zijn.

Ons is één parallel opgevallen tussen Het Verloren Symbool *en uw onderzoek naar de opvattingen van de Family. En dan bedoelen we de idee van de noëtische wetenschap, dat de menselijke gedachte in staat is materie te beïnvloeden. De Family lijkt een gelijksoortige opvatting te koesteren over de macht van het gebed.*

Dat is een van de interessante connecties tussen de Family en *Het Verloren Symbool.* Een van de grote geldschieters van het Institute of Noetic Sciences is Paul Temple, een voormalige oliebaron die al heel lang deel uitmaakt van de Family. Het idee dat je door gebed rechtstreekse, concrete invloed kunt uitoefenen, is heel belangrijk. Maar een van de dingen die leden van de Family in mijn gesprekken met hen benadrukten, is dat het daarbij niet zozeer om het geloof gaat, als wel om gehoorzaamheid. Wie gehoorzaam is aan God, is in staat dingen tot stand te brengen.

Zou u de Family een samenzwering willen noemen?

Nee, niet echt een samenzwering. De Family vertegenwoordigt een opvatting over hoe macht zou moeten werken.

Mensen zeggen vaak dat ze hebben genoten van mijn boek en trekken dan de vergelijking met Dan Brown, in die zin dat ze door *De Da Vinci Code* nu alles weten over het Opus Dei en dat ze door mijn boek volledig op de hoogte zijn van de Family. Fictieve complottheorieën kunnen erg boeiend en onderhoudend zijn, laat daar geen misverstand over bestaan. Maar lezers van Dan Brown die fictie aanzien voor feiten, zijn niet bezig met waar het om gaat, namelijk een open democratie waarin wij politici dwingen verantwoording af te leggen.

Zulke lezers moeten beseffen dat ze door *De Da Vinci Code* niets hebben geleerd over het Opus Dei, maar dat ze gewoon een onderhoudende thriller hebben gelezen. Wie de werkelijkheid wil weten over het Opus Dei of de Family, wie de invloed van onzichtbare machtsstructuren in onze samenleving wil terugdringen, zal het anders moeten aanpakken.

Geografie, holografie, anatomie

Missers en onvolkomenheden in Het Verloren Symbool

door David A. Shugarts

Dave Shugarts presenteerde als eerste een gedetailleerde analyse van onvolkomenheden en regelrechte missers in *De Da Vinci Code* met zijn bijdrage aan *Geheimen van De Da Vinci Code*, dat verscheen in 2004. Diezelfde klus klaarde hij nogmaals voor *Het Bernini Mysterie*, in *Geheimen van het Bernini Mysterie*, dat we uitbrachten in 2005. Met zijn speurwerk creëerde Shugarts als het ware een geheel nieuwe huisindustrie, waarvan de raderen ook voor *Het Verloren Symbool* weer volop draaiden. Op ons verzoek laat hij hieronder zijn licht schijnen over Dan Browns nieuwste boek en onderwerpt hij het, gelijk Sherlock Holmes, aan een inspectie door zijn vergrootglas.

Geheel in overeenstemming met zijn traditie om overal in zijn werk met fouten te strooien, heeft Dan Brown er ook in *Het Verloren Symbool* weer voldoende laten zitten om me aan het werk te zetten. Gezien het feit dat hij ruimschoots de tijd heeft gehad om alle aandacht en ophef over onjuistheden en vergissingen in *Het Bernini Mysterie* en *De Da Vinci Code* tot zich te laten doordringen, én gezien het feit dat hij over voldoende middelen beschikt om een compleet leger van onderzoeksassistenten in te huren, begint het erop te lijken dat het hem ofwel niet kan schelen, of dat hij de fouten met opzet maakt, om te zien hoeveel er door zijn lezers worden herkend. Nu talloze bloggers, critici en anderen zich bij de zoektocht hebben aangesloten, zullen er ongetwijfeld vele tientallen missers en onvolkomenheden in *Het Verloren Symbool* worden opgespoord. Hieronder zullen we slechts de meest opmerkelijke belichten.

Wetenschap en technologie

Een van de meest verbijsterende en opvallende blunders vinden we al in het begin van het boek, wanneer Brown een beschrijving geeft van het laboratorium van Katherine Solomon. Het is 'helemaal geïsoleerd voor alle radiofrequenties in de rest van het gebouw' en 'optimaal beschermd tegen straling van buiten, of "ruis". Daaronder vielen ook subtiele stoorzenders als "hersenstraling" en "gedachte-emissies van mensen in de buurt". Deze isolatiemaatregelen zijn tevens bedoeld om afluisteren door potentiële spionnen onmogelijk te maken.

Toch voert Katherine slechts enkele bladzijden verder mobiele telefoongesprekken in haar lab, en verstuurt en ontvangt ze er sms'jes! De verklaring zou kunnen zijn dat de bepantsering van de ruimte bestaat uit een 'stijve mat van loodvezel met een titanium coating', een constructie die kennelijk volledig is ontsproten aan de fantasie van Dan Brown en die in werkelijkheid helemaal niet wordt gebruikt voor stralingsvrije ruimtes. In plaats daarvan zijn de meest gebruikte materialen koper en staal, in combinatie met isolatiepanelen van schuim, afhankelijk van de frequenties van de verschillende soorten straling die dienen te worden geblokkeerd.

Wanneer Mal'akh voorbereidingen treft om het laboratorium van Katherine Solomon op te blazen, lezen we dat hij een tankje pakt 'met bunsenbranderbrandstof, een stroperige, uiterst brandbare, maar niet-explosieve olie'. Deze beschrijving klopt niet, want een bunsenbrander werkt niet op een vloeibare brandstof maar op gas, bijvoorbeeld methaan, dat in een laboratorium doorgaans via een pijpleiding wordt aangevoerd. Verder is het onwaarschijnlijk dat een olie die als brandstof wordt gebruikt, niet explosief is.

Wanneer systeemanaliste Trish Dunne het adres van een bepaald internetprotocol (IP) niet kan traceren, belt ze een hacker. Die reageert al snel met de volgende taxatie: 'Trish, dat IP heeft een rare notatie. Het is geschreven in een protocol dat nog niet eens in het openbaar beschikbaar is. Waarschijnlijk gaat het om een inlichtingendienst van de overheid of het leger.' Dat snijdt geen hout, want een IP-adres dat niet overeenkomt met het IP-format zou op internet niet eens zichtbaar zijn. Als het echt een 'rare' notatie had, zou Trish Dunne dat onmiddellijk hebben ontdekt en zouden zelfs haar simpelste inspanningen om het te traceren door haar software zijn geweigerd.

Het lijkt erop dat Dan Brown uitdrukkingen en begrippen met betrekking tot internet die rond 1999 werden gehanteerd, combineert met andere uitdrukkingen en begrippen die in 2009 gangbaar zijn. Het gebruik van 'traceroutes', 'zoekspiders' en 'delegators' zoals Trish dat doet, is betrekkelijk ouderwets, terwijl de iPhone en Twitter nog tamelijk nieuw zijn. Twitter werd opgezet in 2006, en de eerste iPhone werd verkocht in 2007. Dit kan erop wijzen dat *Het Verloren Symbool* al voor een groot deel geschreven was in 2005 of 2006, maar dat bepaalde passages en latere hoofdstukken stammen uit de afgelopen twee jaar.

Ook elders zijn soortgelijke veelzeggende chronologische vingerafdrukken te vinden. Naast het – fictieve – lab van Katherine Solomon noemt Brown twee bestaande instituten die onderzoek doen op het gebied van de noëtische wetenschap. Een daarvan, het Institute of Noetic Sciences (IONS), bestaat nog steeds en staat sinds het verschijnen van *Het Verloren Symbool* enorm in de belangstelling. Het andere daarentegen – Princeton Engineering Anomalies Research (PEAR) – sloot begin 2007 zijn deuren.

Nog iets wat niet klopt: om duidelijk te maken hoe geavanceerd de technologie is waar Katherine mee werkt, schrijft Brown tamelijk in het begin van het boek dat ze gebruikmaakt van 'redundante holografische reserveapparaten' voor opslag van haar gegevens, afgeschermd door 'acht centimeter dik veiligheidsglas' in een 'kluis met temperatuurregeling'. Het gaat om twee eenheden die worden omschreven als 'gesynchroniseerd en identiek'. Rond 2004 bestond de verwachting dat holografische schijven een belangrijke rol zouden gaan spelen bij het opslaan van gegevens. Maar uiteindelijk is de langverwachte holografische dataopslag nooit echt van de grond gekomen. Er is wel apparatuur ontwikkeld, maar doordat de gewone magnetische harde schijven steeds goedkoper werden en een steeds grotere capaciteit kregen, bleek er geen markt te zijn voor holografische apparatuur. En los daarvan, hoewel de meeste hightech-opslagruimtes inderdaad beschikken over temperatuur- en vochtregulering, is veiligheidsglas van acht centimeter dik volstrekt overbodig in geval van holografische opslag.

Tegen het eind van het boek, wanneer Katerines lab is opgeblazen en ze ervan uitgaat dat de resultaten van haar onderzoek verloren zijn gegaan, vertelt haar broer, Peter Solomon, dat hij backups heeft gemaakt, waarvoor hij blijkbaar geen speciale holografische drives nodig had. 'Ik wilde je vorderingen kunnen volgen zonder je telkens te moeten storen,' legt hij uit. Als haar research inderdaad zo data-intensief is (overigens blijkt uit niets waarom de opslagbehoefte voor de resultaten van noëtisch onderzoek zoveel groter zou zijn dan bij andere vormen van onderzoek), hoe is het dan mogelijk dat Peter die data kan opslaan zónder te beschikken over holografische apparatuur in een ruimte met temperatuurregeling?

Hiermee komen we op een reeks ethische vragen betreffende Peter Solomon. Niet alleen 'bespioneerde' hij zijn eigen zuster, maar bovendien komt ze uiteindelijk tot het besef dat hij heeft geweigerd toe te geven dat hij een geheim kende, met de dood van hun moeder als gevolg. Hij heeft jarenlang voor Katherine verzwegen dat hij wist welke 'piramide' de indringer zocht. Bovendien kunnen we met zekerheid vaststellen dat Peter Solomon een reeks overtredingen heeft begaan tegen de reguliere bestuurlijke ethiek en de regels ten aanzien van belangenverstrengeling, en zich zelfs schuldig heeft gemaakt aan crimineel gedrag, door de faciliteiten van het Smithsonian te gebruiken voor Katherines geheime laboratorium, ook al financierde hij haar onderzoek met privégeld.

Geografie

Dan Brown heeft Robert Langdon in zijn vorige boeken regelmatig de verkeerde kant op gestuurd in Parijs, Rome en Londen. Die traditie zet hij met het *Het Verloren Symbool* voort in Washington D.C.

In hoofdstuk 92 rijdt Langdon met gierende banden van de National Cathedral 'in noordelijke richting' naar Kalorama Heights. Dat is vreemd, want Kalorama Heights ligt ten zuidoosten van de kathedraal. Elders in het boek, wanneer Langdon en de agenten van de CIA het House of the Temple naderen via S Street, die langs de noordkant van het gebouw loopt, heeft Dan Brown het over de oostkant.

Maar er is één passage die pas echt goed laat zien hoezeer Dan Brown op geografisch gebied de kluts kwijt is. Blijkbaar beschikt hij zelfs niet over de elementairste kennis van het begrip 'geografische lengte'. De 'kaart' op de piramide stuurt Langdon en Solomon naar een plek ten zuiden van het House of the Temple. Langdon noemt die aanwijzing erg vaag, omdat '"ten zuiden van het House of the Temple" overál [kan] zijn op een meridiaan met een lengte van veertigduizend kilometer'. Aldus Langdon.

Daaruit kunnen we concluderen dat volgens Dan Brown een geografische lengte, ook wel een meridiaan genoemd, via beide polen rond de hele aarde loopt. Maar dat is niet zo. Er wordt onderscheid gemaakt tussen ooster- en westerlengte, met meridianen die respectievelijk over het oostelijk halfrond en het westelijk halfrond (waaronder de Verenigde Staten) lopen. Een meridiaan strekt zich dus uit van de noordpool tot de zuidpool, een afstand van ongeveer twintigduizend kilometer, en geen veertigduizend. De afstand van het House of the Temple naar de zuidpool is ongeveer veertienduizend kilometer. (In werkelijkheid blijkt het bij de zoektocht van Langdon en Solomon te gaan om een afstand van zo'n drie kilometer, dus die veertigduizend kilometer blijft verkeerd, maar doet voor het verhaal niet ter zake.)

Geschiedenis

Dan Brown schrijft dat de beroemde trap van het Washington Monument 896 treden telt. Volgens de meeste bronnen en reisgidsen zijn het er 897. Oorspronkelijk waren het er zelfs 898, maar één trede is verdwenen onder de rolstoelhelling.

Langdon zegt over het Washington Monument 'dat er een oude wet bestaat waarin wordt bepaald dat er in onze hoofdstad niet hoger mag worden gebouwd dan het Washington Monument. Nóóit.' Volgens de Height of Buildings Act, aangenomen in 1899, mocht er niet hoger worden gebouwd dan het *Capitool*. De wet is in 1910 afgeschaft.

En dan de gravure van Albrecht Dürer, *Melencolia 1*. Langdon herkent daarop het symbool dat bestaat uit de letters A en D. Dat was, aldus Brown, 'zoals elke expert in middeleeuwse kunst zou weten, een alom bekende symbatuur – een symbool dat werd gebruikt in de plaats van een signatuur.' Kunstkenners noemen een dergelijk symbool echter een 'monogram', en soms wordt het gezien als een 'logo', een 'beeldmerk'. 'Symbatuur' blijkt een eigen vondst van Dan Brown te zijn, want we konden het begrip in geen enkel naslagwerk vinden. Misschien geeft onze symboliekdeskundige – ook een verzonnen woord – Langdon aan Harvard binnenkort wel college over symbaturen.

Wanneer Mal'akh zijn tatoeages bewondert, peinst hij over de nog onversierde ruimte op zijn schedeldak, die Dan Brown aanduidt als de 'fontanel [...] het enige gebied van de menselijke schedel dat bij de geboorte open bleef. *Een oculus voor de hersenen.*' Zelfs de meest elementaire anatomische teksten spreken echter over niet één fontanel, maar zes fontanellen: de grote en de kleine fontanel die zich boven op het hoofdje van de pasgeborene bevinden, en aan elke kant daarvan twee kleine fontanellen, respectievelijk bij het slaap- en het wiggebeen.

Vrijmetselaarslegenden

De plot van *Het Verloren Symbool* steunt zwaar op een aspect dat nadere aandacht verdient, omdat het wordt verpakt in een hele reeks van toespelingen en aanwijzingen. Het maakt echter wel zonneklaar waarom de Founding Fathers geen enkele rol spelen in de daadwerkelijke actie in *Het Verloren Symbool*, ook al was de verwachting dat een van de geheimen in het boek de veronderstelde vrijmetselaarssamenzwering zou zijn van mannen als George Washington en Benjamin Franklin om het land een bepaalde kant op te sturen.

Ondanks het veelvuldige gebruik van het woord 'eeuwenoud' en ondanks talrijke verwijzingen naar een lange geschiedenis van de verborgen bergplaats en van de aanwijzingen om die te vinden, kan het geheim waar het om gaat niet heel erg oud zijn. Dat blijkt uit het feit dat het 'geheime' boek met de 'Oude Mysteriën' zich bevindt in de hoeksteen van het Washington Monument, die werd gelegd op 4 juli 1848. De Founding Fathers waren toen allang dood. Bovendien maakt het jaar 1848 deel uit van een periode waarin de populariteit van de vrijmetselarij weer voorzichtig begon te groeien na een ernstige terugval die ertoe had geleid dat veel loges in de obscuriteit waren verdwenen. Het was zeker geen periode waarin de vrijmetselaars konden worden beschouwd als een machtige organisatie.

In 1848 zou het nog twee jaar duren voordat de legendarische Albert Pike, een buitengewoon krachtige figuur in de Schotse Ritus, zich bij de vrijmetselaars aansloot. Onder Pikes leiderschap, rond het jaar 1870, kwam de Opperraad van de Zuidelijke Jurisdictie van de Schotse Ritus naar Washington. In die tijd zetelde de Opperraad aan Third Street, niet ver van het Capitool, maar wel kilometers verwijderd van de huidige locatie.

In *Het Verloren Symbool* verwijst de vrijmetselaarspiramide naar het House of the Temple als beginpunt van een drie kilometer lange reis naar het zuiden, via Sixteenth Street, naar het Washington Monument. De logica schrijft voor dat de piramide met de gecodeerde boodschap pas tot stand kan zijn gekomen na voltooiing van het huidige House of the Temple op 1733 Sixteenth Street, in het jaar 1915. Dat betekent dat de vrijmetselaarspiramide nog geen honderd jaar oud is.

Met dat in het achterhoofd stellen we de vraag wat de 'geheime' informatie is die zo lang, zo zorgvuldig is bewaakt en behoed. Het antwoord luidt: een boek. Een boek dat vele eeuwen geleden werd geschreven, waarvan over de hele wereld miljoenen exemplaren bestaan, en dat niet door de vrijmetselaars is geschreven en ook niet door hen verborgen is gehouden. We noemen dat boek de Bijbel.

Ten slotte vergaloppeert Dan Brown zich met een citaat dat tot de kern van de vrijmetselaarslegende behoort. Een smeekbede. 'Is er geen hulp voor de zoon van de weduwe?'

Brown schrijft in *Het Verloren Symbool*: 'Diezelfde woorden waren eeuwen geleden gesproken... door koning Salomo toen hij rouwde om een vermoorde vriend.' Volgens de vrijmetselaarslegende werden deze woorden echter gesproken door Hiram Abiff, de opperbouwmeester van de tempel van koning Salomo, die werd vermoord omdat hij weigerde bepaalde geheimen prijs te geven die in de tempel verborgen waren. Of hij een 'vriend' was van de koning, vertelt het verhaal niet. Het volledige citaat luidt: 'O God, is er geen hulp voor de zoon van de weduwe?' en wordt door vrijmetselaars onderling gebruikt als code wanneer een van hen in moeilijkheden verkeert.

Volgens sommige tradities was Hiram Abiff de eerste vrijmetselaar. Los van de vraag of dat klopt, is dit citaat altijd aan hem toegeschreven, en niet aan koning Salomo. Verder is het interessant op te merken dat zowel in Koningen als Kronieken in de Bijbel melding wordt gemaakt van het feit dat Salomo Hiram verzocht hem te helpen met de bouw van zijn tempel. Beide passages verwijzen naar Hiram als een 'zoon van een weduwe'. Dan Brown weet dit alles maar al te goed.

Sterker nog, hij maakte de zinsnede min of meer beroemd toen hij deze, verstopt in vette letters, in 2003 op het stofomslag van de oorspronkelijke gebonden uitgave van *De Da Vinci Code* zette. Als een stille wenk dat zijn volgende boek over de vrijmetselaars zou gaan. Dus waarom schrijft hij dit ongelooflijk belangrijke citaat dan nu ineens toe aan de verkeerde? Dat is slechts een van de vele moderne mysteriën van *Het Verloren Symbool.*

Het woord is aan de critici en aan de criticasters

door Hannah de Keijzer

Na zes jaar wachten was het ondenkbaar dat de verschijning van de opvolger van *De Da Vinci Code* zich geruisloos zou voltrekken. Toch is nog maar zelden een boek met zo veel ophef ontvangen als *Het Verloren Symbool*, dankzij een langdurige en in de boekenbranche ongekende marketingcampagne.

Het vrijgeven van de cover – met geheimschrift en symbolen – in juli 2009, gevolgd door dagelijkse aanwijzingen met betrekking tot de inhoud op Facebook en Twitter, zorgde voor een stroom van tweets en blogstukken. Kranten, tijdschriften en de televisie bleven de spanning opvoeren met commentaar en speculatie. De verhalen gingen niet alleen over *Het Verloren Symbool*, maar ook over de beveiliging waarmee het boek werd omringd, het besluit om een e-boekeditie uit te brengen, het feit dat *The New York Times* het embargo van uitgeverij Doubleday schond, en het voortijdig verschijnen van een recensie van het boek – in Noorwegen!

De inspanningen hadden het beoogde effect. Van *The Lost Symbol* werd op de eerste dag na verschijnen al een recordaantal van een miljoen exemplaren verkocht. Na een week lag dat aantal op twee miljoen. De Britse *Guardian* sprak over het 'snelst verkopende boek aller tijden'.

Zoals te verwachten viel, was *Het Verloren Symbool* voor critici aanleiding om achter hun computer te kruipen en met elkaar te wedijveren in de meest bijtende formuleringen. 'Het boek is moraliserend [...] een herhaling van zetten [...] stuntelig geschreven,' luidde het bloemrijke oordeel van Maureen Dowd in *The New York Times*. 'In Browns volgende boek draagt Langdon waarschijnlijk de rode fez van de Shriners bij zijn Burberry-coltrui en zijn jasje van Harris-tweed,' vervolgde ze. Lev Grossman, van *Time Magazine*, schreef dat Brown personages introduceerde met 'een soort ademloze jachtigheid die – onbedoeld – grenst aan het hilarische'.

Het oordeel van de lezers was nauwelijks welwillender: *Het Verloren Symbool* kwam niet verder dan drie sterren op de website van zowel Amazon als Barnes & Noble. De opmerkingen varieerden van: 'Het einde was waardeloos,' tot: 'Ontsla die redacteur!'

Een greep uit andere pittige kritieken:

* '... slecht doordacht, onnozel, een wildgroei van bijvoeglijke naamwoorden, en de schrijver is verslaafd aan het gebruik van cursief om spanning aan te geven, iets wat betere thrillerauteurs doorgaans doen met woorden.' (Jeremy Jehu van de Britse *Telegraph*)
* 'Alsof je achterop zit bij een gestoorde architectuurhistoricus op een supersnelle motor, die je via een koptelefoon bestookt met complottheorieën en reisgidsentaal.' (blogger Nick Pelling)
* 'De boodschap van de Bijbel is niet "gij zijt goden", al zou Dan Brown dat wel graag willen. Die uitspraak komt voor rekening van de slang, niet van de Heiland.' (Ben Witherington op Beliefnet.com)
* Langdon is 'de irritantste seksloze betweter met een matje en een Harvardtitel aller tijden'. (Matt Taibi in *Rolling Stone*)

Het boek was ook aanleiding tot parodie en satire. Het online magazine *Slate* plaatste een 'Dan Brown Sequel Generator', waarin lezers werden opgeroepen een stad (Philadelphia, Ottawa, Chicago) te kiezen en een obscure cultus (Major League Baseball, Daughters of the American Revolution, de Shriners). Het resultaat waren stukjes van zo'n drie alinea's die schokkende overeenkomst vertoonden met de synopsis op de achterkant van een boek van Dan Brown. *Ten minste twaalf van de inzenders imiteerden Browns neiging om hardop te denken in cursief.* Ondertussen schreef blogger Phil Terret dat een simpel 'Hallo' tegen Robert Langdon al zou kunnen leiden tot de volgende reactie:

'Hallo. Dat is interessant. Het woord "hallo" vindt zijn oorsprong bij een sekte van duivelaanbidders in Abessinië, waar in 1283 een nieuw soort pudding in zwang raakte. De rode pudding werd gebruikt als symbool van de hel en bevatte gelatine, ook wel jelly of gello genoemd, vandaar de naam "hel-o". Geleidelijk aan ontwikkelde zich de gewoonte de pudding mee te nemen naar etentjes, waar de duivelsaanbidders elkaar begroetten met "hel-o"...'

En wat was het antwoord van Dan Brown op de stortvloed aan negatieve kritieken waarmee zijn boeken werden ontvangen? 'Sommige recensenten zeggen dat ik bepaald geen tweede Shakespeare of Faulkner ben, en daar hebben ze gelijk in. Ik hanteer een moderne, doelmatige stijl die uitsluitend en alleen in dienst staat van het verhaal.'

Brown is inderdaad een uitstekend verteller, ondanks zijn stilistische tekortkomingen en zijn neiging de lezer te overvoeren met informatie. Hij weet hoe hij zijn publiek moet vasthouden: hoofdfiguren lijken te sterven wanneer je als lezer nog tweehonderd bladzijden te gaan hebt! Natuurlijk wil je dan weten wát er aan de hand is. En omdat elk hoofdstuk amper drie bladzijden telt, kan het je niet schelen dat het al één uur 's nachts is! Je móét doorlezen, of je wilt of niet.

Veel reguliere kranten in Amerika prezen Browns vermogen om de lezer op de punt van zijn stoel te houden. 'Noem het de Brownse beweging: een razendsnelle opeenvolging van korte alinea's, korte hoofdstukken, een perfecte timing van onthullingen en – in het geval van *Het Verloren Symbool* – een geweldige verrassing wanneer de ware identiteit van de moordenaar aan het licht komt,' schreef Louis Bayard in de *Washington Post*. 'Dan Brown weet hoe hij een goed en boeiend verhaal moet vertellen. Zo simpel is het. En daar kun je alleen maar respect voor hebben.' Aldus Reed Tucker van de *New York Post*. Katie Crocker van de *Daily Gamecock*, het studentenblad van de University of South Carolina, bekende enigszins schuldbewust: *Het Verloren Symbool* is 'een boek waar je mee op de bank kruipt wanneer je eigen saaie leven wel wat opwinding kan gebruiken'.

Janet Maslin, recensent van *The New York Times*, wist het perfect samen te vatten. Dan Browns 'tekortkomingen als auteur worden ruimschoots gecompenseerd door zijn talenten als quizmaster en verteller', schreef ze. En 'binnen het hermetisch afgesloten universum van dit boek hoeven de motivaties van de personages geen hout te snijden', betoogde ze. 'Ze hoeven er alleen maar voor te zorgen dat de vaart in het verhaal blijft, zodat je het boek onmogelijk kunt wegleggen.' Dan Brown, aldus Janet Maslin, heeft 'een genre dat op sterven na dood was, weer sexy gemaakt'. Hoewel het door veel critici is afgekraakt, schreef Reed Tucker van de *New York Post*, 'zijn we nog niet onnozel als we ervan genieten. Daar hebben we de televisie voor.'

Het boek betekende ook een onverwachte zegen voor vrijmetselaars, van wie velen hadden verwacht dat ze net als de Illuminati in *Het Bernini Mysterie* kwaadaardig zouden worden afgeschilderd als een samenzwering-binnen-een-samenzwering. Arturo de Hoyos, grootarchivaris en groothistoricus van de Schotse Ritus in Amerika en vrijmetselaar van de drieëndertigste graad, vond *Het Verloren Symbool* 'respectvol' jegens de broederschap. *The Masonic Traveler* was ronduit enthousiast en noemde Browns behandeling van de vrijmetselarij 'mild, bijna te welwillend [...] zodat je haast zou denken dat het ging om een van onze eigen brochures'.

Er waren ook critici – een minderheid, maar toch – die wel degelijk intellectuele zwaarte aantroffen in Browns laatste boek. Critici die begrepen
dat het boek niet alleen aantrekkelijk was vanwege het verhaal, maar ook
vanwege de manier waarop Brown worstelde met grote ideeën die doorgaans niet worden geassocieerd met avonturenverhalen vol actie. Stephen
Amidon van de Londense *Sunday Times* verwoordde het aldus: 'Brown
dankt zijn enorme succes aan zijn besef dat de meeste fictielezers tegenwoordig eigenlijk op zoek zijn naar vermomde non-fictie.' Steven Wald-
man van Beliefnet sprak zijn waardering uit voor het feit dat Brown had
gezorgd voor een wederopleving van de belangstelling voor het deïsme,
het geloof van de Founding Fathers. ('Dan Brown heeft zijn publiek eraan herinnerd dat Amerika niet is gesticht als christelijke natie, maar dat
uiteindelijk is geworden.')

Het meest intrigerende thema dat oprijst uit de verzamelde kritieken op
Het Verloren Symbool is wellicht dat Brown een wel heel erg 'Amerikaans'
verhaal heeft geschreven.

Om te beginnen is er het kinderlijke, onschuldige plezier van Langdons
puzzels, waarvoor Dan Brown put uit zijn eigen jeugd. 'Toen we nog klein
waren, zette mijn vader complete speurtochten uit door het huis, waarbij
hij ons met limericks en wiskundige raadsels naar de volgende aanwijzing
leidde. Dus als kind al vond ik speurtochten enorm spannend,' vertelde de
auteur in een interview. Adam Gopnik, van *The New Yorker*, haalde dit
thema naar voren in zijn recensie: 'Tom Swift en de Hardy Boys zaten ook
altijd midden in de spannendste samenzweringen; er was altijd een code
die moest worden gekraakt, en hun veilige, Amerikaanse wereldje werd
voortdurend bedreigd door eeuwenoude oosterse sekten en stokoude oosterse priesters.'

Bovendien keert Dan Brown met *Het Verloren Symbool* 'naar huis terug'.
Nadat hij Langdon avonturen heeft laten beleven in Parijs en Rome, verleent hij Washington D.C. eenzelfde sfeer van intrige als zijn eerdere plaatsen van handeling in Europa. Wat Lev Grossman daarover schreef in
Time is misschien niet echt een heldenontvangst, maar het klinkt wel indrukwekkend:

Wat Dan Brown met *Het Bernini Mysterie* en *De Da Vinci Code* voor
het christendom heeft gedaan, probeert hij nu te doen voor Amerika: hij laat iedereen weer beseffen hoe rijk, hoe duister en hoe vreemd
ons land is. Misschien is Brown daarin een soort Don Quichot, maar
zijn dapperheid is ontroerend. We zijn niet alleen maar veel te dikke
toeristen in T-shirts en met heuptasjes, zegt Brown. Onze geschiede-

nis is net zo ziek, net zo raar als die van iedereen! Er bestaat... orde in de chaos! Er is alleen een graad van een niet-bestaande Harvard-faculteit voor nodig om die te zien.

In een interview met NBC zei Dan Brown over zijn keuze van de plaats van handeling: 'Washington D.C. heeft alles wat Rome, Parijs en Londen ook hebben als het gaat om indrukwekkende architectuur en indrukwekkende machtsbases. Washington heeft obelisken, piramides, ondergrondse gangen, schitterende kunst en een complete schaduwwereld die volledig onzichtbaar blijft.'

En ten slotte, wat is er Amerikaanser dan onze drang tot zelfverbetering en zelfontplooiing? De boodschap van hoop en morele verheffing, waar het in bijna alle talkshows en Hollywoodproducties om draait? 'Gij zijt goden.' Met die woorden citeert Brown – selectief – de Heilige Schrift en zegt hij tegen zijn lezers dat ook zij hun bewustzijn kunnen verheffen zodat ze 'Het Woord' zullen begrijpen.

Adam Gopnik zag het zo: 'Browns geheim blijkt hetzelfde te zijn als het door Oprah omhelsde *The Secret*: alles is mogelijk, niets is onbereikbaar.' Of, zoals Janet Maslin het formuleerde: 'Waarschijnlijk is het vooral Browns goedwillende optimisme waarmee hij zijn lezers verbaast, meer nog dan met Robert Langdons speurwerk en met alle kennis die deze daarbij met de lezer deelt.'

Dan Browns eigen oordeel over zijn boeken zegt het misschien nog het best. In een interview met Matt Lauer van NBC *News* zei hij: 'Wat ik vooral heerlijk vind, is om mensen zover te krijgen dat ze dingen door een net iets andere bril bekijken. [...] Mijn boeken zijn wel degelijk zware kost, maar ze smaken luchtig, als een toetje.'

Over de auteurs

Dan Burstein is, samen met Arne de Keijzer, auteur en samensteller van *Geheimen van het Verloren Symbool*, de zesde titel in de *Geheimen*-serie, die in 2004 werd gelanceerd met Bursteins *Geheimen van De Da Vinci Code. De mysteriën achter* De Da Vinci Code *ontsluierd*. Op weg naar de status van 's werelds bestverkochte handleiding bij *De Da Vinci Code* stond *Geheimen van De Da Vinci Code* meer dan twintig weken op de bestsellerlijst van *The New York Times*. Het verscheen in meer dan dertig talen en belandde op diverse opmerkelijke bestsellerlijsten, verspreid over de hele wereld. De *Geheimen*-serie, ontwikkeld door Burstein en De Keijzer, bestaat tot dusverre uit *Geheimen van De Da Vinci Code, Geheimen van Het Bernini Mysterie, Secrets of the Widow's Son, Geheimen van Maria Magdalena* en *Secrets of "24"*. De serie was aanleiding tot twee speciale edities van *U.S. News & World Report* en drie documentaires, inmiddels verkrijgbaar op dvd, waaronder Sony's *Secrets of the Code* (verteld door Susan Sarandon). Van de vijf titels in de *Geheimen*-serie zijn inmiddels in totaal zo'n vier miljoen exemplaren in druk verschenen, in diverse talen over de hele wereld.

Als investeerder in innovatieve technologiebedrijven sinds zijn eerste ervaringen in Silicon Valley, in de jaren tachtig van de vorige eeuw, richtte Burstein in het jaar 2000 Millennium Technology Ventures op, een participatiemaatschappij van risicodragend kapitaal en particuliere aandelenfondsen met haar hoofdkantoor in New York. Sindsdien heeft hij in de directie gezeten van een groot aantal technologische bedrijven. Voorafgaand aan de oprichting van Millennium werkte hij meer dan tien jaar als topadviseur bij The Blackstone Group, een van de prominentste handelsbanken van Wall Street. Verder heeft hij als adviseur gewerkt voor de directie en het hoogste managementniveau van Sony, Toyota, Microsoft en Sun Microsystems.

Dan Burstein is een bekroond journalist en schrijver van talrijke boeken over de wereldeconomie, politiek, technologie en cultuur, waaronder *Blog!*, een diepteanalyse van de opkomst van de blogosfeer en de nieuwe sociale media in de eerste tien jaar van de eenentwintigste eeuw. *Yen!*, Bursteins eerste bestseller, behandelde de opkomst van Japan als financiële grootmacht, eind jaren tachtig. Het boek was in meer dan twintig landen een bestseller en werd in Japan uitgeroepen tot de beste zakelijke titel van 1989. In *Road Warriors*, dat hij publiceerde in 1995, analyseerde Burstein als een van de eersten de invloed van internet en digitale technologie op de maatschappij en het bedrijfsleven. In zijn boek uit 1998, *Big Dragon*, ook een coproductie met Arne de Keijzer, schetst hij de rol die in de eenentwintigste eeuw voor China is weggelegd. Het boek werd door zowel president Bill Clinton als de Chinese premier Zhu Rongji gelezen, voorafgaand aan hun eerste topconferentie. Als freelance journalist schreef Burstein in de jaren tachtig en begin jaren negentig meer dan duizend artikelen voor meer dan honderd verschillende publicaties, verspreid over de hele wereld. Zijn journalistieke kwaliteiten zijn bekroond door Sigma Delta Chi en de Overseas Press Club. Burstein is te gast geweest in de meest uiteenlopende talkshows, van *Oprah* tot *Charlie Rose*, met daarnaast tientallen optredens bij CNN, MSNBC en CNBC.

Arne de Keijzer is, samen met Dan Burstein, schepper van de *Geheimen*-serie. Hij heeft een breed scala aan publicaties en boeken op zijn naam staan over onderwerpen die variëren van het internationale zakenleven tot nieuwe technologieën. In het begin van zijn carrière was hij rechtstreeks betrokken bij de ontwikkeling van een culturele, educatieve en zakelijke uitwisseling met China, wat ertoe leidde dat hij zijn eigen bedrijfsadviesbureau oprichtte voor de handel met China. In die periode schreef hij het zeer goed verkochte *China Guidebook* en twee edities van *China: Business Strategies for the '90s*.

Halverwege de jaren negentig wijdde hij zich volledig aan het schrijverschap. Met Dan Burstein schreef hij *Big Dragon*, een vernieuwende kijk op de economische en politieke toekomst van China en de invloed daarvan op de rest van de wereld. Samen begonnen ze daarna hun eigen uitgeverij, Squibnocket Partners. De eerste titel die ze op de markt brachten, in 2002, was *The Best Things Ever Said About the Rise, Fall, and Future of the Internet Economy*. Recenter hielp hij met de lancering van de *Geheimen*-serie, die inmiddels bestaat uit *Geheimen van De Da Vinci Code*, *Geheimen van Het Bernini Mysterie*, *Secrets of the Widow's Son*, *Geheimen van Maria Magdalena* en *Secrets of "24"*.

Amir Aczel is wiskundige en wetenschapshistoricus, bekend van talrijke niet-technische boeken, waaronder diverse nationale en internationale bestsellers. Tot zijn bekendste titels behoren *De laatste stelling van Fermat*, dat werd genomineerd voor een *Los Angeles Times* Book Award, en *The Jesuit and the Skull*. Aczel is regelmatig te gast in programma's op radio en televisie van onder andere CNN, CNBC en NPR. Hij ontvangt een stipendium van de John Simon Guggenheim Memorial Foundation.

Diane Apostolos-Cappadona doceert religieuze kunst- en cultuurgeschiedenis aan Georgetown University. Ze is wel beschreven als degene die in de echte academische wereld het begrip 'symboliekdeskundige' het dichtst benadert. Haar onderzoek is gericht op de verbanden tussen kunst, gender en religie. Tot haar boeken behoort onder andere de *Encyclopedia of Women in Religious Art*. Op dit moment is ze gastcurator van de internationale tentoonstelling The Seventh Veil: Salome Unveiled, Re-veiled, and Revealed, in het Museum of Biblical Art, New York.

Lou Aronica is nieuw in het team van medewerkers aan *Geheimen van het Verloren Symbool*. In zijn carrière heeft hij aan het hoofd gestaan van diverse uitgeverijen, waar hij naam maakte met het binnenhalen van opmerkelijke bestsellers. Hij heeft echter ook zelf succesvolle fictie en non-fictie geschreven. Zijn laatste boek – in samenwerking met Sir Ken Robinson – is *Het Element*, dat de bestsellerlijst van *The New York Times* haalde.

Michael Barkun heeft een groot aantal publicaties op zijn naam staan over complottheorieën, terrorisme en apocalyps- en millenniumbewegingen. Hij doceert politieke wetenschappen aan Syracuse University en heeft daarnaast gewerkt als adviseur van de FBI. Er zijn diverse beurzen en subsidies aan hem toegekend, onder andere door de Harry Frank Guggenheim Foundation. Tot de boeken die van zijn hand zijn verschenen, behoren *A Culture of Conspiracy: Apocalyptic Visions in Contemporary American Society* en *Religion and the Racist Right: The Origins of the Christian Identity Movement*.

Paul Berger is een Britse freelance schrijver, woonachtig in New York. Hij is auteur of medewerker van zeven boeken, waaronder *All the Money in the World: How the Forbes 400 Make – and Spend – Their Fortunes*, *Geheimen van De Da Vinci Code* en *Geheimen van Het Verloren Symbool*. Zijn werk is verschenen in onder andere *The New York Times*, *The Guardian*, de *London Times*, *Wired* en *Forbes*. Verder heeft hij zijn eigen blog, *Englishman in New York* (www.pdberger.com).

David D. Burstein is oprichter en directeur van '18 in '08', de grootste on-partijdige jongerenorganisatie zonder winstoogmerk in de Verenigde Staten, die zich inspant om jeugdige kiezers maatschappelijk bewust te maken. In 2009 won hij een Do Something Award, en hij schrijft regelmatige bijdragen over media, jongeren en politiek voor de *Huffington Post*. Op dit moment is hij derdejaars aan New York University en werkt hij aan een boek over de millenniumgeneratie.

Arturo de Hoyos is vrijmetselaar van de drieëndertigste graad en drager van het Grootkruis van het Erehof van de Opperraad van de Aloude en Aangenomen Schotse Ritus. Hij wordt beschouwd als Amerika's grootste kenner van de vrijmetselarij. Zijn populairste boek, *Is It True What They Say About Freemasonry? The Methods of Anti-Masons*, dat hij schreef in samenwerking met S. Brent Morris, is inmiddels in een vierde, uitgebreide druk verschenen. De Hoyos is ook de auteur van *The Scottish Rite Ritual Monitor and Guide*.

Hannah de Keijzer is schrijfster, researcher, danseres, massagetherapeute en papierkunstenares, woonachtig in Philadelphia. Ze is redactiemede-werkster geweest bij uitgeverij David R. Godine en heeft als redacteur mee-gewerkt aan de totstandkoming van *Geheimen van het Bernini Mysterie*, waarvoor ze ook een bijdrage heeft geschreven. Naast haar andere bezig-heden gaat ze door met het onderzoeken van de gebieden waar religie, cul-tuur en cognitieve wetenschappen elkaar ontmoeten.

Elonka Dunin is expert op het gebied van de *Kryptos*-sculptuur op het ter-rein van het hoofdkwartier van de CIA en auteur van *The Mammoth Book of Secret Codes and Cryptograms*. Ze hielp bij het kraken van de code van de *Cyrillic Projector* en onderhoudt een populaire website over cryptogra-fie, www.elonka.com. Verder is ze onder andere bedenker van games bij Simutronics, maker van games als CyberStrike en HeroEngine. Dunin is medeoprichter en voorzitter van de International Game Developers Asso-ciation's Online Games Group.

Glenn W. Erickson is docent filosofie aan de Universidade Federal do Rio Grande do Norte in Brazilië. Hij heeft diverse publicaties op zijn naam staan over de relatie tussen filosofie, wiskunde en kunst. Bijdragen van zijn hand verschenen ook in *Geheimen van De Da Vinci Code* en *Geheimen van Het Bernini Mysterie*.

Warren Getler woont in Washington D.C. en heeft als journalist gewerkt bij *The Wall Street Journal* en de *International Herald Tribune*. Hij is medeauteur van *Rebel Gold* en heeft als historisch adviseur meegewerkt aan Disneys *National Treasure: Book of Secrets*. Hij heeft lezingen gegeven over de Knights of the Golden Circle in de National Archives, in Ford's Theater en op andere locaties in Washington D.C.

Marcelo Gleiser bekleedt de Appleton-leerstoel natuurfilosofie aan de faculteit natuur- en sterrenkunde van Dartmouth College. Hij heeft diverse populairwetenschappelijke boeken op zijn naam staan, en daarnaast heeft hij meer dan tachtig wetenschappelijke artikelen gepubliceerd over kosmologie en astrobiologie. Gleiser is vele malen onderscheiden, onder andere met de Faculty Fellows Awards van het Witte Huis. Zijn volgende boek zal zijn *A Tear at the Edge of Creation: Searching for the Meaning of Life in an Imperfect Cosmos*.

Deirdre Good is wetenschappelijk medewerkster op het gebied van het Nieuwe Testament aan het General Theological Seminary in New York en een gerespecteerd godsdienstgeleerde. In haar werk houdt ze zich bezig met de evangeliën, met niet-canonieke geschriften en met de oorsprong van het christendom. Ze heeft als adviseur gewerkt voor het Arts and Entertainment Network, het History Channel en andere instanties, voor programma's en publicaties over *De Da Vinci Code*.

Mitch Horowitz is hoofdredacteur van Tarcher/Penguin en auteur van *Occult America: The Secret History of How Mysticism Shaped Our Nation*. Hij staat in brede kring bekend als aanhanger van metafysische en esoterische ideeën en heeft gepubliceerd in *U.S. News & World Report, Parabola*, de *Religion News Service* en op het populaire weblog *BoingBoing*. Verder heeft hij talrijke mediaoptredens op zijn naam staan. Zijn website is www.Mitch-Horowitz.com.

George Johnson is winnaar van de Science Journalism Award van de AAAS (American Association for the Advancement of Science) en medeoprichter van de Santa Fe Science Writing Workshop. Hij schrijft over wetenschap voor *The New York Times, Scientific American*, de *Atlantic* en verschillende andere publicaties. Behalve van diverse boeken over wetenschap (waaronder recentelijk *The Ten Most Beautiful Experiments*) is hij ook auteur van *Architects of Fear: Conspiracy Theories and Paranoia in American Politics*.

Steven Johnson heeft gewerkt als columnist bij *Discover Magazine, Slate* en *Wired* en was de oprichter van outside.in, een website die nieuws per postcode verzamelt. Hij is een expert als het gaat om het verband tussen cultuur en technologie, en auteur van *Alle slechte dingen zijn goed voor je: waarom de populaire cultuur ons slimmer maakt.* Zijn recentste boek is *The Invention of Air: A Story of Science, Faith, Revolution and the Birth of America.*

Mark E. Koltko-Rivera is vrijmetselaar van de tweeëndertigste graad, maçonniek Tempelier en geleerde, die onderscheiden is voor zijn onderzoek op het gebied van de humanistische psychologie en godsdienstpsychologie. Hij is de auteur van *Freemasonry: An Introduction* en van het nog te verschijnen *Discovering* The Lost Symbol: *Magic, Masons, Noetic Science, and the Idea That We Can Become Gods.* Koltko-Rivera onderhoudt diverse blogs over de vrijmetselarij op www.google.com/profiles/markkoltkorivera.

Irwin Kula is een veelgevraagd spreker, schrijver en commentator. Rabbijn Kula is een bron van inspiratie voor miljoenen mensen, doordat hij de Joodse wijsheid toepast op alle aspecten van het moderne leven. *Newsweek* schaarde hem in de top tien van de 'Top 50 Rabbis in America'. Zijn boek *Yearnings: Embracing the Sacred Messiness of Life* is verschillende malen bekroond, en hij blogt regelmatig voor de *Huffington Post,* de *Washington Post* en *Newsweek.* Kula is directeur van het CLAL (Center for Learning and Leadership) in New York, een opleidingsinstituut dat tevens denktank is op het gebied van leiderschap.

Lynne McTaggart doet onderzoek naar, houdt lezingen over en is een autoriteit op het gebied van spiritualiteit. Ze publiceert nieuwsbrieven met gezondheidsadviezen en verzorgt een online cursus, 'Living the Field'. McTaggart heeft vijf boeken geschreven, waaronder de bestsellers *Het intentie-experiment* en *Het veld.* Ze is tevens de drijvende kracht achter het Intention Experiment, een 'mondiaal laboratorium' op internet dat experimenten doet met de invloed van groepsintentie op de wereld.

Michael Parkes studeerde schilderkunst en grafisch ontwerp aan de University of Kansas en reisde na zijn studie drie jaar door Azië en Europa. Hij vestigde zich in 1975 in Spanje, waar hij nog steeds woont. Zijn werk, waarin hij de werkelijkheid combineert met metafysische en spirituele elementen, is op talrijke tentoonstellingen in vele landen te zien geweest. De mysterieuze sfeer die hij daarin oproept, is vaak alleen te doorgronden met behulp van oude mythologieën en oosterse filosofieën.

Ingrid Rowland is wetenschappelijk medewerker aan de University of Notre Dame School of Architecture en woont in Rome. Als expert op het gebied van de geschiedenis van ideeën levert ze regelmatige bijdragen aan *The New York Review of Books*. Ze heeft verschillende boeken geschreven, waaronder *The Scarith of Scornello: A Tale of Renaissance Forgery, From Heaven to Arcadia: The Sacred and the Profane in the Renaissance*, en recentelijk: *Giordano Bruno: Philosopher Heretic*.

Jim Sanborn is de in Washington D.C. woonachtige schepper van *Kryptos*. Hij is beroemd om zijn sculpturen die op wetenschap zijn gebaseerd en licht werpen op verborgen krachten, en heeft kunstwerken gemaakt voor onder andere het Massachusetts Institute of Technology en diverse grote Amerikaanse musea. Hij behaalde in 1968 de titel Bachelor of Arts in de kunstgeschiedenis en sociologie aan Randolph-Macon College, en in 1971 Master of Fine Arts in beeldhouwen aan het Pratt Institute.

Jeff Sharlet is een schrijver en journalist die in Washington D.C. voor enige ophef heeft gezorgd onder de gevestigde orde met zijn boek *The Family: The Secret Fundamentalism at the Heart of American Power*, waarin hij van binnenuit verslag deed over de oudste en invloedrijkste conservatief-religieuze organisatie in de Verenigde Staten. Hij is medeauteur van *Killing the Buddha, A Heretic's Bible* en werkt als gastonderzoeker aan het Center for Religion and Media van New York University.

David A. Shugarts behoort als nestor van alle medewerkers aan *Geheimen van Het Verloren Symbool* tot de vaste kern van het team van de *Geheimen*-reeks. Shugarts kan bogen op meer dan 35 jaar journalistieke ervaring. Zijn profiel van Dan Brown en zijn gedetailleerde voorspellingen over het thema van *Het Verloren Symbool* in *Secrets of the Widow's Son*, dat in 2005 uitkwam, bleken opmerkelijk correct en leverden hem nationale bijval op. Daarnaast is hij liedjesschrijver, imker, zeevaarder, luchtvaartdeskundige en marketing- en communicatieadviseur.

Woord van dank

De totstandkoming van dit boek hebben we ervaren als een fascinerende reis langs de vele lagen van de plot, de puzzels, de raadsels en ideeën die aan de orde komen in *Het Verloren Symbool*. Velen hebben ons daarbij geholpen.

Om te beginnen staan we, zoals altijd, zwaar in het krijt bij ons thuisfront: Julie en David, Helen en Hannah, die de druk hebben gevoeld van onze deadline, maar die altijd vol begrip zijn gebleven. Hun wijsheid, liefde en steun zijn van onschatbare waarde geweest.

Dit boek dankt zijn bestaan in de eerste plaats aan de man die een idee omzette in werkelijkheid: Danny Baror, een agent zoals je die maar zelden tegenkomt. Dank ook aan Heather Baror, die zich bij het team van haar vader heeft aangesloten.

Verder willen we iedereen bedanken die een bijdrage heeft geleverd. Om te beginnen David A. Shugarts, een geweldige verteller en journalist. Zijn bijdragen zijn van grote betekenis voor de gehele *Geheimen*-serie. Door zijn uitzonderlijke inzicht in het denken en werken van Dan Brown waren zijn voorspellingen omtrent ideeën en plot van *Het Verloren Symbool* opmerkelijk accuraat, zoals blijkt uit zijn baanbrekende *Secrets of the Widow's Son*, verschenen in 2005.

Paul Berger, die bij eerdere delen in onze *Geheimen*-serie zijn sporen al heeft verdiend als researcher, schrijver en redacteur, was ook nu weer een betrouwbare en opgewekte adjudant, altijd bereid om een leemte te vullen of het missende stukje van een puzzel te zoeken én te vinden. We wensen hem alle goeds in zijn nieuwe rol als vader, en we zijn Sofie dankbaar dat ze hem zo vaak aan ons heeft willen 'uitlenen'. Lou Aronica is de nieuwste aanwinst van ons team. Hij beschikt over een rijke ervaring als uitgever, redacteur en auteur, en zijn vaardigheden als schrijver en interviewer zijn van grote waarde gebleken.

Ons netwerk van deskundigen die een bijdrage hebben geleverd vormt het hart en de ziel van dit boek. Ze reageerden allemaal enthousiast en waren graag bereid op uiterst korte termijn hun inzichten te delen met ons lezerspubliek. We bedanken hen allen voor hun uitzonderlijke bijdragen: Amir Aczel, Diane Apostolos-Cappadona, Lou Aronica, Michael Barkun, Paul Berger, David D. Burstein, Arturo de Hoyos, Hannah de Keijzer, Elonka Dunin, Warren Getler, Marcelo Gleiser, Deirdre Good, Mitch Horowitz, George Johnson, Steven Johnson, Mark E. Koltko-Rivera, Irwin Kula, Lynne McTaggart, Michael Parkes, Ingrid Rowland, Jim Sanborn en Jeff Sharlet.

Verder prijzen we ons gelukkig dat we mochten werken met het kundige team van William Morrow, geleid door onze redacteur Peter Hubbard. Peters grote belangstelling voor wetenschap, kosmologie en nieuwe paradigma's maakte hem tot de ideale partner voor dit project. Ten slotte gaat onze dank uit naar Liate Stehlik, uitgever, en Lynn Grady, assistent-uitgever; Tavia Kowalchuk en Shawn Nicholls van de afdeling marketing; Shelby Meizlik en Seale Ballenger van de afdeling publiciteit; artdirector Mary Schluck, en alle anderen bij William Morrow.

EEN PERSOONLIJK WOORD VAN ARNE DE KEIJZER

Mijn familie en vrienden ben ik innig dankbaar voor hun steun en hun begrip, en dan denk ik aan Dan Burstein, Julie O'Connor en hun zoon David, Steve de Keijzer en Marni Virtue, Bob en Carolyn Reiss, Jelmer en Rosa Dorreboom, Brian en Joan Weiss, Clem en Ann Malin, Lynn Northrup, Sandy West, Ben Blout en Marit Abrams en al mijn andere geduldige vrienden. Hannah de Keijzer, wier bijdrage is opgenomen in hoofdstuk 10, was niet alleen een uitstekende redacteur en researcher, maar betekende ook een enorme morele steun voor me. Elonka Dunin, ons welwillende hoofd speurwerk, schreef de code die onderdeel vormt van mijn opdracht. Ten slotte wil ik iedereen bedanken die ons – op grote en kleine schaal – heeft geholpen bij het ontwikkelen van deze verbazingwekkende Geheimen-serie.

EEN PERSOONLIJK WOORD VAN DAN BURSTEIN

Mijn vrouw, Julie O'Connor, en mijn zoon, David D. Burstein, hebben voor onze Geheimen-serie niet alleen heel wat over moeten hebben, ze hebben er ook een belangrijke bijdrage aan geleverd. Als gezin hebben we uren zoetgebracht met het decoderen van kunstwerken, mysteriën, aanwijzingen en verbanden in de boeken van Dan Brown. We zijn in de voetsporen van Robert Langdon naar Parijs, Rome en inmiddels ook naar Washington D.C. gereisd. Als tastbaar bewijs van onze vruchtbare gezinssamenwerking is in *Geheimen van Het Verloren Symbool* een stuk van David D. Burstein opgenomen (zie hoofdstuk 2), en verder zijn er de foto's van opmerkelijke gebouwen in Washington, gemaakt door Julie O'Connor. Mijn samenwerking met Arne de Keijzer is trouwens ook een familiekwestie, en ik ben buitengewoon dankbaar voor de liefde en de steun van Helen en Hannah de Keijzer. Bijzondere dank aan mijn familie, vrienden en zakelijke partners voor al hun ideeën, hun praktische hulp, hun morele steun en hun geduld terwijl ik aan dit boek werkte: Jean Aires, Dan Borok, Craig en Karina Buck, Bonnie Burstein, Max Chee, Betsy DeTurk en haar gezin, Marty Edelston, Judy Friedberg, Jon Glass, Adam Guha, Joe Kao, Barbara O'Connell, Cynthia O'Connor en haar gezin, Joan Aires O'Connor, Maureen O'Connor, Peter G. Peterson, Angeles en Sergio Sanchez, Sam Schwerin en Brian Waterhouse. Denkend aan alle invloeden die mijn leven hebben gevormd en die van cruciaal belang zijn geweest voor mijn ideeën en mijn creatieve werk, waaronder dit boek, besef ik dat mijn grootste dank behoort uit te gaan naar mijn ouders. Als er in deze wereld ooit twee onsterfelijke zielen zijn geweest, dan zijn het Dorothy en Leon Burstein. En ook al zijn ze overleden, in respectievelijk 1983 en 1991, de wijsheid en de waarden die ze me hebben meegegeven, ervaar ik nog dagelijks als een geschenk.

Als laatste, maar zeker niet als minst belangrijke, bedanken we Dan Brown en heffen we het glas – of misschien een schedel – op hem. Het is aan zijn baanbrekende werk te danken, waarin hij enkele van de grote ideeën uit de westerse geschiedenis – inclusief controversen, 'verborgen geschiedenis' en banden met de wijsheid van de ouden – verwerkt in boeken vol actie en avontuur, dat wij begonnen aan onze queeste om meer over die ideeën te weten te komen, en om die kennis vervolgens te delen met onze lezers. Het is een rijke intellectuele zoektocht voor ons geweest, een intens bevredigende ervaring, hoeveel er ook nog altijd in het verborgene blijft.

Dan Burstein
Arne de Keijzer

December 2009